TOOLs and WEAPONs

ツール・アンド・ウェポン

テクノロジーの暴走を止めるのは誰か

ビル・ゲイツ 序文
Bill Gates

マイクロソフトプレジデント
ブラッド・スミス＆
キャロル・アン・ブラウン 著
Brad Smith & Carol Ann Browne

斎藤栄一郎 訳

プレジデント社

Tools and Weapons テクノロジーの暴走を止めるのは誰か ［目次］

序文

ビル・ゲイツ

わたしの仕事人生の中でも、とりわけ苦難に見舞われた時期に初めて助言を求めたのが、ブラッド・スミスだった。それから二〇年の歳月が流れても、その関係は続いている。

ブラッドがマイクロソフトの法務部門に入ったのは一九九三年だが、直接知り合ったのは一九九〇年代後期のことである。ちょうどアメリカ政府がマイクロソフトを相手取って独禁法違反の訴訟を起こした時期だ。このため、ブラッドと膝を突き合わせ、数え切れないほどの時間をかけて対策を練ったものである。実に教養豊かで頭脳明晰な人だと即座にわかった。そしてわたしは、ブラッドの人間としての魅力に惹かれ、専門家としての彼の判断に信頼を寄せるようになった。

裁判中、ブラッドにはマイクロソフトの法廷戦術を練ってもらっただけでなく、ほかにも重要な役割を引き受けてもらった。たとえば、企業文化や戦略を大きく変革する旗振り役を担ったのもブラッドだった。その変革こそが、本書の柱となっている。

マイクロソフトの草創期、連邦政府との付き合いはほぼ皆無だったが、わたしはそのことを自慢の種にしていた。「これほどビジネスが成功していてもワシントンDCにオフィスを持たずに済ませているなんてすごいことじゃないか?」などと言いながら、いい気になっていたのだ。ところが、独禁法訴訟での辛い経験をきっかけに、こういうやり方は決してほめられたものではないと悟った。訴訟が和解にこぎ着けてから、ブラッドは、わたしだけでなく、従業員に対しても、これまでとは違う姿勢で臨もうと説いて回った。そして自ら範を示してくれた。彼は弁護士であって、ソフトウエア開発者ではない。技術には相当精通しているが、われわれとは頭の回路が違っていた(もちろんほめ言葉である)。彼は政府やパートナー、場合によっては競合他社も含め、さまざまな方面との人脈づくりにもっと時間とエネルギーを費やすべきだと考えていた。若いころから国際関係に関心を持っていたことも考えれば、ブラッドなら外交官になっても立派に務まったことだろう。

ブラッドはマイクロソフトだけが儲かればいいという偏狭な考え方の持ち主ではない。そのこと一つ取ってみても、彼の人となりがわかる。彼は、テクノロジーの最も重要なポイントがどこにあり、そこに影響を及ぼす政策がどういうものかはっきりと理解している。だからこそ、傍観者を決め込むことはマイクロソフトにとって損失になるばかりか、業界全体にとっても損失になると信じている。確かに、自社だけで問題に対処しなくてはならないケースもあるはずだが、そうでないケースはいくらでもある。たとえば、人工知能や顔認識、サイバーセキュリティが絡んでくると、各社の協力によってはるかに大きな成果が見込める。

本書でブラッドが説明しているように、政府による規制強化が誰からも期待されるような時期は確かにある（むろん、経営者が規制緩和ではなく規制強化を政府に求めるのは皮肉以外の何ものでもなく、ブラッドもそのことは百も承知だ）。そのためにも、マイクロソフトなどのテクノロジー企業は、アメリカ、欧州、その他の地域のリーダーともっと真正面から深く関わり合う必要があるとブラッドは主張する。わたしがワシントンDCにオフィスなんていらないと豪語していた時代はすでに終わっているのだ。

今の時代ほどブラッドが描くビジョンがしっくりくる時代はない。世界中の政府が多くのテクノロジー企業や業界全体に対して厳しい視線を向けている。これらの企業のテクノロジーはどのように使われているのか。それがどのようなインパクトをもたらしているのか。テクノロジー企業はどのような責任を負うのか。各国政府やもっと大きな地域はこうした問題をどう捉えるべきなのか。

こうした問いはわれわれが二〇年前に抱えていたものとは違うが、当時、わたしが舌を巻いたブラッドの洞察力は今も変わらず輝いている。

たとえば、顔認識技術に関していろいろな問題が表面化している。今のところ、公の場で議論するほど大きな話題になっていないが、そのうち深刻になるはずだ。顔認識ツールを使ううえで、ソフトウエアメーカーはどのような制約を設けるべきだろうか。業界はこれをどう考えるべきか。政府が規制をかけるとすれば、どうあるべきか。

ブラッドは、こうした疑問に先手を打ち、協議するためのパートナーシップを構築するなど、常に先頭に立って行動している。テクノロジー業界が結集して力を合わせ、世界各地の顧客や政府とともに問題解決に取り組む必要がある。すべての人々を巻き込むことは不可能かもしれないが、ばらばらになって足並みが乱れれば、ルールは国ごとに大きく異なるものとなり、顧客、テクノロジー業界、社会にとってプラスにならない。

本書『Tools and Weapons』は、サイバーセキュリティ、IT労働者の多様性、米中関係など実に多岐に渡る一五のテーマに切り込んでいる。なかでも特に重要な章を挙げるとすれば、プライバシーに関する章だろう。膨大な量のデータの収集能力は諸刃の剣だ。データのおかげで政府や企業、個人の意思決定の質がこれまで以上に向上する一方、人々のプライバシー権を保護しつつ、こうしたデータを利用するにはどうすればいいのか、大きな課題が持ち上がっている。

だが、ブラッドが言うように、テクノロジーは比較的新しいものだが、問題自体は決して目新しいものではない。人々は何世紀も前から、形こそ異なるものの、この問題と格闘し続けてきたのだ。データプライバシーを扱った章であれば、ナチス・ドイツによって国民の情報が収集された話が出てきそうなことは想像に難くないが、まさか一八一二年の米英戦争の話題が出てきたり、刑事共助条約（刑法執行などのために情報の収集・交換を国家間で合意する条約）の経緯が紹介されたりするとは思ってもみなかった。

これぞ、多方面に渡って関心を持ち、ありとあらゆる分野に深く斬り込む才能に恵まれたブラッドの真骨頂である。しかも、どれ一つとっても、退屈な法律文書のような記述は皆無だ。ブラッドと共著者のキャロル・アン・ブラウンという優れた語り手によって、こうした問題が実際の現場で、大会議場で、はたまた世界各地の法廷でどのように解決されていくのか、その舞台裏を垣間見ることができる。ブラッドはただデスクにふんぞり返って、分析作業に没頭しているわけではない。さまざまな人々を引き合わせて解決策を追求するのが彼の流儀だ。

わたしはブラッドとこうした問題についていつも連絡を取り合っていて、直接会うこともあれば、メールで意見を交換することもある。今も変わらず、彼の知恵と判断力を頼りにしている。彼の経験と知性を踏まえれば、今、テクノロジー業界が抱えている問題を考えていくうえで、指南役としてこれ以上の適任者はいないだろう。

こうした問題は今後ますます重要になる一方だ。新しいテクノロジーがもたらす課題を明らかにし、テクノロジー企業や社会が今後取りうる道筋を提示してくれるのが、本書『Tools and Weapons』である。ブラッドのおかげで、テクノロジーをめぐる喫緊の課題に迫る、明快にして説得力ある指南書がここに誕生した。

二〇一九年四月

序章

新しいテクノロジーがもたらす新しい不安

文明の背後には必ずデータがある。

人間が言葉を話す能力を身に付けた瞬間から人類の歴史は始まった。人間は言語の発明によって自分の考えや経験、欲求、要求などをほかの人々に伝えられるようになった。

そして書く能力を身に付けた結果、進化に拍車がかかった。情報は、人から人へと、さらにはある場所から別の場所へと、これまで以上に簡単に、正確に伝わるようになった。

やがて知の世界に小さな火が灯る。人々が書き残した情報の蓄積、探索、共有が可能になったのだ。古代世界の特徴の一つに、図書館の建設が挙げられる。[1] 文書や書籍を収集することにより、人間は空間を超えて情報を簡単にやり取りできるようになっただけでなく、次の世代へ情報を伝えることも可能になった。

何世紀も時代は下ってヨハネス・グーテンベルクが印刷機を発明するや、小さな火は大きな炎となり、書き手と読み手が大きな力を手にするようになる。

やがてこの炎は世界に燃え広がった。それから何世紀もの間、商業的にも大々的な盛り上がりを見せ、これが活発なコミュニケーションにつながり、さらなるコミュニケーションを生むという循環に入った。二〇世紀初頭には、ありとあらゆるオフィスで文書を保管する設備が必要となる。仕事場がファイルキャビネットだらけになってきたからだ。[2]

データはもはや社会に欠かせないものになっているが、現代ほどデータが重要な役割を担っている時代はない。貿易量が減少しても景気が停滞しても、データだけは一定のペースで増え続けているのだ。「データは二一世紀の石油」と形容する人もいる。だが、これは現実を過小評価している。一〇〇年前、自動車や飛行機、多くの列車は確かに石油が動かしていた。現在、暮らしのなかでは、ありとあらゆるものがデータで動いている。つまり、現代文明においては、データは、エネルギーとして使う石油よりも呼吸で取り込む空気に近い。

石油とは違い、データは人間が自ら生み出せる再生可能な資源だ。たとえば二〇一〇年代の一〇年間で、デジタルデータの量はほぼ二五倍に膨れ上がった。[3]しかも人工知能（ＡＩ）の登場を受け、データ量はかつてないほどに増えている。

これをサポートするデジタルインフラが、「クラウド」と呼ばれるものだ。「クラウド」（雲）とは、何ともつかみどころのない、ぼんやりとした名称だが、その実体は要塞のように堅固だ。わたしたちがスマートフォンの画面を眺めるたびに、巨大なデータセンターからデータが手元に運ばれてくる。データセンターは、足を踏み入れたことのある人がほとんどいない現代の魔境である。

もし幸運にもデータセンターに足を踏み入れることがあるのなら、今の世界がどう動いているのかを知る絶好の機会だ。

クラウドの実態を知るのにうってつけの場所といえば、世界的なリンゴ産地であるアメリカ・ワシントン州クインシーだろう。シアトルから州間高速自動車道九〇号で東にざっと二四〇キロほどの小さな町だ。ここが選ばれたのにはわけがある。クインシーは州の農業流域の中心にある町で、アメリカ西部を大きくくねりながら流れる最大の川、コロンビア川によって何千年もかけて形成された峡谷の端に位置する。この町の電力は、アメリカ最大の発電所グランドクーリーダムをはじめ、数々の水力発電所が供給している。世界最大級の電力消費者である最新のデータセンターには理想的な場所なのだ。[4]

クインシーの目抜き通りから数ブロック入ったところに、高いフェンスと塀で厳重に囲まれた得体の知れないビルがいくつも並んでいる。よく見ると、有名ハイテク企業のロゴが付いたビルもあるが、まったく名前のないビルもある。そのなかでも最大のビルが、マイクロソフト所有の「コロンビア・データセンター」だ。

これほど巨大なデータセンターを前にすると心が躍ると同時に、少々気味が悪くもある。クインシーでマイクロソフトが所有する施設は一つだけではない。データセンターを擁する広大なキャンパスが二つあり、双方合わせて二〇以上のビルが立ち並び、床面積はおよそ一九万五〇〇〇平方メートルに上る。各ビルは内部にフットボール競技場が二つ収まるほどの広さで、旅客機二機を並べてもまだ余裕がある。そのような巨大ビルの集合体に何十万台ものサーバー、何百万台ものハードディスクが収められており、しかも、それぞれの製品は、動作速度も効率も改良された新モデルに三年ごとに置き換えられている。

データセンターがいかに巨大なのか実感したければ、建物の端から中心まで歩いてみるといい。ビルのすぐ外には世界最大級の発電設備が据え付けられ、この地域が停電になっても瞬時に非常用発電設備が作動して、データセンターの機能を止めない仕組みになっている。この発電機は一台が高さ六メートルあり、一台で二〇〇〇世帯以上の電力をまかなえるほどの発電能力がある。発電機はディーゼル燃料タンクにつながっていて、停電から四八時間はデータセンターに電力を供給できる。燃料補給の手はずが整っていれば、非常時の電力供給にとどまらず、それを大きく上回る期間でも運用が可能だ。

マイクロソフトは、ワイオミング州シャイアンにさらに新しい施設を設置しているが、こちらの発電機は、送電網からの電力供給がストップしたときにクリーンな天然ガスを燃料に使った自家発電に切り替わる。データセンターのビルの横には、こうした巨大発電機が何十台も用意されていて、グランドクーリーダム発電所からの供給が止まった場合に備えている。

各ビルの内部には、セキュリティ対策が施された大きな部屋が並び、受変電設備に使われている。ここには通常、送電網から二三万ボルトの電力を引き込み、これを二四〇ボルトに変圧してデータセンターのコンピュータに供給している。この受変電設備は高さ約一・八メートルのラックが何列も並び、一つひとつのラックに五〇〇個以上のバッテリーが接続されている。バッテリーの見た目は自動車用と大差ない。

受変電設備室のドアは防弾処理が施され、壁はすべて防火壁だから、万一、火災になっても隣の部屋に燃え広がることはない。典型的なデータセンターのビルの場合、こうした部屋が四つ以上あり、建物構造にもよるが、バッテリーの総数は五〇〇〇個を超える。この大量のバッテリーの用途は二つある。まず、送電網からの電力がこのラックを経由してバッテリーの充電状態を保ちつつ、電圧スパイク（過電圧）の発生を回避することにより、安定した電力をコンピュータにスムーズに供給している。もう一つの用途は、停電時に緊急発電機が稼働するまでのつなぎとして、このバッテリーからデータセンターに電力が供給されるのだ。

さらに別の防弾ドアと防火壁を通過すると、空港でお馴染みの金属探知機があり、脇に制服姿の二人の警備員が立って内部の神聖な領域を守っている。ここから先へは、事前に許可されたマイクロソフトの正社員だけが立ち入りを許される。小さな待合室に入ったとたん、背後で鋼鉄製のドアが閉まる。ここに閉じ込められた来訪者を保安スタッフがカメラでじっくり確認した後、ようやく次の防弾ドアが開く。

そうやってたどり着いた場所は、洞窟を思わせる空間だ。ここは情報時代の〝神殿〟であり、現代のデジタルライフを支える礎でもある。静まり返った空間にファンの唸る音だけが響く。天井まで届くラックにコンピュータがぎっしり詰め込まれ、はるか遠くまでずらりと並んでいる。まさに神経中枢と呼ぶにふさわしい光景だ。鋼鉄と電子回路の巨大な砦には、大きさや見た目がそっくりなサーバーがいくつも並ぶが、それぞれに格納されているデータは実にさまざまだ。ここはいわばデジタル時代のファイルキャビネットなのだ。

こうした施設のどこかの一室に、あなたのデータファイルがある。そこには今朝書いたメールや夕べ作成した文書、昨日の午後に撮った写真が保存されている。銀行や病院、勤務先で作成された個人情報も。もっとも、こうしたファイルが保管されているのは、膨大な数のコンピュータのどれかに搭載されているハードディスク内のごくわずかなスペースだ。ファイルはどれも暗号化されているから、権限のある正規ユーザーしか閲覧できない。

各データセンタービルには、こういう部屋がいくつもあり、火災の際に延焼を防ぐために相互に完全遮断されている。各コンピュータはビル内の三系統の電源に接続されて、コンピュータを並べる列の配置も工夫されている。コンピュータから放出される熱をビル内で再循環させて暖房に使用し、冬場でも電力使用が抑えられる仕組みになっている。

サーバールームを退出する際には、再び厳格なボディチェックが待ち受けている。靴を脱ぎ、ベルトも外さなければならない。空港の保安検査も厳しいが、出発時ならともかく、到着して空港から外に出るときにまでこんな検査が求められることはありえない。入室、退室の双方向ともに保安検査が必要なのにはわけがある。マイクロソフトとしては、USBメモリへのデータコピーや、個人情報が記録されたハードディスクの盗難を何としても阻止しなければならないからだ。それだけでなく、ハードディスクの搬出・搬入にも特別な手順を踏まなければならない。たとえば、ハードディスク交換の時期が来ると、記録されているデータを新しいコンピュータにコピーし、元ファイルは消去される。次に、不要となったハードディスクは巨大な金属破砕処理機にかけられる。

さて、この見学ツアーの最大の見どころは最後にやってくる。ガイドからこんな説明を受けるはずだ。

「データセンターを設置しているどの地区も、このようなビル群で構成されていて、企業や行政のデータはもちろん、非営利目的のデータであっても常にどこか別の場所でバックアップできます。こうしておけば、地震やハリケーン、その他の天災、人災が発生しても、第二のデータセンターに切り替わってクラウドサービスが円滑に引き継がれるのです」

実際、東日本大震災のときには、マイクロソフトは西日本にデータセンターを持っていたため、サービスを中断することなく提供できた。

今日、マイクロソフトは、二〇カ国以上で一〇〇を超える大小さまざまな規模のデータセンターを所有しており、運用・リースを手がけている。そして、二〇〇〇ものオンラインサービスを提供し、世界一四〇カ国以上で一〇億を超えるユーザーをサポートしている。

私がマイクロソフトに入社したのは一九九三年だが、当時、ソフトウエアメーカーを立ち上げるのに大した資本は必要なかった。創業者のビル・ゲイツとポール・アレンは、自宅ガレージや学生寮の片隅でITベンチャーを起業した最後の世代かもしれない。ソフトウエアづくりに巨額の資金は不要だったからだ。それなりのコンピュータと、そこそこの資金と、来る日も来る日もピザばかりの生活に耐える気さえあれば、起業のハードルは決して高くなかった。

マイクロソフトが小さなベンチャーから今日のような多国籍企業に成長していく間、同じ境遇の企業をいくつも目にしてきた。二〇〇四年には、ジャイアント・カンパニー・ソフトウエアというアンチスパイウエア（スパイウエア対策ソフト）開発会社の買収を計画した。先方に打診する際、テクニカルサポート窓口として公表されていた電話番号に連絡してみた。CEOにつないでほしいと告げると、デスクの反対側にいるもう一人の社員が受話器を受け取って電話に出た。社名とは大違いの小さな会社だった。当然のことながら、買収交渉はトントン拍子に進んだ。[5]

当社のデータセンターを訪ねると、あのジャイアント・カンパニー・ソフトウエアのことを思い出さずにはいられない。オープンソースのソフトウエア開発会社は、いまだにビルとポールが起業したころのようなやり方で新しいアプリをつくり続けている。

だが、クラウドコンピューティングに必要なプラットフォームをグローバルな規模で提供するとなると話は違う。実際、何千台ものコンピュータやラックに積まれたバッテリー、巨大発電機が並ぶ中を歩いていると、隔世の感がある。まるで別の惑星に迷い込んだかのようだ。データセンターが立ち並ぶキャンパスを整備するには、莫大な費用がかかる。建設作業が終わったら、今度は施設の保守・更新作業に追われる。敷地も定期的に拡張しなくてはならず、サーバー、ハードディスク、バッテリーは、新世代の効率の良い製品に更新・交換をする作業も待っている。データセンターに完成はないのだ。

今、世界は新しいデジタル時代に突入しているが、最新のデータセンターは、多くの面でこの時代の中心的な存在だ。データ、ストレージ（記憶装置）、処理能力が高度に集積された結果、世界中の国がここをプラットフォームに進歩を遂げるようになった。

同時に、これが原因で、現代ならではのきわめて難しい問題が噴出している。この新しい時代に、社会の治安、消費者の利便性、個人のプライバシーのバランスをどう取ればいいのか。こういう新しいテクノロジーを悪用して国家や企業、個人の生活を脅かすサイバー攻撃から自分自身をどうやって守ればいいのか。一つの社会を超えて影響が波及し始めた経済効果をどうやって管理すればいいのか。次の世代のために雇用を確保できるのか。さらに言えば、わたしたちが創り出そうとしている世界は、最終的にわたしたち自身が制御できるのだろうか。

こうした疑問に答える第一歩は、過去のテクノロジーの変遷を振り返りつつ、今後のテクノロジーの変化をしっかりと見極めることだ。

太古から、道具(ツール)というものは、使い方次第で毒にも薬にもなるものだ。箒でさえ、床掃除の道具にもなれば、人を殴る武器にもなる。

ツールが強力になればなるほど、それがもたらす恩恵もダメージも大きくなる。大々的なデジタル改革には大きな期待が持てるが、情報技術は強力なツールであり、恐るべき武器にもなっている。

新しいテクノロジーの時代には、新たな不安も生まれる。この緊迫した状態は、世界の民主主義国で特に顕著になっている。こうした国々では、移民や貿易、所得格差に関わる不安を抱えていて、著しい技術変化を背景に、ポピュリストやナショナリストによる国家の分断が深刻化している。テクノロジーの恩恵は均一にもたらされていないうえ、変化の質もスピードも、個人や地域社会、国家にとって厄介な問題になっている。およそ一〇〇年前と比べて、民主主義社会全体が抱える課題は増加している一方、テクノロジーそのものを駆使して、この脆弱性を悪用しようとしている国もある。

本書では、世界最大級のテクノロジー企業のいわばコクピットから、こうした課題について吟味する。単独企業はもちろん、業界一丸となっても手に負えないような見えない力と戦い、何とか折り合いをつけようとしているテクノロジー業界を描いた物語でもある。そのなかで、トレンドやアイデアに関する話題だけでなく、急激に変化する世界に対処する人々、判断、行動についての話題も取り上げる。

それは、マイクロソフトが新たな視点から捉えた現在進行形のドラマでもある。二〇年前、マイクロソフトは情報技術と社会との最初の衝突ともいえる事件の中心にいた。アメリカ司法省をはじめ、二〇の州が独禁法違反で訴訟を起こし、マイクロソフトの解体を迫っていた。他の国々の政府も同様の訴訟で追随した。ウィンドウズというOSがあまりに重要になりすぎて、野放しにしておくわけにはいかないというのが、競争当局の結論だった。

企業分割という事態は何とか回避できたものの、辛く過酷で苦痛にまみれた経験だった。二〇〇二年に顧問弁護士に任命された私は、世界各国の政府やテクノロジー業界の企業と〝平和条約〟を締結することに奔走した。ほぼ一〇年がかりとなったうえ、[6]思ったよりも多くのミスを犯した。自らの役どころを考えれば、個人的にそうしたミスの大部分で何らかの責任があったと思う。

だが、われわれは数々の問題を切り抜けながら、それなりに経験を積んで知恵も付いた。自分たちの理想ばかり追いかけるのではなく、鏡に映った己の姿を見てまわりからどう見られているのか知るべきだと悟った。まるで新しい学校を卒業した第一期生になったかのような気持ちだった。本当に一番乗りだったか定かではないが、いち早く勉強する恩恵に浴することにはなった。

今日のテクノロジーをめぐる問題は、二〇年前とは比べものにならないほど広範に、しかも深くなっている。テクノロジーと社会の両面で重大な転換点に差しかかっているのだ。そういう場面では、新たなチャンスがもたらされると同時に、喫緊の課題に対処する緊急措置も必要になってくる。

その結果、二〇年前のマイクロソフトと同様に、今日のテクノロジー業界も変革を迫られるようになる。要するに、「世界を変えるような技術を開発したのなら、その結果として世界が抱えることになる問題についても、開発の当事者として解決に手を貸す責任を負う」という、基本的だがきわめて重要な考え方を受け入れるときが来たのである。

そんなことは常識と思われるかもしれないが、長らく成長第一で脇目も振らずに突っ走り、ときに創造的破壊自体が目的化しているような業界では、そんな常識さえも通用しない。だからあえて言うが、テクノロジーを生み出した企業は、未来に対して大きな責任を負わねばならない。

だが、「テクノロジー業界自らが問題提起することはできない」という見方も無視できない。つまり、世界では、業界の自主規制と政府による措置の二本柱が求められているのだ。世界の民主主義国家にとって難しい局面である。というのも、テクノロジーが今のように破壊的な力を持つ時代においても、経済的、社会的に幅広いコンセンサスを得ておくことが国家を機能させる大前提になっているからだ。多くの民主主義国家の政府は、断固とした行動を取ることにこれまでになく躊躇しているように見える。

とはいえ、今こそ新しい政策や制度を前進させなければならない。しかも、それぞれの政府が独立して取り組むだけでなく、他国の政府とも協力し合い、さらにはテクノロジー業界との官民連携という新しい形にも取り組むべきだ。政府はこれまで以上に素早く動き、技術進歩のペースに追い付く必要がある。

こうした課題への対応に正解はないが、過去に学べば応用できる重要なヒントは見つかる。一七〇〇年代半ばにイングランド中部地方で始まった第一次産業革命を機に、技術の変化は波状的に世界中に広がっている。今目の前にある課題には前例がないように思えても、歴史を振り返ればそれなりに似通ったケースが見つかることがしばしばあり、現代のわたしたちにヒントをもたらしてくれる。本書では、過去の教訓を生かしながら、未来の可能性や課題を取り上げ、過去からどのように学ぶべきかについても考えてみたい。

こうした問題の解決には何らかのテクノロジーが欠かせないうえ、雇用や治安、世界で最も基本的な人権にも関わってくる。急速な技術変化の時代を生きながら、伝統的価値観、さらには時代を超えた価値観と折り合いをつけていく必要がある。このゴールを達成するには、イノベーションを確実に継続していく一方で、テクノロジーとそれを生み出す企業が、民主主義的なやり方によって人類の未来を創造していくことを前提として取り組まなければならない。

第1章

テクノロジーと監視

企業側から見たスノーデンの告発

二〇一三年六月六日、アメリカ・ワシントン州レドモンド。雲間からは初夏の日差しが降り注いでいた。マイクロソフト本社五階のオフィスでドミニク・カーがブラインドを少し開けた。アメリカの太平洋岸北西部に本格的な夏が訪れるのは一カ月先のことだが、その日の太陽の光は暖かく穏やかな日々を先取りしているかのようだった。

彼は携帯電話を手にエレベーターで一階に降り、隣の棟にある社員食堂でサンドイッチを買った。各棟を結ぶ通路を歩いていると、後ろのポケットに入れていた携帯電話が鳴った。ドミニクは私の直属の部下で、広報チームの責任者として特に厄介な問題に関するメディア対応に当たっていた。当然、携帯電話を肌身離さず持ち歩き、デスクから遠く離れることもめったになかった。

そのとき「マイクロソフト／ＰＲＩＳＭ」というメール通知がドミニクの携帯電話の画面で光っていた。当時社内で「ＰＲＩＳＭ」といえば、営業責任者が集まる毎年恒例の会議を指す言葉だった。日常業務に関するいつもの連絡かと思ったが、そうではなかった。間もなく世界規模で大変な事態が勃発するというのだ――残された時間はたった三時間。

転送されてきたメールはこんな書き出しだった。

「［イギリスの］ガーディアン紙では、アメリカの大手テクノロジー企業数社とＮＳＡ（国家安全保障局）の協力で自主的に進められている極秘通信監視プログラムＰＲＩＳＭに関する記事を掲載する予定であることをお知らせします」

何と、まったく別の「ＰＲＩＳＭ」なるものに関する連絡だったのである。

この送信者は、これまたドミニクという名だった。フルネームはドミニク・ラッシュ。ガーディアンの記者だ。つまりこのメールはこの記者からボストンにいるマイクロソフトの広報マネジャーのもとに送られ、社内で転送されてきたのだ。メールには、「今すぐに内容を確認せよ」という意味の赤いタグが付けられていた。

記者からのメールには九つの厄介な質問が並んでいて、どう考えても無理な回答期限が設定されていた。それでも、「責任ある報道機関として、上記九項目について何らかの不正確な点があれば、貴社からご指摘いただく機会を設けたいと思います。（中略）本記事に関してホワイトハウスにはすでに取材済みです」とある。

「同プログラムが機密扱いされていたこともあり、弊紙としては、これでも最も早い段階で貴社コメントを要請しております」

コメントの締め切りは、アメリカ東部夏時間の午後六時、マイクロソフトの本社があるシアトルの時間でいうと午後三時だった。

ガーディアンが入手した機密文書によれば、アメリカのテクノロジー企業九社（マイクロソフト、ヤフー、グーグル、フェイスブック、パルトーク、ユーチューブ、スカイプ、AOL、アップル）がPRISMという自主プログラムに参画し、各社が扱うメールやチャット、動画、写真、SNSの詳細情報、その他のデータにNSAが直接アクセスできることを保証していたという。

このメールを見て、ドミニクはランチどころではなくなった。それから何日もてんやわんやの状態が続くことになる。取って返したドミニクは、二カ所の階段の入り口を締め切りにし、オフィスのある五階に戻った。いわれてみればガーディアンにはその朝気になる記事があった。それは、アメリカである秘密裁判が開催され、通信大手のベライゾンに対して、アメリカ国内の通話はもとより、外国との通話も含めて全通話記録を「毎日継続的に」政府当局に提出することを義務付ける裁判所命令が下されたと報じていた。[1] 通話記録はメリーランド州フォートミードにあるNSAの手で分析されていた。NSAはこのような通話データを世界中で収集していたのだ。ガーディアンの記事によればこの膨大な収集データは、前科や問題のあるなしにかかわらず、大量のアメリカ人が標的になっていた。

この厄介な方のPRISMについて知っている者がマイクロソフトにいたとすれば、ジョン・フランクだ。国家安全保障関連の業務も手がける法務チームを率いていた弁護士資格を持つ社員である。ドミニクは急ぎジョンに知らせた。

ガーディアンの記者からのメールを見せると、慎重で几帳面な性格のジョンはじっくり内容を吟味し始めた。やがてメガネを外し、体を起こして日差しにあふれる窓の外に目をやった。突然、疲れた表情を見せながら「まったくもって無意味だよ。間違いだらけだと思う」とつぶやいた。

ジョンは捜査当局から情報提供の要請があった場合、マイクロソフトがどう対応するのかを把握していて、その手順づくりにも関わっていた。マイクロソフトではしかるべき法的手続きが取られた場合に限り、顧客データを開示することになっており、その対象は、特定のアカウントや個人に限定していた。

ジョンとドミニクが私の執務室にやってきた。二人とも記者からのメールを受け取ったときよりはもう少し事情が飲み込めていたようだった。「記者サイドは、こちらの確認が取れなくても記事を書く気だ」とジョンが言う。

確かに、法的には捜査当局からのデータ提供要請があれば応じる義務がある。そのような要請があった場合、慎重に精査し、対応する手順を社内でも確立していた。ただし、マイクロソフトは巨大企業である。社内の不届き者による仕業という可能性はないだろうか。

しかし、政府からの要請を受けたときに対応する社内手順に照らし合わせれば、ガーディアンの記事はそれとは別の話であることがすぐにわかった。

マイクロソフトでPRISMについて聞いたことのある者はいなかった。ガーディアン側に何を根拠に取材しているのかと尋ねても、彼らはそのきっかけとなった流出文書の開示を渋った。

われわれは、顔見知りのホワイトハウス関係者に連絡を取ったが、「機密扱い」の件は一切話せないし、提供できる情報もないという一点張りだった。時間は刻々と過ぎていく。私はジョンとドミニクにこう語りかけた。

「思うに、われわれは秘密クラブの一員になっているんじゃないか。ただ、あまりに秘密すぎて自分たちがメンバーになっていることさえ知らされていないのでは」

だとすれば、記者の問いかけに応じるのは、記事が掲載されてからでも遅くない。

約束の午後三時、ついにガーディアンが爆弾を投下した。「NSAのPRISMプログラム、アップルやグーグルなどのユーザーデータを利用」との見出しが紙面に躍った。[2] その後、NSAの国家安全保障電子監視プログラムであるPRISMとは、「Planning Tool for Resource Integration, Synchronization and Management」（リソースの統合・同期・管理のための計画立案ツール）の略であることが判明した。[3] こんな長たらしい名称の略語だと誰が想像するだろうか。テクノロジー業界にありそうな、下手な商品名の見本みたいなものだ。報道によれば、モバイル機器や通話、メール、オンラインの会話内容、写真、動画を追跡する電子監視プログラムだったという。[4]

ガーディアンのほか、ワシントン・ポスト紙も同様の記事を掲載し、このニュースは数時間のうちに世界中を駆け巡った。案の定、営業部門や法務部門に顧客からの問い合わせが殺到した。問い合わせの内容はいずれも同じだった。

「あれは本当か」

当初、記者がどこから情報を入手したのかはっきりしなかった。真偽が疑わしいとの声もあった。だが、その三日後にはガーディアンが最初の記事並みの大きな爆弾を投下した。情報提供者を明らかにしたのだ。[5] しかも本人の希望による公開だった。

情報源は、防衛関連企業のブーズ・アレン・アンド・ハミルトン社に勤務する二九歳の従業員、エドワード・スノーデン。ハワイにあるNSAの脅威作戦センターで契約コンピュータシステム管理者を務めていた。その当時、五〇万件を超える高度な機密文書をダウンロードしていた。[6] 二〇一三年五月二〇日、彼は香港に飛び、ガーディアンやワシントン・ポストの記者と接触、NSAの機密情報を世界に公開し始める。[7]

その後、夏から秋にかけてスノーデン文書を基にした記事が続々と登場する。最初にリークされた文書は、四一枚のスライドで構成されるパワーポイントのファイルで、情報部員の訓練に使われる機密文書だった。だがこれはほんの序の口だった。翌年にかけて、スノーデンが保有する秘密ファイルの内容がメディアを通じて次々と明らかにされ、社会の不安を煽ることになる。アメリカ、イギリスの両国政府が諸外国の首脳や何百万人にも及ぶ何の罪もないアメリカ人の通話記録やユーザーデータを手に入れていた事実が明るみに出るや国民の不信は一気に高まった。[8]

このニュースが人々の神経を逆なですることになったのはいうまでもない。何しろ、民主主義社会で二〇〇年以上に渡って当然とされてきたプライバシー保護という考え方を嘲笑うかのようにこんな話が一気に広まったのだ。

今日、マイクロソフトでは、ワシントン州クインシーに設置したデータセンターで人々の個人情報を守っている。このプライバシー保護の権利の起原をたどれば、一八世紀のロンドンに行き着く。当時、激しい政治論争に火を付けた男は、ジョン・ウィルクスという下院議員だった。

ジョン・ウィルクスは、当時としては誰よりも注目を集めた急進的な政治家だった。一七六〇年代、現代の政治家なら口に出すのもはばかられるような品のない言葉で、時の首相に嚙み付いたばかりか、国王にまで盾突いたことで知られる。一七六三年四月、ウィルクスは敵対する新聞に匿名で論評記事を寄稿した。その記事はチャールズ・ヨーク法務総裁を激怒させることになる。ヨークは匿名著者がウィルクスだったのではないかと睨む。ただちに政府は、いかようにも解釈できる曖昧な捜索令状を出し、ほぼ例外なくいつでもどこでも捜索できる権限が捜査当局に与えられた。

これといった根拠もないまま、捜査当局は容疑者と見込んだ印刷所経営者宅の捜索を真夜中に開始し、「経営者をベッドから引きずり出して、個人的な書類を残らず押収し、職人や使用人など一四人を逮捕した」[9]。当局はさらに四カ所を立て続けに捜索し、逮捕者は四九人に上ったが、ほぼ全員が無実だった。ドアというドアが蹴破られ、トランクは次々に開けて調べられ、数え切れないほどの鍵が破壊された。[10] やがて当局は、証拠をかき集め、当初から狙いを定めていたジョン・ウィルクスの逮捕に至った。

だが、ウィルクスも泣き寝入りするような男ではない。一カ月もしないうちに、一〇件以上の訴訟を起こし、当時最強の当局者を相手取って裁判に挑んだ。提訴自体は驚くに当たらなかったが、その後の展開にイギリスの支配者層、とりわけ政府は衝撃を受ける。裁判所がウィルクスの訴えを認める判決を下したからだ。

そして裁判所は、王族が何世紀にも渡って享受してきた権限を否定し、捜索を認めるに足る理由が十分になければならないと捜査当局に釘を刺した。あの時代に、捜索は過度に走ってはならないと戒めたのである。イギリスの新聞各紙はこの判決を熱烈に支持し、すべてのイギリス人の「家は自らの城塞であって、王の使者の悪意に満ちた好奇心で捜索を受けたり、文書を詮索されたりする義務はない」という有名な文言を引用した。[11]

特に重要なのは、ジョン・ウィルクスの訴訟が今日のプライバシー権の誕生につながった点だ。当時イギリス植民地であった北米に移り住んだ住民を含む自由民にとって、この権利は羨望の的だった。その二年前にニューイングランドで同じように激論が交わされたが、失敗に終わったからだ。それは一七六〇年代初頭の北米最大の裁判でのことだった。ボストンで開かれたこの法廷の傍聴席には一人の青年がいた。まだ法廷弁護士にもなっていない二〇代半ばのジョン・アダムズ。後の第二代アメリカ大統領である。

法廷に立ったマサチューセッツ屈指の熱血漢弁護士、ジェームズ・オーティス・ジュニアは、イギリス軍の横暴について異議を申し立てた。ちょうどウィルクスが挑んだ戦いと同じ構図だ。事件の経緯はこうだ。イギリス政府が植民地で輸入品に課す税金が不当に高く、不満を覚えた地元貿易商らは、その支払いに応じることなく到着した輸入品を持ち出した。すると、イギリス当局が具体的な根拠なしに、いわゆる「一般令状」を使って関税違反者探しの家宅捜索に次々に乗り出したのだった。[12]

この行為についてオーティスは、人権の根本的な侵害だとして、「恣意的権力行使の最悪の例」と訴えた。[13] 裁判には敗訴したものの、彼の言葉が植民地住民を反乱に駆り立てることになった。オーティスの主張を傍聴席でつぶさに見届けたアダムズは、人生の晩年になってもオーティスの言葉をはっきりと覚えていて「この国に生命の息吹を与えた」と評している。[14] アダムズはまさに息を引き取るそのときまで、あの日、あの裁判、あの法廷、そしてあの論争こそ、アメリカを独立の道に向かわせたのだと語り続けた。[15]

オーティスが情熱的に唱え続けた原則が実現するまでには、独立宣言からさらに一三年の歳月を待たねばならなかった。一七八九年にウォール街で初のアメリカ議会が開催されたことから、舞台はニューヨークに移っていた。下院の議場に立ったジェームズ・マディソンは、権利章典の草案を発表した。[16] これにはいわゆる憲法修正第四条も含まれていて、一般令状の使用も含め、政府による「不合理な捜索および押収に対し、身体、家屋、書類および所有物」の安全を保障されると規定された。[17]

以来、当局は、独立した裁判官に「相当な理由」を提示したうえで、家宅捜索の令状を取るよう義務付けられている。言い換えれば、裁判官という「それなりに知性のある人物」の前で、犯罪が行われたと信じてもらえるだけの証拠を見せ、事実であることを証明してみせなければならないのだ。[18]

ところで、このプライバシー保護の措置は、自宅の外に出た情報にも適用されるのだろうか。一八世紀後半にベンジャミン・フランクリンが郵便局を発明すると、修正第四条が試されるときがやってきた。当時は手紙を封印して、政府直営の郵便機関に渡していたので、手紙のプライバシー権が守られていることは連邦最高裁判所でも難なく確認できた。[19] その結果、修正第四条が手紙にも適用されることになった。つまり、政府の郵便事業がこの手紙を所持していても、相当な理由に基づく捜索令状なしに政府が封を開けて中を見ることはできない。

何世紀にも渡って裁判所は人々の間に「プライバシーへの合理的な期待」があるかどうかを見極めながら、個人の情報を別の誰かのもとで保管する場合をどう扱うか検討してきた。平たくいえば、鍵付きの保管庫などに入っていて、本人以外の誰にもその鍵が手に入らないのなら、裁判所としては、自宅でなくてもプライバシーが期待され、修正第四条が適用されると結論付けた。

だが、不特定多数が自由に出入りできる場所にいくつもの箱が並べられていて、そのうちの一つに自分の文書を置いていて、ほかの箱は他人が同様に文書入れに使っているとしたらどうか。その場合、捜査当局は捜索令状を取る必要がなかった。修正第四条の下でのプライバシーへの合理的な期待が放棄されていると裁判所が判断したからだ。[20]

ハード、ソフトの両面で何層もの壁を築いて防備を固めた今日のデータセンターは、先の例でいえば、鍵のかかった保管庫としての条件を十分満たしているように見える。

二〇一三年夏、新たに暴露されたスノーデン文書に注目するマスコミからマイクロソフトに取材が相次いだ。ドミニクがジョンのオフィスに駆け付ける姿を見かければ、そのうち新しい記事が世に出回る。そんなお決まりのパターンがすっかり出来上がっていた。もっともほとんどの場合、自分たちが何に対応しようとしているのかもわからないままだった。「最初の二、三週間は毎日のようにいろいろな記者がやってきましたが、毎回同じやり取りを繰り返していました。記者には決まって『誰かが嘘をついていることになりますよ。マイクロソフトか、エドワード・スノーデンかのどちらかが』と迫られました」とドミニクは振り返る。

実は、NSAが民間企業からデータを入手しようとした一連の動きの全体像ははるかに大きく、ガーディアンのPRISM報道はほんの一部にすぎなかった。[21]現在、機密解除されている文書からはっきり見て取れるが、二〇〇一年九月一一日の同時多発テロ以降、NSAは法に基づく召喚や令状の手順を追わずにユーザーのデータを収集できるように、民間企業との間であくまでも自発的なパートナーシップづくりを目指していたのだ。

他の有力テクノロジー企業も同じだったと思うが、マイクロソフトもこうしたデータを政府に自発的に提供するかどうか苦渋の選択を迫られていた。社内でこうした問題を話し合っているうちに、われわれは当社を取り巻く地政学的状況を強く意識するようになった。9・11同時多発テロがアメリカに大きな影を落としていた時期だ。アフガニスタンで多国籍軍が「不朽の自由作戦」に乗り出し、議会はイラク侵攻を支持し、テロに怯えるアメリカ国民は強力な対策を求めていた。尋常ではない時期だったのだ。

機密解除された報告書に詳細は譲るが、そうした情報を自発的に政府に差し出すよう企業に迫るやり方は、根本的に問題がある。そもそもNSAが欲しがっていたようなデータは、テクノロジー企業の手元にはない。そういうデータは顧客の元にあり、そこにこそ最もプライベートな情報が含まれているからだ。

PRISMプログラムのように、9・11後にNSAが民間企業に顧客情報の任意提出を求めたのをきっかけに根本的な疑問が持ち上がった。果たしてわれわれは、国家を守れという呼びかけに応じながら顧客に対する責任を全うできるのか。

答えは明らかだ。法の支配こそこの問題を解決する鍵を握る。アメリカは法治国家である。アメリカ政府が顧客の記録を必要とするなら法律に従い裁判所を通じて入手すればいい。法律が十分でないと大統領府が不満に思うのなら、もっと権限をくれと議会にかけ合えばいいだけの話である。これこそ民主主義共和制のあり方ではないか。

二〇〇二年の時点でわれわれはエドワード・スノーデンの奇襲攻撃を予想もしていなかったが、歴史を振り返れば、将来待ち受けていそうなことはおおよそ予測できていたはずなのだ。国家が危機に見舞われているときは、個人の自由と国家の安全保障のどちらを取るか妥協を迫られるものなのだ。

アメリカで初めてこのような危機が発生したのは、合衆国憲法が誕生してから一〇年ほど経過したころだった。一七九八年にカリブ海を舞台にアメリカとフランスの間で勃発した「擬似戦争」である。フランスは、革命前の王政下で対米融資を実施していた。ところが、革命後になかなか返済されないことに業を煮やしたフランスは、アメリカの商船三〇〇隻以上を拿捕して、いわば身代金を要求する行動に出た。[22] アメリカ側ではこれに怒って全面戦争を求める声も上がったが、ジョン・アダムズ大統領など一部の政治家は、アメリカのような新興国はフランスに勝ち目なしと考えた。国民の間で賛否両論が巻き起これば誕生間もない政府には致命的な打撃になると懸念したアダムズ大統領は、四つの法律を一組みにした外国人・治安諸法を制定し、国内に生まれた軋みの解消を目指した。この諸法では、政府が「敵性」の外国人を拘束して強制退去させ、政府を批判する罪に問えるようにした。[23]

それから六〇年ほど歳月が流れ、アメリカは南北戦争に突入する。そこで再び民主主義の基本的な理念を脇に追いやることになる。エイブラハム・リンカーン大統領が南部連合軍の反乱を鎮圧するため、人身保護令状の発行を何度か停止したからだ。リンカーンは志願兵の徴募に反対する者に対する保護令状を廃止し、裁判権を拒否した。結局、五万人ものアメリカ人が裁判を受けることもなく戦争中に投獄された。[24]

次は真珠湾攻撃から間もない一九四二年のこと。フランクリン・D・ルーズベルト大統領は、軍部や世論に押される形で一二万人に上る日系人を人里離れた強制収容所送りにする大統領令に署名した。収容所には有刺鉄線を張り巡らせ、武装警備員を配置する徹底ぶりだった。強制収容されたのは日系人といっても三分の二がアメリカ生まれだった。三年後には大統領令が取り消されたものの、ほとんどの人々はすでに自宅や農場、会社、地域社会を失っていた。[25]

アメリカは、国家的な危機に際してこのような不正を容認してきたが、後に、アメリカ国民の間で、公共の安全のために支払った対価に疑問の声が上がった。こうした歴史を振り返るなかで、ある疑問が脳裏をよぎった。今から一〇年後、われわれは未来の世代からどのような審判を下されるのか。マイクロソフトは顧客重視の姿勢を貫いたと将来も胸を張れるだろうか。

取るべき道は明らかだ。有効な法的手順を踏まずして、われわれは任意に顧客データを政府に差し出すことはできない。私は当社の法務のトップとして責任を取り、いかなる批判にも耐えなくてはならない。そもそも、顧客の権利を守る門番として法律の専門家をおいてほかに誰がいようか。

こうした状況のなか、二〇一三年夏、事実上すべての有力テクノロジー企業が守りの姿勢を固めた。こぞって政府への不満を表明したのだ。これが決定的な潮目となり、各国政府とテクノロジー業界の温度差が浮き彫りになった。今日に至るまで両者の溝は埋まっていない。それもそのはずで、政府というものは、州や国家といった明確な境界内に暮らす有権者に奉仕する立場にある一方、テクノロジー企業はグローバルに展開していて、顧客はあらゆる場所にいる。

そこにクラウドが登場した。これによって変化したのは、サービスを提供する場や提供相手だけではない。顧客との関係も様変わりした。テクノロジー企業は、ある意味で銀行のような存在に姿を変えた。人々が銀行にお金を預けるように、メールや写真、文書、テキストメッセージといったきわめて個人的な情報をテクノロジー企業に預けるようになった。

この新しい関係はテクノロジー業界にとどまらず広い範囲に影響を及ぼしている。一九三〇年代に政府は、銀行は経済にとってあまりに重要な存在になりすぎたので規制せざるを得ないと断じたが、これと同じように今日のテクノロジー企業もこれまでのような無干渉主義で通せない状況になっている。法の支配と、さらに踏み込んだ規制が必要になっているのだ。だが、一九三〇年代の銀行とは違って、今日のテクノロジー企業は世界規模で事業展開しているだけに、ひとくちに規制といっても問題はもっと複雑だ。

二〇一三年は世界中で顧客の不満が高まり、われわれがこのまま押し黙っていては、人々の懸念を払拭できないと悟った。当社は自社が提供するサービスには明確な制約を設けており、当社が買収した企業に以前からあった慣行の一部についてもこれを是正する複雑な措置を講じているが、そのうえで、捜索令状、召喚令状、国家安全保障に関わる命令がない限り顧客情報を差し出すことはないという事実を公に説明する必要があると考えた。しかし、司法省からその事実自体が機密であると指摘され、公言を断念した。当然、社内には不満が渦巻いた。

そこでわれわれは、かつて実行したことのない行動を取ろうと決意した。アメリカ政府を相手取った提訴である。一〇年に渡る政府の独禁法違反訴訟を切り抜け、さらに一〇年をかけて和解に努めてきたわれわれにとって、再びルビコン川を渡る思いだった。外国情報活動監視裁判所(FISC)で申し立てに踏み切ることにしたのだ。この件は、当初は秘密扱いだった。

FISCは、政府の監視命令をチェックするために設置された特別な裁判所である。冷戦時代、電話盗聴や電子データ収集、テロリストやスパイの疑いのある者の監視を認可するために設けられた機関だ。安全保障上の脅威の監視・阻止に当たる諜報活動を保護するため、秘密のベールに包まれている。外国情報監視法に基づいて令状が出されるたびに箝口令が敷かれ、該当するテクノロジー企業側は顧客データに関する令状を受け取った事実さえも顧客に伝えることが禁じられる。

その理由はわからないでもないが、われわれの訴訟経験からいえば、憲法修正第一条やそこで謳われる表現の自由の下で国民と幅広い情報を共有する権利があることは明らかだ。少なくとも、われわれが主張したように、受け取った令状の件数や種類について大まかに伝える権利があってもいいはずだった。

ほどなくしてグーグルが同じ行動に出たことが判明した。第二の転機が訪れた。実はそれまで当社とグーグルは、世界中の規制当局の前で、両者の得意とする部分をめぐって五年も争ってきた敵同士だった。グーグルは、ウィンドウズへの規制を求め、マイクロソフトはグーグルの検索への規制を求めた。グーグルの最高顧問弁護士であるケント・ウォーカーとは旧知の間柄で、彼に対しては大きな敬意を抱いていた。しかしわれわれ二人が親友であると勘繰る者は皆無だったろう。

それが突如としてマイクロソフトもグーグルも、アメリカ政府を相手取って共通の戦いに挑む立場になっていた。私はケントに共闘を呼びかけようと決意したが、連絡を取ろうにもなかなかつながらず、メッセージを残すだけだった。七月のある朝、当社のゲーム機「Xbox」担当チームが勤務するオフィスで開かれた従業員向けの対話集会の帰り際、もう一度連絡を取ってみようと思い、携帯電話を取り出した。話ができそうな静かな場所を探して辺りを見回すと、自分のすぐそばにビデオゲームのHALOシリーズに登場する主人公、マスター・チーフの等身大パネルがあった。敵エイリアンと戦うために軍を率いる兵士だ。妙な安心感を覚えて、マスター・チーフの陰で電話することにした。

幸いケントが電話に出た。それまでも何度も電話で話す間柄だったが、両社が互いに訴え合っている件に関する話し合いに終始していた。今回はこちらからいつもと違う提案を伝えた。「司法省との交渉の件で、互いに協力できないだろうか」。

何か裏があるのではないかとケントにいぶかしがられたとしても無理はないと考えていたが、彼はきちんと話を聞いて、翌日にはぜひ協力したいと伝えてきた。

共通の条件について政府と交渉するため、われわれは連れ立って当局を訪問した。交渉の決着間近と思われた八月下旬になって突然、暗礁に乗り上げてしまった。どうやらNSAとFBIの間で擦り合わせができていなかったようだ。二〇一三年の夏が終わり、秋へと季節が変わっても、相変わらずスノーデンの暴露は続いていて、アメリカ政府とテクノロジー業界の関係はこじれにこじれ、事態は悪化の一途をたどった。

一〇月三〇日、ワシントン・ポストが掲載した「NSA、世界各地のヤフーおよびグーグルのデータセンターに潜入可能なルートを確保　スノーデン文書から」という記事に業界は騒然となった。[26] 記事を執筆した一人、ジャーナリストのバート・ゲルマンは、私の母校であるプリンストン大学の学生新聞「デイリー・プリンストニアン」に寄稿しており、以前から敬意を抱いていた。この記事によれば、NSAは、イギリス政府の支援も取り付け、密かに光海底ケーブルを盗聴（傍受）し、ヤフーやグーグルのネットワークからデータをコピーしていたという。

NSAがマイクロソフトのケーブルを標的にしていたかどうかは検証のしようもないが、スノーデン文書の中には、当社のユーザーのメールやメッセージングサービスに触れているものもあった。[27] 当社も傍受の対象になっていた可能性はある。米英両国政府からは、データ通信ケーブルに対するハッキング行為を公式に否定する声明は今日に至るまで一切出されていない。

テクノロジー業界は驚きと憤りをもってこの記事を受け止めた。ある意味、この記事のおかげで、スノーデン文書の全貌を知るうえで欠けていた部分が明らかになった。どうやらNSAは、われわれが合法的に国家安全保障命令や捜索令状を受けて提供してきたデータよりもはるかに多くのデータを入手していたようだ。これが真実なら、政府は事実上、人々のプライベートな情報の大量捜索・

押収を繰り返していたことになる。

このワシントン・ポストの記事によれば、ＮＳＡは、イギリス側の同等機関と協力して、アメリカ系テクノロジー企業が使用する光海底ケーブルからデータを抽出していたという。しかも司法による審査や監督もなかった可能性がある。ケーブルがイギリス領海を通るところでこのような行為があったことにわれわれは懸念を深めた。業界内の弁護士同士で意見を交換し、次のような結論に至った。おそらくＮＳＡは、イギリス政府と手を組むなり委託するなりして、アメリカ領外で行動すれば憲法修正第四条を回避することができ、法に基づく適正手続きや裁判所命令によってのみ情報を捜索・押収できるという要件にも従わずに済むと確信するに至ったのではないか。

マイクロソフトをはじめ、業界各社の反応は早かった。その後、数週間のうちに、データセンター間の光ファイバーケーブルを流れるすべてのデータとデータセンター内のサーバーに格納されるデータについて強力な暗号化を施すとの方針が各社から発表された。[28]それは顧客を守る根本的な措置だった。たとえ政府がケーブル盗聴の形で顧客データを吸い上げていたとしても、入手したデータの暗号の解読はまず不可能だからだ。

もっとも、暗号化の強化は、言うは易く行うは難しだ。データセンターでの膨大な処理が伴い、技術者の作業も大幅に増える。実際、技術部門の責任者のなかにはあまり乗り気でない者もいた。彼らが懸念を抱くのも無理はない。そもそもソフトウエア開発の現場では、どの機能を採用し、どの機能を落とすかの取捨選択が避けられない。実現可能なスケジュール内で、開発作業に投入可能なリソースに限りがあるからだ。そこに暗号化作業まで上乗せされれば、顧客からリクエストされている他の製品機能の開発は先送りせざるを得なくなる。激論の末、スティーブ・バルマーCEO（当時）をはじめとする経営陣は、暗号化強化の方向で即座に対応することを決定した。他のテクノロジー企業も同様の決定を下していた。

一一月、このような状況のなか、バラク・オバマ大統領がシアトルを訪問した。政治資金集めのイベントに参加するのが目的だった。それとは別にホワイトハウスが地域のリーダーや支援者の小グループを招待し、公式イベントの後、ウェスティン・シアトルのプライベート・スイートでカクテルパーティを開催した。このパーティに私もマイクロソフトの代表として招かれていた。

当社が政府を訴えていた訴訟は、憲法修正第一条が関わる問題だった。ちょうどこのパーティで、大統領と数分程度は言葉を交わす機会があるだろうから、ついでにこの話題を出してみようと考えていた。ところが司法省の弁護士たちから、大統領との会話でこの件に触れないよう釘を刺された。大統領は彼らの〝クライアント〟であり、話をするときは必ず自分たちを通すようにというわけだ。だが、大統領が部屋に到着する直前、バレリー・ジャレット大統領上級顧問をつかまえて、訴訟と関係のない質問なら大統領に尋ねてもいいかと聞いてみた。憲法修正第四条には、政府による不合理な捜索・押収に対して安全を保障されるとあるのだが、これはアメリカ領外にいるアメリカ人も保障の対象になるのかどうか確認しようと思ったからだ。

実のところ、アメリカ企業が敷設したケーブルをアメリカ領外でＮＳＡが盗聴していたというワシントン・ポスト紙の記事が出ている以上、これは重要な質問だと考えていた。一方、バレリーは単に大統領が興味を示しそうな話題だと受け止めたようだった。

確かにそのとおりだった。私が大統領と話しているうちに、合衆国憲法が専門の元大学講師の顔を垣間見ることができた。オバマ大統領は私よりも明らかに合衆国憲法をすみずみまで覚えており、なんとか会話に付いていくのが精いっぱいだった。

ところが、大統領は話題を変えた。

「政府に対する訴訟の件ですが、あなた方は和解する気がないようだ。政府を訴えていると周囲から見られている方が都合がいいと思っている。違いますか？」

この質問にどう反応すべきか、瞬時に判断しなくてはならなかった。司法省の弁護士からは、大統領直々の質問に答えるなとは言われていない。そこで私は、われわれとしては和解したいが政府にその気がないようだと答えた。当社が抱いている懸念に加え、しかるべき顔ぶれをそろえてもらえれば確かな進展が見込めるという当社の信念を伝えた。

数週間後、テクノロジー企業の経営者らがホワイトハウスに招かれた。クリスマスの八日前のことだ。大統領執務室があるウエストウイングは、すっかりクリスマスムードに包まれていたが、大統領が休暇でハワイに向かう前に職員は仕事を片付けなければならないとあって慌ただしい雰囲気が漂っていた。

ホワイトハウスはこの集まりについて、表向きは「健康、ＩＴ調達、監視の問題」を話し合うためのものと発表していた。これでは、国歌独唱とホットドッグ早食いコンテストとワールドシリーズ開幕戦がセットになったイベントに連れていってやると遠回しに野球ファンに耳打ちするようなもので、何とも思わせぶりな書き方だ。あれほど寒い冬の朝、わざわざワシントンに呼び出される理由はわれわれも承知していた。

ホワイトハウスのウエストウイングには、アップルＣＥＯのティム・クック、グーグル会長のエリック・シュミット、フェイスブックＣＯＯのシェリル・サンドバーグ、ネットフリックスＣＥＯのリード・ヘイスティングスをはじめ、テクノロジー業界の錚々たる顔ぶれが集まった。ほとんどが顔見知りだ。集まった八社は事実上、ライバル同士なのだが、政府による監視活動の改革を求める「政府監視活動改革」という新たな連合を立ち上げ、この日のテーマに取り組むために結集したのだ。ずいぶん熱のこもった挨拶が続いた後、通路にあるロッカーのような棚にそれぞれスマートフォンを置いてから、「ルーズベルト・ルーム」という会議室に一列になって入っていった。

ルーズベルト・ルームという名称は、ウエストウイングをつくったセオドア・ルーズベルト大統領、ウエストウイングを増築したフランクリン・ルーズベルト大統領の二人の名にちなんだものだ。[29]よく磨き込まれた長い会議テーブルに着席すると、暖炉の上に掲げられた絵画が目に留まり、思わずクスッと笑ってしまった。セオドア・ルーズベルトをモデルにした劇映画『テディ、ザ・ラフ・ライダー』の主人公が暴れ馬に乗っているところだったからだ。これから始まる九〇分間の荒れ具合を暗示したものでないことを祈るばかりだった。

ホワイトハウス側も同じように数で圧倒しようというつもりだったのだろう。オバマ大統領とジョー・バイデン副大統領が、慣習にのっとってテーブル中央の席に着くと、政府高官が勢ぞろいして脇を固めた。報道陣から一斉にフラッシュを浴びながら、大統領は、ネットフリックスのリード・ヘイスティングスCEOを見るや、放映中の人気ドラマ『ハウス・オブ・カード 野望の階段』の次期シーズンの内容についてどこまで教えてもらえるのかと冗談を飛ばしていた。

報道陣が退室すると、話題は一気に真剣味を帯びた内容に変わった。オバマ政権下でこうした会合があるときは、決まって招待客一人ひとりに挨拶代わりに一言述べる機会が与えられた。大人数で訪問したため、それなりに時間がかかった。オバマ大統領は質問を投げかけながら、会話の要点を繰り返すことで突っ込んだやり取りに変えていくソクラテスばりのテクニックを駆使していた。

出席したテクノロジー企業各社のトップは、いくつかの例外を除き、大量データ収集の規制、さらなる透明性の確保、NSAの暴走を牽制する制度の設置を強く求めた。われわれは気を遣ってエドワード・スノーデンの名に直接触れないようにしていたが、発言の順番が進み、大統領に近い席に座っていたソーシャルゲーム開発会社ジンガの創業者マーク・ピンカスの番になって雰囲気が一変する。ピンカスはスノーデンを英雄だと称えたうえで、「彼に恩赦を与え、華々しいパレードで迎えるべきだ」と主張した。[30]

バイデン副大統領は見るからにたじろいでいたが、オバマ大統領は「それはあり得ない」と返し、スノーデンが大量の文書を入手して国を去ったのは無責任な行動だと指摘した。

続いて、ピンカスの隣に座っていたヤフーCEOのマリッサ・メイヤーの番が来た。彼女は念入りに要点をまとめてきたと見られるファイルを広げ、「みなさんがすでに挙げられた点にわたしも同意します」と述べ、顔を上げた。そしてすかさず、ピンカスを指して「ただし、彼の話は別です。同意できません」と付け加えると、笑いが巻き起こった。

この意見交換の場は、われわれが実現しようとしているゴールの難しさを物語っていた。元はといえば、メンバーのほぼ全員が政府の方針転換を大統領に迫るためにホワイトハウスに駆け付けたのだった。だが、テクノロジー業界は、オバマ大統領との間で誠意ある関係、もっといえば温かい関係を築いていた。しかも、相手が誰であろうと、自宅に招かれて本人を前にしたら、なかなか強く出られないものだ。それがホワイトハウスともなればなおさらである。

その日、われわれ全員が礼儀正しく振る舞いながらも、屈服することなく、監視制度改革を訴えた。この点についてオバマ大統領が熟慮してきたことは明らかで、大統領として政府の対処が必要と思われる問題点を挙げた。また、大統領はNSAが保有しているデータの量に人々が不安を抱いていることを念頭に、この場に集まったテクノロジー企業全体で政府をはるかに凌ぐ量のデータを保有していると指摘し、「やがて銃口の向きが変わるのではないですか」と畳みかけるなど、時折、反論することもあった。

会合の終わりに大統領は、アメリカの方針に関して、制約はあるにせよ、いくつか重要な変更を加えることに関心を持っていると明言した。そしてそれに絡む課題を列挙し「さらに詳細に踏み込んだ」会合にすべく、各社に情報提供を要請した。

一カ月後の二〇一四年一月一七日、大統領は監視制度改革に初の重要な措置を講じた。[31] 実はこの計画が公表される前夜、司法省の弁護士から電話があった。マイクロソフトとグーグルが政府を提訴している件で、前年八月の交渉時にこちらが受け入れ可能な条件を提示していたのだが、こちらにとって八月の条件をさらに上回る有利な条件で和解を持ちかけてきたのだ。その結果、和解が成立し、テクノロジー企業側は、国家安全保障関連で出された令状・命令について、件数などを公表する新たな透明性レポートを作成することになった。当社はグーグルと並び、これ以上ないというくらい素早いスタートを切り、見事な模範を示すことになったと自負している。これを受けて、他社も追随することになった。

多くの顧客やプライバシー保護推進派にとって、オバマ大統領の演説は最初の一歩にすぎず、まだまだやることはたくさんあると映っただろう。テクノロジー業界でもこうした見解を表明した。われわれもこれが一筋縄ではいかない問題であり、厄介な課題が残っていることも承知していた。たとえば、アメリカ企業が運営するデータセンターにアメリカ政府が不適切な方法でアクセスしないことを、外国の政府や顧客にどうやって納得してもらえばいいのか。その一方で、治安維持に必要となる合法的な措置を講じるにはどうすればいいのか。こうした課題の解決には長い年月がかかっても不思議ではない。

スノーデンが自ら持ち出した文書をガーディアンに渡してからほんの七カ月で、状況がこれほどまでに大きく変化したことを考えると実に感慨深かった。社会が政府による監視活動の範囲に目を光らせるようになり、強力な暗号化処理は新たな常識になった。また、テクノロジー企業が自国の政府を相手に提訴する一方で、ライバル企業同士が新たな形で手を組み、協力するようにもなったからだ。

現在においても人々の間では、エドワード・スノーデンが英雄か売国奴かをめぐって意見が分かれている。いや、その両方だという声もある。いずれにせよ、二〇一四年初めごろには、確かになったことが二つあった。一つは、スノーデンが世界を変えたことであり、もう一つは、彼がテクノロジー業界のあり方も変えてしまったことである。

第2章 テクノロジーと治安

テロリストのメールは開示すべきか

社会の治安を担っているのは警察当局だ。だが、犯罪者にせよ、テロリストにせよ、その存在に気づけなければ捕まえようがない。だからこそ、有効な情報入手手段が必要になる。二一世紀の今、そのような情報は世界屈指の規模を誇るテクノロジー企業のデータセンターにあることが多い。

テクノロジー業界では、治安の維持と人々のプライバシー保護にそれなりの役割を果たそうと努力しているが、それには非常にきわどい舵取りが必要だ。絶妙なバランスを維持しつつ、世の中の変化に素早く柔軟に対応しなければならない。

われわれの対応が必要な事態は、ある日突然、何の前触れもなく発生する。

二〇〇二年一月二三日、ウォール・ストリート・ジャーナル紙のダニエル・パール記者がパキスタンのカラチで誘拐された。[1] 誘拐犯はインターネットカフェを転々としながら、マイクロソフトのメールサービス「ホットメール」で身代金を要求し、パキスタン警察は懸命の捜索を展開した。

誘拐犯側は、人質と引き換えにテロ容疑者をパキスタンで解放することとアメリカからのF－16戦闘機の輸送計画中止を要求した。パキスタン政府が身代金要求に応じないことは明らかだった。パール記者を救出するには、誘拐犯の居場所を特定する以外になかった。パキスタン当局はただちに水面下でFBIと連携し、FBIから当社に接触があった。議会ではすでに電子通信プライバシー保護法の緊急時の例外規則が制定されていたため、「死または重大な身体的危害の危険を伴う緊急事態」の際、政府は即座に動くことが可能で、テクノロジー企業各社も素早く対応できる状態にあった。[2] 実際、パール記者の命は危険にさらされていた。

ジョン・フランクから状況説明を受けた私は、現地警察とFBIへの協力にゴーサインを出した。目的は、誘拐犯が使っているホットメールのアカウントを監視し、新しく作成されたメールに含まれるIPアドレスを基に、世界のどこかで彼らが潜んでいるインターネットカフェの場所を特定することだった。FBIやパキスタン側の現地当局と緊密に連携すること一週間。インターネットへの接続拠点を次々に変える誘拐犯を追い続けた。

かなり追い詰めたつもりだったが、まだ決め手に欠けていた。残念ながら誘拐犯の身柄を確保する前にパール記者は殺害されていた。われわれ一同、打ちひしがれた。彼の残忍な死を前に、こうした事件に対するテクノロジー企業の関与の深さと責任の重さを改めて痛感させられた。

この事件はその後の世の中の流れを予感させるものでもあった。今日、サイバー空間はもはやどこか遠くにある辺境ではない。人々が結束して組織を築く場であり、ここでの動向が現実世界での動きを決めるほどになっている。

ダニエル・パール記者が巻き込まれた悲劇は、プライバシーの観点から判断することの重要性を浮き彫りにした。そこにはプライバシーと安全のバランスという問題があり、その背後にはプライバシー保護推進派と当局のせめぎ合いがある。この争いに決着をつけるのは裁判官だが、実はテクノロジー企業も、こうした問題が重大な意味を持つ現場になっている。だからこそ、われわれはどうバランスを取るべきか、しっかりと理解して検討を重ねる必要がある。

これにどう取り組めばいいのかは大きな課題だ。マイクロソフトは、一九八〇年代にメールや電子文書が出現して以来、試行錯誤を重ねてきたが、これが今、捜索令状に臨機応変に対応する力につながっている。

一九八六年、ロナルド・レーガン大統領は電子通信プライバシー法に署名した。現在、プライバシー専門の法律関係者の間ではＥＣＰＡと略称で呼ばれている法律だ。当時、憲法修正第四条がメールのようなものを保護対象とするのかどうかなど誰も知る由はなかったが、共和党も民主党も、こうした法的な保護措置を用意したいと考えていた。

ワシントンＤＣでは時折見られることだが、一九八六年に議会はよかれと思ってのこととはいえかなり無理のある法解釈を行った。実はＥＣＰＡの中に通信保存法という章があり、ここで基本的に新しい形の捜索令状を規定していたのだ。この規定によれば、政府は、相当の根拠を持って裁判所から被疑者のメールの捜索令状を取ったうえで、被疑者本人を捜索するのではなく、被疑者のメールや電子文書が保管されているテクノロジー企業に令状を提示して捜索に着手できた。[3] 捜索を受けるテクノロジー企業は、当該メールを見つけ出して当局に引き渡す義務があった。状況によっては、この法律を根拠に、テクノロジー企業を政府の手先のように利用できたのである。

同時に、これは新たな力学を生み出した。政府が家宅捜索令状を執行する場合、誰かがその場に居合わせ、捜索の様子を目にする可能性が高い。捜索を阻止できないものの、内容は把握できる。自分たちの権利が侵害されていると感じれば、ジョン・ウィルクスにならって裁判に持ち込むこともできた。

同様に、政府がテクノロジー企業からメールや文書を取得するのであれば、対象となる個人・法人にその事実を通知すべきだが、議会はさらに踏み込んで、テクノロジー企業が捜索の事実を口外しないよう箝口令を敷く権限を政府に与えた。その根拠となる法令は、政府が秘密保持を求める五つの基準を定めていた。表面的には、何ら不当な基準には見えなかった。たとえば、開示によって証拠隠滅や証人威迫、その他の形で捜査に支障をきたす場合、裁判官はいわゆる非開示命令とともに捜索令状を発布できた。[4] テクノロジー企業のもとには、この二つが届けられる可能性が高く、捜索令状で電子データファイルを提出させ、その要求について非開示命令で箝口令を敷くことができたのだ。

メールがまだ珍しかった時代には、この新しい令状と箝口令が使われることはめったになかったが、インターネットが爆発的に広がり、何万台、何十万台のコンピュータを備えたデータセンターが出現するや、状況ははるかに複雑になった。現在、私が率いるマイクロソフトの法執行・国家安全保障対応チーム（社内では、法執行・国家安全保障の英語の頭文字を取ってLENSチームと呼ばれている）には、コンプライアンス専門家、弁護士、エンジニア、セキュリティ専門家など二五人の専任スタッフが在籍し、世界中の多くの法律事務所からの幅広い支援も受けながら活動している。

このチームの使命は単純明快で、「さまざまな国々の法律の下、顧客に対するマイクロソフトの契約上の義務に従い、法執行機関からの要請をグローバルな規模で精査し、これに対応すること」である。決して簡単な仕事ではない。LENSの業務は、三大陸六カ国にある七カ所の拠点で運営されている。平均すると、年に七五カ国以上から届く五万件の令状・召喚状を処理している。[5]このうち文書内容の提出要請は三％にすぎない。ほとんどの場合、当局から求められるのは、IPアドレスや連絡先、ユーザー登録データである。

マイクロソフトが受け取る令状は、メール経由が一般的だ。まずコンプライアンス担当マネジャーが要請を精査し、その有効性や裁判官の署名の有無、当局側に相当の根拠があるかどうか、要請した情報に対する要請元機関の管轄権の有無を確認する。確認作業が終わったら、コンプライアンス担当マネジャーは要請に応じて証拠物件となるデータを当社データセンターから探し出す。このデータが令状で指定されたとおりのデータかどうか、またそれ以外のデータが含まれていないかどうかを再度チェックしてから、要請元の機関に提出する。LENSのあるメンバーは、次のように説明する。

「簡単な作業のように見えますが、正しく実行するには大変な時間がかかります。令状自体の確認、それに伴うアカウント情報の確認、データの抽出作業、要請に過不足なく合致するデータかどうかの再確認などを実行しなければなりませんから」

この令状の要請内容が広範すぎる、あるいは当該機関の管轄を超えた要請内容になっているとコンプライアンス担当マネジャーが判断した場合、チーム内の弁護士の出番となる。場合によってはこちらから令状の要請内容の絞り込みを求めることもある。あるいは令状そのものを違法として要請を拒否することもある。

世界のどこかで緊急事態やテロ攻撃が発生し、即応体制が求められる場合、LENSメンバーの一人が一週間二四時間態勢で緊急連絡に対応できるよう電話のそばで常に寝起きすることになっている。ただし、世界を震撼させるような大きな事態が数週間も続くような場合はチームのメンバーが交替で待機し、全員がいつでも即応できるように十分な睡眠時間を確保している。

二〇一三年、エドワード・スノーデンがNSAの機密を暴露し、この膨大な量のデータをめぐって世の中は騒然となっていたとき、LENSの責任者として新しい弁護士がやってきた。彼女の名はエイミー・ホーガンバーニー。鋭い知性と見事なユーモアのセンスの持ち主で、たちまちチームの人望を集めた。エイミーはFBI本部にある国家保安部所属の弁護士を三年間務めた後、マイクロソフトに転じた。LENSの業務に当たるうえで申し分ない経歴だが、それはときとしてFBI本部時代の元同僚を相手に戦わなくてはいけないことも意味していた。

エイミーはあっという間に新しい職務に適応した。彼女のオフィスは、私のオフィスのすぐ下のフロアなので、用事があるときは階段を降りてちょくちょく訪れるようになった。彼女の部屋の隣には、ネイト・ジョーンズの部屋があった。ネイトは、上院司法委員会、司法省などを経てオバマ政権下の国家安全保障会議でテロ対策に当たるなど、一〇年以上にわたってアメリカ政府で要職を務めた後、エイミーと同じ年に一足早くマイクロソフトに入社している。

エイミーがLENSの業務を管理する一方、ネイトは全社的なコンプライアンス戦略、他のテクノロジー企業への対応、各国政府との交渉などに当たった。世界が大きく進化するなか、この二人もLENSチーム全体も、難しいさじ加減を迫られた。世界中の法執行機関への対応が必要な一方、アメリカなら憲法修正第四条で、他国でも同様の法律で保障されているプライバシー権を守る最前線に立っているからだ。すでにチームではさまざまなプライバシー専門家がおり、近くに彼らの部屋があるのは好都合だった。

ほどなくしてネイトとエイミーは息の合ったコンビとなり、チームのメンバーからは、二人の名前を合体させて「ネイミー」と呼ばれるようになった。きわめて重要な問題に対するマイクロソフトとしての対応を検討する際には誰もがネイトやエイミーの指示を仰いだ。たとえばコンプライアンス担当マネジャーであれば、重要案件の通知を受け取り次第、マネジャー同士で検討後、必要とあらば即座に「ネイミー」の指示を仰ぐようになった。

「ネイミー」率いるチームは、〝世界のファイルキャビネット〟の門番として、ただでさえ重責を担っていたが、状況の急変があればさらに重要な役割を担うことも少なくなかった。

二〇一五年一月七日の水曜日、フランスではどこの職場もそろそろランチタイムに入ろうかという時間のことだった。政治・社会批判の風刺記事で知られる週刊紙、「シャルリー・エブド」のパリ本社に二人の男が乱入し、一二人を殺害する事件が発生した。[6] 犯人は兄弟で、アルカイダと関係があり、同紙掲載の風刺画がイスラム教の預言者ムハンマドを侮辱したことに腹を立てていたという。[7] 風刺画に不快感を覚えたのは多くのイスラム教徒も同様だったが、そこからが違った。二人は自らの手で復讐しようとしたのだった。

この悲劇は大々的なニュースとなった。このぞっとするような事件の推移を世界中が見守った。われわれは休憩室でコーヒーを飲みながら、フランス警察による逃亡中の犯人兄弟の捜索の様子を報じるテレビに見入った。やがて全国的な犯人捜索にフランス陸軍の兵士が動員され、別のアルカイダのメンバーがフランスのスーパーマーケットをテロ攻撃した。[8] マイクロソフトに入ってすぐにパリの欧州本社で三年を過ごした私には、どの現場も見覚えのある通りや地区だった。

世界に衝撃を与えた出来事ではあったが、マイクロソフトとしては現地社員の安否確認（幸い全員無事だった）以外、業務に直接関係はないだろうと思っていた。ところが、本社があるレドモンドで夜が明けるころには、それどころではなくなっていた。犯人がマイクロソフトのメールアカウントを持っていることを突き止めたフランス警察がＦＢＩに協力を求めたのだ。レドモンド時間の朝五時四二分、緊急協力要請を受けたニューヨークのＦＢＩから当社に連絡があり、犯人のメールとアカウントの記録提出を求められた。これには、犯人がログインに使ったコンピュータや携帯電話の位置を示すＩＰアドレスも含まれる。マイクロソフトのチームは、四五分以内に緊急要請を精査し、該当する情報をＦＢＩに提供した。翌日、フランスで全国に広がっていた捜査網が犯人二人の居場所を突き止めたが、警察との銃撃戦の末に犯人は射殺された。

パリの事件はフランスだけでなく世界を震撼させた。その週末の日曜は二〇〇万人を超える人々がパリの街に集まり、命を落とした記者らを追悼するために行進して連帯の意思を示し、出版の自由を訴えた。[9]

残念ながら二〇一五年にパリに降りかかった悲劇はこれで終わりではなかった。一一月のある金曜の晩、週末を迎えた市民がくつろいでいたころ、テロリストグループが再び同時テロ攻撃で街を襲ったのだ。劇場、スタジアムの外、レストラン、カフェで次々に自動小銃で銃撃したのである。恐ろしい光景だった。一連のテロ攻撃で一三〇人が死亡、負傷者は五〇〇人を超えた。パリで発生したテロ事件としては、戦後最悪の規模となった。犯人のうち七人は殺害されたが、残りは逃亡している。[10]

ただちにフランスのオランド大統領は全国に非常事態宣言を発令した。過激派組織「ＩＳＩＳ（イラク・シリア・イスラム国）」が犯行声明を出し、ほどなくして犯行グループの一部はベルギー出身であることも判明したため、二カ国にまたがる犯人の捜索が始まった。

ＦＢＩは速やかにヨーロッパ側の当局と連携しながら、容疑者のメールなどのアカウント情報を入手すべく、テクノロジー企業各社に対して捜索令状・召喚状を執行した。シャルリー・エブド襲撃事件の教訓として、テロ発生時には即座に行動に備える必要があることは承知していた。今回、フランスとベルギーの当局からは一四件の命令が当社に届いた。すぐに命令を精査して合法性を判断した後、要請のあった情報を提供した。いずれも命令を受け取ってから一五分以内に情報提供を完了している。

パリに襲いかかった二つの惨事は世界中の耳目を引いたが、マイクロソフトが対応を求められる事件はこれだけではない。メールが世の中に出現したころは、政府からの要請はめったになかったが、今では毎年、七〇カ国以上から五万件を超える捜索令状や政府の命令が届くようになり、こうした要請に対応するグローバルな業務運営体制を構築している。

そんな業務運営の方向性づくりに尽力したのが、現ＣＥＯのサティア・ナデラだった。彼はマイクロソフトのクラウド事業責任者を経て二〇一四年初めにＣＥＯに就任している。クラウドの知識で彼の右に出る者はいない。また、プライバシーのような複雑な問題に対する類いまれな感性も発揮した。サティアはインドの上級公務員の家庭に育った。父親はインド独立から何十年にも渡って上級公務員育成機関の責任者として多くの尊敬を集めた人物だ。そのため政府の動きを直感的に見極める感覚が発達したのだろう。実はビル・ゲイツもシアトルで屈指の評判と人望を集める弁護士の家庭に育ったとあって、両者には似たところがある。ビルもサティアも生粋のエンジニアだが、ビルは弁護士のような発想の持ち主で、サティアは政府関係者のような考え方ができる。厄介な問題について双方に相談できるのは非常にありがたいことだ。

マイクロソフトがさまざまな監視の問題に取り組んでいた二〇一四年末、サティアは何らかの筋の通った対応が必要だと指摘した。「難しい選択をどう克服するのか心得ておく必要がある。また、そういう場合の当社の考え方を顧客に知ってもらうことも大切だ。そのためには指針となる原則を固めておかなければならない」。

もっとも、それまでの一〇年も、厄介な問題に対して当社はそれなりに筋を通してきたつもりだった。独禁法違反問題への対応策として「Windows Principles: 競争促進のための一二カ条」という文書を公開したのもその一環である。ワシントンDCのナショナル・プレス・クラブでこの一二カ条を発表したのは二〇〇六年のことだ。[11] 注目度の高い独禁法訴訟で、理念のあり方について当社を追及していた連邦取引委員会（FTC）のジョン・レイボウィッツ委員長（当時）も発表会に来ていた。終了後に私のところに委員長がやってきて次のような言葉をかけてくれた。

「一〇年前にこれを出していたら、政府は訴訟に踏み切らなかったと思います」

サティアが指示した指針づくりは一見簡単そうで、実はそうではなかった。ＯＳからＸｂｏｘに至るまで全事業に適用できる原則が必要だったのだ。こうした原則はシンプルで記憶に残るものでなければならなかった。法律用語や技術用語だらけで、文字がびっしり詰まったようなものではいけないのである。大事なポイントを短く簡潔にまとめることほど難しいことはない。[12]

ただ、問題は複雑だとしても出発点はそうではなかった。当社のデータセンターに保管されている情報は、マイクロソフトのものでないことは明らかだ。メールも写真も文書もインスタントメッセージも、たとえデータセンターに置かれていようが、依然としてユーザーに所有権がある。つまりマイクロソフトは人々の所有物の管理人であってデータ所有者ではない。良き管理人としていざこのデータを使うとなれば、管理人の都合ではなく、所有者の意に沿うようにする必要があるのだ。

これを出発点にして組み立てたチームは、プライバシー、セキュリティ、コンプライアンス、透明性の四原則を策定し、後にわれわれが「クラウド・コミットメント」（クラウドに関する約束）と名付けた。法務部門でも複雑なテーマを四つのシンプルな言葉に凝縮できるのだとマーケティング部門のリーダーたちに吹聴したものだが、彼らからは「やっとですね」と返された。

とはいえ、明確な原則を打ち立てることと、これを積極的に活用することは別の問題だ。そこで一つひとつの原則に、詳細な説明を加え、トレーニングも実施した。今後、状況が変わって難しい問題が持ち上がったとき、自分たちが掲げた約束をどこまで守り通すべきなのか判断を迫られることになる。まさにわれわれ自身が試されるときが来るのだ。

そうこうしているうちに、透明性の約束に関して、本当にわれわれが試される難しい状況が訪れた。当社としては、四原則のなかでも透明性は要になるものだと認識していた。それだけに、簡単にこの約束を破れば、当社の活動は世の中の理解を得られなくなり、何をしても信頼してもらえなくなる。

特に法人顧客にしてみれば、関係者のメールなどのデータの提出要請の捜索令状や召喚状がマイクロソフトに届いたときには、当社から直接連絡をもらいたいと思うだろう。ただ、当局が、ある企業に対して法律に基づく命令を出すときに、その企業に直接行かずに、メールアカウントがあるマイクロソフトに持って行った方が適切といえるような状況はまずないはずだ。個人の犯罪者やテロ容疑者と異なり、それなりに名のある企業が逃亡を画策したり、不正に捜査を邪魔したりすることは考えにくいからだ。仮に当局がデータ隠滅を懸念するのであれば、当社としては限定的な「凍結命令」の下で顧客のデータの複製を用意するが、政府はこのデータを入手する前に、当該顧客と法律上の問題を解決しておく必要がある。

二〇一三年、マイクロソフトは企業や政府機関など法人顧客のデータに対する開示命令がマイクロソフトに届いた場合には、当該顧客に事前に通知すると発表した。[13] 当該顧客への通知を禁じる箝口令が敷かれた場合には裁判で争うつもりだった。また、データ提出を要請する政府機関には、まず直接、対象の企業に出向いて疑惑の従業員に関する情報なりデータなりを入手するよう指示する方針も掲げた。実際、企業各社がクラウドを利用する前の時代であれば、当局はそのように行動していたはずだ。

やがて実際にＦＢＩからマイクロソフトに国家安全保障書簡（国家安全保障上の調査のために発行される情報請求書簡）が届いた。ある法人顧客が所有するデータの提出を求める内容で、まさにわれわれの姿勢が試される初の事例だった。書簡には、ＦＢＩからデータ請求があった事実を当該顧客に口外してはならないとあった。マイクロソフトとしては、この書簡を精査した結果、そもそも当該顧客から直接データを取得せずにマイクロソフトに間接的に請求する合理的根拠もなければ、当該顧客への通知を禁じる理由も不明だった。そこで当社は請求を拒否して訴訟を起こし、シアトルの連邦裁判所はわれわれの主張を支持した。ＦＢＩは決定を受け入れて書簡を撤回した。

データ請求は、該当する法人顧客に直接依頼してもらいたいと当社弁護士から司法省に働きかけ、翌年にその方向で話が進んでいた。ところが二〇一六年一月、別の地区の連邦検察局検事補（連邦検察官）が同意せず、法人顧客所有のデータに対する正式な捜索令状をマイクロソフトに送ってきた。令状には期限を切らない秘匿条件付きの箝口令が添えてあり、永久に効力を持つ内容になっていた。当然、当社は拒否した。

それまでは基本的に当社の姿勢を説明すれば、政府側が折れるのが常だった。だが、このときは連邦検察官が一歩も引かず、裁判で決着をつけざるを得なくなった。

私はヨーロッパを旅行中だったが、訴訟案件などを担当するデイビッド・ハワードから早朝に届いたメールで起こされた。彼は有能な連邦検察官として鳴らし、法律事務所パートナーを経てマイクロソフトに移り、五年が経っていた。どのような厄介な問題でも、静かな物腰で的確な判断力を発揮する彼のリーダーシップの下、われわれは毎年訴訟の九割において勝利していた。いつだったか取締役会の席上で、「デイビッドを見ていて、裁判でいい結果を出すのはそれほど難しいものではないとわかった。勝てる裁判は争って、負けそうな裁判は和解に持ち込めばいい」と半分冗談で発言したことがある。重要なのは、デイビッドのようにその違いを見極められる人材の存在である。

その凄腕デイビッドから届いたメールによれば、このときばかりは事態を楽観視できないという。裁判官があまり好意的でなく、むしろこちらが法廷侮辱罪に問われかねない状況だった。当社の訴訟担当チームは顧客データをさっさと提出して罰金を回避したいと考えているとデイビッドは伝えてきた。

その後、電話会議を開き、この件で政府に屈服したくないという思いを担当チームに伝えた。マイクロソフトは顧客に対して、この手の命令とはしっかりと戦うことを約束している。それはとりもなおさず、法廷の場で厳しい戦いに挑むことにほかならなかった。

訴訟担当チームの一人は、明らかな負け戦で、おまけに相当高くつく可能性もあると言った。それでも私は「嘘つき呼ばわりされるくらいなら負け犬の方がましだ。約束は約束だ」と答えた。顧客との約束を破ったら、いくらカネを積んでも取り戻せないほどの代償を強いられる。たとえ秘匿条件の下で結果が封印され、表に出なかったとしても。

そこで私は、敗訴となっても罰金が二〇〇〇万ドル以下なら、精神的な勝利と考えようと訴訟担当チームに語りかけた。いくら何でも罰金はその何分の一かに収まることは全員がわかっていた。法廷で争うならすべての訴訟に勝ちたいと鼻息が荒いチームであることはありがたいのだが、この件に関してはどんな結果でも「負け」とは見なさないということを伝えたかったのだ。

訴訟担当チームは、外部の弁護士も招いて週末も返上で一日中休みなしに対策を練った。結局、敗訴だったが、法廷侮辱罪の罰金に問われることもなく、顧客に対する透明性確保も維持することができ、敗訴したという事実だけを公表するだけで済んだ。何よりも重要なのは、われわれが約束を守り抜くという姿勢である。

ただ、訴訟のたびにこのような形で試され続けるのかと憂鬱にはなった。それでも強気に攻めていくしかない。「政府側に片っ端から喧嘩を吹っかけられては、われわれに勝ち目はない。そもそも、このような箝口令は、あって当然ではなく、あくまでも例外措置のはずだ。ところが政府としては常套手段にしようとしている。手当たり次第に箝口令を連発する行為に対しては、裁判所に裁定を下してもらう必要がある」というのがデイビッドの考えだった。

そしてデイビッドが見事な作戦を立ててくれた。それを基に、われわれはいわゆる「宣言的判決」（法律的にはっきりしない事項を解決する司法判断の制度）を目指すことにした。これは当社の権利を裁判所で明確化するための制度である。政府が電気通信プライバシー保護法の下で箝口令を慣例的に発していて、憲法で認められた権限を逸脱していると当社は主張した。それまでの一年半に届いた令状の記録をしらみつぶしに調べていったところ、政府からの個人利用者のデータ請求のうち、半数以上に箝口令が添えられていて、しかもその半数は永久に秘密にするよう求めていた。

われわれはシアトルの連邦裁判所の法廷に再び立ち、政府を相手取って訴訟を起こすことになった。政府が顧客のメールを押収しようとしていることを当該顧客に通知するのは憲法修正第一条で保障されている権利であり、箝口令の過度な使用はこの権利を侵害するものだという点を主張した。また、憲法修正第四条では、人々は不当な捜索・押収から保護されているにもかかわらず、こうした箝口令はこの権利を侵害しているとも指摘した。箝口令が敷かれていては何が起こっているのか知る術がなく、法律上の権利を守るために戦うこともできないからだ。この訴訟は、人々の権利がクラウドでも保護されるのかどうかを明確に問うものとなった。連邦最高裁でのそれまでの判断傾向を踏まえ、われわれは楽観していた。

たとえば二〇一二年に連邦最高裁は、警察が捜索令状を取らずにGPS発信機を被疑者の車両に取り付けた行為が憲法修正第四条に違反するとの判断を下していた。[14] 評決は五対四だった。装置を被疑者の自動車に装着する「物理的な侵入」とする意見が多数だったが、ソニア・ソトマイヨール判事は、二一世紀のこの時代には、法執行当局が必ずしも物理的に侵入しなくても対象者の居場所を追跡できるとした。確かに、利用者の居場所が記録されるGPS対応スマートフォンがすでに普及し始めていた。政府が長年かけなければ収集できないような個人情報が、この手の携帯電話で何もかも暴露されてしまう。ソトマイヨール判事が指摘したように、憲法修正第四条で、このような監視方法から保護されなければ、「市民と政府の関係が民主主義社会と相容れない方向に変容」しかねない。[15]

このように、ソトマイヨール判事は、根本的と思われる新たな視点を提示してくれた。ほぼ二〇〇年に渡って連邦最高裁は、広く世に出回っている情報については、「プライバシーの合理的期待」が持てないとの法理に基づき、憲法修正第四条で保護されないと判断してきた。だが、今回、ソトマイヨール判事は、プライバシーとは情報を共有する際、その情報を誰が見るのか、そしてどのように使用されるのかを決定する権利でもあると指摘した。この点を初めて明確に述べたのが同判事であり、他の判事がこれを受け入れるかどうかが大きな問題だった。

二年後、答えがはっきりしてきた。二〇一四年夏、連邦最高裁首席判事のジョン・ロバーツが、全員一致判決を書いている。[16] それによれば、警察はある犯罪で逮捕した個人であっても、その携帯電話の情報を捜索するには捜索令状が必要と判断した。ロバーツ首席判事は、「現代の携帯電話は単に技術による利便性の向上をもたらすものにとどまらない。携帯電話に含まれるすべてのもの、そこから露呈しうるすべてものを考えれば、携帯電話は、多くのアメリカ人にとって人生のプライバシーを保持しているものである」と説明した。

憲法修正第四条は自宅にいる人々を保護する内容だが、ロバーツ判事は現代の携帯電話が「通常、きわめて徹底的な家宅捜索をはるかに上回るものを政府に露呈する。携帯電話には、かつては自宅内で見つかる多くのデリケートな記録がデジタル形式で含まれているばかりか、いかなる形にせよ自宅内で見つけようのない多種多様なプライベート情報まで含まれている」と指摘する。[17] したがって、修正第四条が適用されるという論理だった。

それに続いてロバーツ判事が書いた意見を見て、われわれは大いに励まされる思いだった。連邦最高裁がクインシーのデータセンターのような施設に保管されているファイルに初めて言及したのだ。ロバーツ判事は次のように述べている。

「現代の携帯電話でユーザーが目にするデータは、実際にはその携帯電話自体に保存されていない可能性がある。同じようなデータであっても、ユーザーによって手元の携帯電話に保存されている場合もあれば、クラウドに保管されている場合もある[18]」

携帯電話の捜索という概念は、個人が物理的に所有するものをはるかに超えたところにまで及ぶという見解を連邦最高裁が初めて認めたのである。つまり、新しい技術の登場によって、クラウド自体に対する強力なプライバシー保護の新たな根拠が生み出されたのだ。

この文言では、広範な箝口令に対するマイクロソフトの異議申し立てに直接触れられてはいないが、幅広いプライバシー権を求めて訴訟を起こした当社にとってある種の追い風となった。この機会を逃すわけにはいかなかった。

二〇一六年四月一四日、デイビッドのプランを実行に移し、われわれは提訴に踏み切った[19]。この訴訟はジェームズ・ロバート判事の担当となった。シアトルの法曹界を率いた有力者で、二〇〇四年に連邦判事に昇格した人物である。ロバート判事とは、特許関連の大きな訴訟などで面識があった。非常に手強いが、頭脳明晰にして公平な判事だった。当社弁護団も、ロバート判事の前では気が抜けない。むしろその方がありがたかったわけだが。

提訴に当たって、過去一八カ月間のデータを提出した。この間に当社は個人に関する箝口令二五〇〇件以上を受け取っており、いずれも個人情報請求の手続きがなされた旨を当該顧客に通知できなかった。[20] しかも驚くことに全体の六八％は具体的な期限がまったく定められていなかった。これでは、政府から顧客データの提供要請があっても当該顧客に永久に通知できないも同然だった。

われわれは司法省の現行のやり方についての懸念を訴えるとともに、改善の青写真を描く必要があると認識していた。そして、透明性の向上と、いわゆるデジタル中立性（人々の情報がどこにどのように保管されているかを問わず、保護されるべきという考え方）を求めた。その一方で、捜査上の必要性に関わる原則とのバランスも重要であり、箝口令の発布は可能だとしても、捜査に必要なものに限って適用されるべきだと考えた。

政府側は、裁判が始まってもいないうちから棄却申し立てという反撃に打って出た。修正第一条に従って顧客に通知する権利はないし、修正第四条に従って顧客の権利を守る根拠もないというのが政府側の言い分だった。われわれは、この棄却申し立てを乗り切ることができれば、大きな転機が訪れる可能性は大きいと即座に判断した。棄却を回避できれば、箝口令の広範な使用に関する政府のデータが手に入り、ゴールに向けて当社の主張を畳みかけていくのに必要な証拠になるからだ。

さっそく、幅広い支援者を募って共闘体制を築くことにした。ひと夏かけて公募活動を繰り広げ、九月初旬には八〇人を超える支援者が集まり、法廷助言書（事件の当事者ではない第三者が裁判所に提出する意見陳述書）を提出する形で、訴訟に参加することになった。その顔ぶれはテクノロジー業界や実業界、マスコミのほか、司法省やＦＢＩの元関係者として名を馳せた人々までもが名を連ねた。[21]

二〇一七年一月二三日、ロバート判事の法廷に弁護団や一般傍聴者が続々と入ってきた。秘匿条件付きの箝口令に屈することなく戦おうと決意してからすでに一年と二日が経っていた。政府の申し立てに関する公聴会が開かれ、当社を支援する司法省元高官が前列に陣取った。

二週間後、ロバート判事はこの訴訟を進める決定を下した。[22] 修正第四条によって顧客の権利を守ることはできないという政府側の主張は判事に認められたが、修正第一条に関するわれわれの主張については、当方に審理を進める根拠ありとされた。ともかく生き延びさえすれば、チャンスはいくらでもある。

さすがの司法省も本気になったのか、こちらの主張を真剣に検討し始めた。双方で腰を落ち着けて何度も協議を重ねた末、司法省が新しい方針を発表した。箝口令を発布するときには明確な期限を設けるという。この方針に加えて、企業に対する捜索令状の場合にはクラウド事業者に行く前にまず当該企業を捜索する手順を検察に指導することも併せて明らかにされた。こちらとしても納得のいく内容だったため、新方式になることで、今後は必要な場合に限って期限を明確に切って箝口令が敷かれるようになると思われるという見解を発表した。[23] これをもって、双方は箝口令をめぐる訴訟を打ち切ることで合意した。

この結果、プライバシーと治安の微妙なバランスが浮き彫りになった。一般に訴訟というものは、

「お見事！」と思えるような解決策にはならない。単に現行のやり方が合法かどうか判断しているにすぎないからだ。テクノロジーの管理方法をめぐって、新しい提案が出てくるわけでもない。結局は、本気の話し合いや交渉、場合によっては新しい法律が必要なのだ。今回の件では、訴訟がいわば地ならしとなり、全関係者がテーブルに着き、将来について話し合うことができた。だが、別の問題に関して関係者全員をテーブルに着かせることは依然として困難だった。それどころか、ますます難しくなり、重要度も高まっていった。

第3章

テクノロジーとプライバシー

クラウド法とサイバー捜査

二〇一八年の冬、われわれはドイツのベルリンにいた。公開イベントや立て続けの会合が詰まった長い一日が終わり、ようやく解放された。ただし現地チームから参加していたディルク・ボルネマンとタンヤ・ベームの二人は違った。最後にもう一つ寄りたいところがあると言って譲らないのである。その訪問先とは、ベルリンの北東部にある元刑務所だった。

その一週間前にこの訪問プランを打診された際にわれわれは興味を示したものの、氷点下の気候や時差ぼけもあってその気が失せていた。だが、まさかこの寄り道がその年最も記憶に残る経験になるとは思いもしなかった。

寒々とした冬の夕暮れのベルリン市街。車窓から次々に目に飛び込んでくる建物がこの街の歴史を物語っていた。プロイセン、ドイツ帝国、ワイマール、ナチスなどさまざまな時代を彷彿させる多彩な建物が並ぶ。やがてその景色が途絶え、共産主義時代の無味乾燥なブロック塀に変わった。目的地に近づいていることがわかった。ドイツ民主共和国、つまり旧東ドイツのホーエンシェーンハウゼン刑務所跡である。

かつて最高機密だったこの軍事複合施設は、秘密警察・諜報機関だったシュタージ（国家保安省）本部の一部として使われていた。シュタージは旧東ドイツの「盾と剣」を標榜し、抑圧的な監視体制と心理操作で国を支配していた。ベルリンの壁が崩壊したころにシュタージに所属していた諜報部員の数は九万人近くに上り、さらにこれを補完する六〇万人以上の「市民監視団」の秘密ネットワークが同僚や近隣住民、ときには自らの家族にまで目を光らせていた。[1]

シュタージは膨大な数の記録、文書、画像、動画・音声を蓄積していて、全部を一列に並べたら一一一キロもの距離になる。[2] 第二次世界大戦末から冷戦終焉まで、市民のなかで逃亡のおそれがある人物、体制への脅威となる人物、反社会的と考えられる者は、ホーエンシェーンハウゼン刑務所に監禁され、脅迫、尋問を受けることになっていた。

元刑務所の門が開き、コンクリートの監視塔を通り過ぎたところで、ハンス＝ヨッヘン・シャイダーという七五歳になる元囚人が迎えてくれた。年齢に不相応なたくましい体つきと穏やかな笑顔からは、この監獄で苦難の日々に耐え抜いた人物とはにわかに信じ難かった。

熱烈な歓迎の握手の後、自らが七カ月間も暗黒の日々を過ごしたという巨大なグレーの建物に一行を招き入れた。

シャイダーは、一九六八年にプラハのカレル大学で物理学の博士課程を専攻するため、ベルリンからチェコスロバキアに渡った。ちょうどプラハでは規制緩和や政治の自由化が見られた年で、「あの『プラハの春』は、わたしの人生の中でも特に楽しい時代でした。毎週週末になるとプラハの春を謳歌していました」と振り返る。[3] だが、自由化に進もうとしたチェコスロバキアの動きはあっけない幕切れを迎える。ワルシャワ条約機構軍が同国に介入し、改革の動きを圧殺したからだ。

その夏、二四歳だったシャイダーは、帰省先のベルリンの自宅で耳にしたニュースに呆然とする。「人間の顔をした社会主義」というスローガンとともに訪れた新しい時代の夢が奪われてしまった。シャイダーは、抗議の意思を示すため、四人の友人とともにソビエト体制批判のビラを制作し、夜のうちに東ベルリン住民の家々の郵便受けに入れて回った。

だがシュタージにその様子を目撃されてその夜遅くに全員が逮捕され、ある場所に送り込まれた。それが、われわれ一行が立っている場所だった。狭く暗い独房に閉じ込められた七カ月間、他の収監者と顔を合わせることや誰かと話をすることはもちろん、読書も一切禁じられた。両親にとっては息子が理由もなく突然姿を消し、どこにいるのかもわからない。そのころ、シャイダーは、むごい精神的苦痛を与えられていた。釈放されてからも、専門分野である物理学に関する研究や仕事に就くことは許されなかった。

ようやく、われわれがこの刑務所を訪問した理由がはっきりした。今日、世界の政治的な積極行動主義の大半は、シャイダーの時代とは違って、街中から始まるわけではなく、インターネット上で始まる。支援の動員にしてもメッセージの拡散にしても異議の表明にしても、ネットのコミュニケーションとソーシャルメディアが人々の活動の場になっている。プラハの春のころなら何週間もかかっていたことが数日で実行できる。一九六〇年代当時のシャイダーが取った行動は、今でいうメール送信のようなものだったのだ。そして、彼はいわば「送信」ボタンを押したかどで逮捕されたのである。

思い起こせばマイクロソフト社内でプライバシー問題について検討していたときも、新しい法律の制定・施行に当たってドイツ政府が果たしてきた主導的役割に話が及ぶことが多かった。そしてディルクとタンヤは、ドイツでこの問題がいかに重要視されているのか直接見てもらいたいと言い出したのだ。テクノロジー企業は、膨大な量の個人データを預かる管理人として、ナチスやシュタージに苦しめられた人々並みにデータが悪の手に渡るリスクを十分に意識しておく必要がある。

「この刑務所に送り込まれた人々の多くは、自宅で行っていたことを理由に逮捕されています。国民を支配するための完全監視体制だったのです」とディルクが説明した。

ナチスやシュタージの支配下での経験があるからこそ、現代のドイツ人は電子監視に対して用心深くなっているという。スノーデンの暴露でこの傾向はさらに強まった。ディルクが言う。

「データが収集されていれば、乱用・誤用はいつ発生しても不思議ではありません。当社は世界各地で事業展開していますから、各国の政府が時代とともに変化していく可能性を忘れてはならないのです。ここで起きた事実を見ていただきたい。国民一人ひとりが政治や宗教、社会についてどういう意見を持っているのかといったデータが集められた末に、間違った人間の手に渡れば、ありとあらゆる問題が生じるのです」

本社に戻った私は、プライバシーについて社員に語りかけた。シャイダーの体験談から、われわれが顧客のデータを取り扱う際のリスクがはっきりと浮かび上がった。プライバシーは、単にわれわれが守るべき規則というだけでなく、守る義務のある基本的人権なのだ。

クラウドコンピューティングのグローバル化が進めば、海底に敷設するケーブルの数や海外に建設するデータセンターの数が増えるのは当然だが、シャイダーの体験談を聞けば、話はそんなに単純ではないことがわかる。他国の文化に適応しつつも、その国の人々のプライバシーを尊重・保護し、マイクロソフトの基本的価値観を守り抜かなければならないのだ。

一〇年前のテクノロジー業界には、アメリカ国内のデータセンターだけで世界中の顧客に対応できるという意見もあった。だが、蓋を開けてみれば、それは幻想にすぎないことが即座に判明した。今や写真や画像が満載のウェブサイト、メール、文書が当たり前だ。こうした情報を手元の携帯電話やコンピュータでさっと見たいと誰もが思っている。消費者テストでも、画面に表示されるまでに〇・五秒の遅れが生じるだけでユーザーはイライラすることがわかっている。[4]

物理学の常識を持ち出すまでもなく、世界の裏側まで光海底ケーブルでコンテンツを伝送する場合の遅れを考えれば、多くの国々に直接データセンターを建設した方がいい。データ伝送に伴う遅延を削減するには地理的な距離を縮めるのがポイントだ。

実はクインシーに当社データセンターを建設する前から、ヨーロッパの拠点探しは始まっていた。後にマイクロソフト初の海外データセンターとなる拠点である。当初はイギリスが最有力候補だったが、すぐにアイルランドも有力候補に躍り出た。

一九八〇年代以降、アイルランドはアメリカのテクノロジー企業にとって第二の故郷のような存在となっていく。そのアイルランドへの大規模投資に踏み切った最初のテクノロジー企業がマイクロソフトだ。エメラルド島の異名をとるアイルランドは、税制優遇措置や英語圏であることが決め手となって多くの企業の誘致に成功した。また、欧州連合（ＥＵ）加盟国の立場や友好的な国民性も手伝って、ヨーロッパ各地はもとより、世界中から多くの人々が働く場や生活する場を求めてアイルランド、とりわけ首都ダブリンに集まってきた。これが「ケルトの虎」と呼ばれる急成長に火を付け、小国アイルランドの新たな繁栄を支えることになった。マイクロソフトもこの成長に貢献できたことを誇りにしてきた。

一九八〇年代にヨーロッパで当社製品を使っていたユーザーは、ＣＤ-ＲＯＭからソフトウエアをインストールしていた。このＣＤ-ＲＯＭの生産拠点がアイルランドだった。だが、ソフトウエアのクラウド化が進むなか、アイルランドではＣＤ事業がやがては衰退するとみられていて、国を守るため新たな活路を見出す必要に迫られていた。

同国の企業・貿易・雇用省は、将来を見据え、データセンターを誘致する基盤づくりに着手するという手際の良さを見せた。同省関係者が誘致のためにマイクロソフト本社を訪れたのは、まだクラウドが誕生するはるか前のことである。当社にとってヨーロッパ初のデータセンターをダブリン近郊に設置してはどうかという提案だった。

誘致活動の派遣団に、ロナルド・ロングという高官が名を連ねていた。実は、私がロンドンのコビントン&バーリング法律事務所に弁護士として在籍していたころに一緒に仕事をした同僚だった。当時、込み入った公共政策の問題を解決するため、ダブリンで彼と膝詰めでまる半日かけて知恵を絞り合った覚えがある。

マイクロソフト本社で誘致の打診があったときは、気乗りしないまま思案した後、当社のヨーロッパ第一号となるデータセンターをアイルランドに建設することはどう見ても現実的ではないと説明した。アイルランドとヨーロッパ大陸を結ぶ高速光ファイバーケーブルがないため、アイルランドにデータセンターを設置しても意味がなかったからだ。

「では三カ月ください」

ロナルドからこの上なく明快な言葉が返ってきた。こう言われては、ダメとも言えない。

三カ月後、アイルランド政府は、まさしくその光海底ケーブルの敷設契約の交渉をまとめていたのだ。もはや断る理由もなく、マイクロソフトは、ダブリン南部でのデータセンター建設に乗り出した。当初は小規模なビルでスタートし、増築・拡張を重ねていった。

二〇一〇年には、マイクロソフトは、ヨーロッパ全体の顧客のデータ保管先をアイルランドに集約し始めた。現在ヨーロッパではほかにも数カ国でデータセンターを運用しているが、そのなかで最大規模のデータセンターのキャンパスは依然としてアイルランドにあり、その規模は五一八万平方メートルと、アメリカにある当社最大の施設に匹敵する。アイルランドには、当社のほか、アマゾンやグーグル、フェイスブックの大規模データセンターも進出した結果、小さな島国がデータ大国へと変身を遂げた。

今やアイルランドは、データセンター運用で世界屈指の立地となっている。優遇税制のおかげもあるが、実はほかにもはるかに重要な理由がある。まず気候だ。今日、データセンター全体が集まれば世界最大の電力需要を生み出すほどだが、アイルランドの穏やかな気候はコンピュータ運用に理想的な気温である。夏場も建物を冷却する必要がなく、サーバーから放出される熱を再循環させれば、冬場のビル内暖房がまかなえてしまう。

気候以上に重要なのが、アイルランドの政治情勢だ。同国は、EUの加盟国であることに加え、人権の尊重と保護について恒久的な国民の合意が形成されているメリットもある。また、同国のデータ保護当局は強い力を持ち、実利志向でもある。さらに技術に精通しているだけでなく、テクノロジー企業が確実にユーザーの個人情報を保護できる体制を整えている。

かつて中東諸国を訪問中に、政府関係者に「アイルランドにとってのデータは、スイスにとってのマネーと同じだ」と話したことがある。要するに、誰もが一番大事な個人データを保管したくなるような場所になっているのだ。ベルリンで見たシュタージの刑務所のようなものが最も出現しにくい土地柄といっていいだろう。

ただし、データセンターをグローバルに運用するには、単にアイルランドのような場所にすべてのデータを置けば終わりというわけにはいかず、はるかに煩雑な取り組みが必要になる。理由の一つとして、国内のデータは国内に保管したいと考える国が増加していることが挙げられる。こうした趨勢は、テクノロジー業界にとってあまりうれしい話ではないのだが、理解できないわけではない。国の威信に関わる話でもあるからだ。それに、政府が自国の法制度を確実に適用し、捜索令状が自国の全データに及ぶようにしたいという思惑もある。

このような圧力が強まるなか、テクノロジー企業にとっては、多くの国々にデータセンターを設置せざるを得なくなっていて、これがきわめて深刻な人権問題として浮上している。個人情報がクラウドに保管されるようになると、何でも監視下に置きたがる独裁的な政権は人々の通信内容にとどまらず、ネット上で読んだり見たりしているコンテンツにまで目を光らせたいという欲望を抑えられなくなっても不思議ではない。そういう政府は、個人のデータをかき集めて反政府的、反体制的な人間を洗い出し、起訴や迫害はおろか、処刑の対象にすることもありうる。

これは、テクノロジー業界で働く一人ひとりが日々肝に銘じておかねばならない厳然たる事実である。テクノロジー企業は、幸いにも今の時代で特に実入りのいい業界にいる。しかし、課された人々の自由と命を預かるという責任の重さに比べれば、われわれの稼ぎ出す金の額などお話にもならない。

この責任を果たすため、マイクロソフトのデータセンターを新たにどこかの国に設置する決定を下すたびに、その国の詳細な人権リスクアセスメントを行っている。評価結果を精査し、懸念がある場合、特に見送りとせざるを得ない場合には、私が直接関わって確認することにしている。人権のリスクがあまりに高いために、マイクロソフトがデータセンターを設置していない国、あるいは今後設置しない国は存在する。こうした懸念国よりリスクが低い国であっても、保管するのは個人データを除いた企業のデータにとどめ、防御措置を何重にも講じて常に警戒を怠らないようにしている。突然、政府が新たな要求を突き付けてくれば、あっという間に衝撃的な結末を招きかねないからだ。クラウドに責任を負う者は、昼も夜も筋を通す勇気が試されているのである。

万事順調に運んだとしても、また別の力が働かないとも限らない。アイルランドのような安全な場所にデータを保管することで築き上げた保護体制がもろくも崩れ去るおそれがあるのだ。具体的には、ある国の政府が、テクノロジー企業に対して、外国に保管されているデータの提出を迫るようなケースだ。人権を守るきちんとした手順がなければ、アイルランドのような聖域も含む他国の国境の内側にまで手を伸ばそうと考える国が出てきても不思議ではない。

もっとも、この問題は今に始まったことではない。何世紀も前から、世界中の政府は、自国の国境を超えてまで力が及ばないことで合意している。それは捜索令状も同じだ。どの政府も、自国領土内での逮捕や家宅捜索の権限を持っているが、別の国に勝手に手を突っ込んで誰かを捕まえたり、文書を取り除いたりすることはできない。あくまでも相手国の主権を持つ政府を介する必要がある。

政府がこの制度を無視し、勝手に事を運んでしまう時代もあった。このように国境を軽視する行為は国家間の緊張を生み、そのゴタゴタがきっかけで米英戦争にまで発展したことは言うまでもない。かつてイギリス海軍は世界の海を支配していたが、ナポレオン軍との海戦を戦う水兵が慢性的に不足していた。手薄な水兵を補強するため、イギリスは「水兵強制徴募隊」を外国船や外国の港に送り込み、強制的に水夫を徴用して兵役に就かせる行為に及んだ。この水兵強制徴募隊は、王の海軍が臣民を徴用するという大義名分を掲げてはいたが、実際にはパスポートを確認することもなかった。見境なく人を引っ捕らえ、アメリカ市民をイギリス海軍に強制徴用していることが判明するや、アメリカはイギリスに対処を要求した。若き国家であるアメリカはイギリスの武装船がアメリカの港に寄港することを全面的に禁じた。それが「わが国の法律を尊重せよ、さもなくばここから去れ」というメッセージであることは一目瞭然だった。[5]

イギリスとアメリカの敵対関係はエスカレートして、一八一二年に米英戦争が勃発する。やがて両政府が目を覚まし、互いの主権を尊重することに合意することになった。その後、犯罪者引き渡しや他国にある情報の入手を規定する新しい分野の国際条約が誕生した。この新しい条約の多くは、刑事共助条約（MLAT）と呼ばれている。[6]

しかしこの一〇年を振り返ると、MLATはクラウドコンピューティングの時代にはそぐわないことが明らかになってきた。ＭＬＡＴの手続きはときに遅々として進まず、これに法執行機関がイライラを募らせるのも無理からぬことだった。むろん、政府間でＭＬＡＴの見直しや手続きの迅速化について協議してはいるものの、なかなか進展は見られなかった。[7]

データがクラウドに移行するようになると、法執行機関はＭＬＡＴの手続きを踏まずに済まそうと考えるようになった。国内にあるテクノロジー企業に令状を発布し、他国に設置されているデータセンターに保管されているメールや電子ファイルを提出させようとするのだ。これがうまくいけばＭＬＡＴに依存する必要はなくなる。おまけに、そのデータセンターが置かれている国の政府に事の次第を通知する必要さえなくなるのである。

ただ、ほとんどの政府は、テクノロジー企業が勝手に自国の法的な保護制度の頭越しに顧客データを外国当局に引き渡すことを二つ返事で認めるわけがない。一九八六年、アメリカ議会は、ＥＣＰＡ制定に当たって、他国にこのような行動を取らせない規定を盛り込んだ。ＥＣＰＡでは、外国政府にデジタルデータ時代の〝強制徴募隊〟のような真似をさせたくなかったからだ。外国政府による法的な請求があったとしても、アメリカのテクノロジー企業がメールなど特定タイプのデジタルデータを引き渡す行為は犯罪と定められた。同様に、一九六八年の電話盗聴法は、外国政府のためにアメリカ国内の通信を傍受または盗聴する行為が犯罪と規定されている。ＭＬＡＴで定められた国際的な手続きを踏む必要があったのだ。

ヨーロッパの法律はここまで明示的ではなかったが、アメリカと同じような見解が重視されていたことは確かだ。アメリカ政府と同様に、領土内に外国政府の手が及ぶことは望んではいなかった。特にEUとその加盟国は市民のプライバシー権を守るため、強力な法律を定めている。一八〇〇年代にアメリカに寄港したイギリス船のように、マイクロソフトのデータセンターがヨーロッパの地で受け入れられるのは、あくまでも現地法を尊重することに同意した場合に限られる。

だが、クラウドコンピューティングが広く普及し、データへのアクセスがかつてないほどに容易になると、どの政府も他国にあるデータを求めて一方的な行動を起こす誘惑に駆られるようになった。対象が個人に関するデータの場合、ケースバイケースではあるが、理解できないわけではない。捜査当局にしてみれば、一刻も情報を早く手に入れたいと思うのだろう。自国にあるテクノロジー企業のオフィスに直接連絡して、国外に置いてあるデータを強制的に提出させる方が手っ取り早いとしたら、わざわざ手間のかかるMLATの手続きを踏んでまで相手国政府に依頼する必要はないわけだ。それに、相手国が異議を唱えた場合、その後始末で割を食うのは当のテクノロジー企業であって、検察当局は痛くも痒くもない。

ほどなくしてマイクロソフトは、二つの国の間で繰り広げられる戦いの真っ只中で、両サイドから飛び交う弾丸を避けるのに精いっぱいになる。両国の間で繰り広げられた訴訟は、この問題の根深さを物語っている。

一方の当事者はブラジルだった。二〇一五年一月のある朝、マイクロソフトのブラジル子会社幹部の一人が営業会議のためにレドモンドの本社を訪れていた。会議中、サンパウロの自宅にいる彼の妻から電話がかかってきた。ひどく取り乱している様子で、ブラジル警察が彼を逮捕しにやってきて、出頭を求めているという。警察は集合住宅のゲートを破って突入し、建物全体を封鎖している。罪状は「マイクロソフトに勤務していること」だった。

ブラジル警察によれば、現地法に基づく犯罪捜査の一環で、マイクロソフトはある人物の通信内容を警察に提出しなければならないという。だが当時ブラジルには当社のデータセンターはなく、データセンターがあるアメリカに正規のルートで要求するのが筋だった。そこで、マイクロソフトが勝手にアメリカからデータを持ち出してブラジルの警察に提供すれば、アメリカの法律で犯罪になると説明し、両国間のMLATの手続きを踏んでもらいたいと伝えた。ブラジル当局はこちらの提案に納得がいかない様子だった。

実は、以前も同じような状況があった。ある刑事事件をめぐって、サンパウロにいた当社の現地幹部が警察から求められた情報提供を断った結果、マイクロソフトに対する罰金は月を追うごとに増えていった。そこで部下のネイト・ジョーンズにブラジル当局と交渉して事態の打開を図れないものかと相談した。ネイトによれば「ブラジル側は頑として動こうとせず、板挟みの状況だった」。

安全なレドモンド本社にいるネイトにとっては、この問題が長丁場になったとしても困ることではないが、ブラジルの現地幹部はそんな悠長なことを言っていられない。当社としては、裁判で現地幹部を守るための費用は喜んで負担するし、彼が望むなら家族ごとブラジル国外に異動させてもいいと考えていた。また、当社に対する二〇〇〇万ドル以上の罰金を不服として上訴に踏み切った。

次なる爆弾はアメリカから飛んできた。二〇一三年後期、ある麻薬取引捜査に絡んでメールのデータ提出を求める令状が当社に送られてきた。それ自体は珍しいことではないが、指定されたアカウントを調べたところ、いつものパターンとは違うことがすぐに判明した。一連のメールの所有者はアメリカの市民ではないようだった。しかも、メールのデータは、アメリカ国内ではなくアイルランドに保管されていた。

ならばFBIと司法省がアイルランド政府に協力を要請すれば済む話だ。そもそも、アメリカとアイルランドは友好国同士で同盟関係にあり、新しいMLATも機能している。念のため、アイルランド政府当局者に尋ねたところ、先方も協力を惜しまないとの回答を得た。ところが、司法省は、このような厄介な手続きを踏んで、これが先例になることを何としても避けようとしているようで、「素直に令状に従え」の一点張りだった。

われわれもまた、厄介な先例をつくりたくはなかった。アメリカ政府がアイルランドの法律を無視して、あるいはアイルランド政府のあずかり知らぬまに、アイルランド領内に手を突っ込むようなことをすれば、ほかの政府も追随するに決まっている。そして至るところで同じような行動に出るはずだ。そこで当社は要求を受け入れず、裁判で決着をつけることにした。

二〇一三年一二月、ニューヨークの連邦裁判所に提訴した。

マンハッタン南端部のフォーリー広場にある裁判所の建物に向かいながら、私は法律の道に進んだ自分の原点を思い出した。一九八五年にコロンビア大学ロースクールを卒業した翌年、ウォール街に近いこの細長いビルの二二階に執務室がある地裁判事の下で働き始めた。この見習い時代に法律の世界の舞台裏を学ぶことができた。

生まれ育ったウィスコンシン州北東部のアップルトンの町から遠く離れた地、ニューヨーク。こんな大都会は、中西部育ちの自分にはまったく馴染みのない世界だったが、勤務初日の朝、自分自身が少々異様な姿だったことには気付かなかった。実はロースクール出たてで意欲満々だっただけでなく、歴史ある裁判所庁舎にはそぐわぬ姿で出勤したからだ。新人のくせにいかにも重そうな高性能ＰＣを抱えていたのである。[8]

あれは、直前の秋に自分が初めて購入したＰＣで、当時ほとんどの人々にとって縁のないものだった。ＩＢＭ初の家庭用パソコン「ＩＢＭ　ＰＣｊｒ」という機種で、あっという間に販売打ち切りとなった失敗作だった。だが、このＰＣにあるソフトウエアをインストールしたことがきっかけで、ロースクールの最後の年はがらりと変わった。それがマイクロソフトのWordのバージョン１・０だった。このソフトウエアが私の大のお気に入りで、今でもフロッピーディスクとマニュアルとプラスチックのケースを自宅の書斎で大切に保管しているほどだ。ペンと紙、あるいは大学時代に使っていたタイプライターとは違って、ワープロは魔法のような存在だった。速く、しかもきれいに書けたからだ。そこで、初めての仕事に就く前に、二万七〇〇〇ドルの年俸の一割を使ってもっと高性能なＰＣを買って仕事場に置きたいと思った。新人弁護士だった妻のキャシーに相談したところ、ありがたいことにゴーサインが出たのだった。

上司である判事は当時七二歳だった。オフィスには、二〇年以上も前から公判や審理について丁寧に手書きした書類が箱に収められて、棚にきれいに並べられていた。昔から定評ある、工夫の凝らされたファイリングシステムもあり、こちらにはタイプ打ちしたカードが収められていた。一枚一枚に「説示」（裁判の最終段階で裁判官が事件の概要や法律上の問題点などを説明するもの）を作成するためのポイントが記されていた。そんなところに初日からＰＣを持ち込んだものだから、顰蹙を買うことになった。そのとき学んだのは、メモの作成や判決の下書きといったことにはＰＣが役に立つとはいえ、何ら問題なく機能している昔からのやり方の邪魔をしてはいけないということだ。これは、今に至るまで貴重な教訓として生き続けている。テクノロジーで改善できるものは改善した方がいいが、うまく機能しているものは尊重しなければならない。

話を二〇一四年に戻そう。われわれは再びこの裁判所の建物に新たなコンピュータ技術を持ち込むことになった。地裁の治安判事がわれわれに不利な判決を早々に下し、長期戦になると覚悟を決めた。これは長い上訴の階段を上るためのお膳立てだった。

われわれの提訴に、世の中の反応は早かった。特にヨーロッパの反応が目立った。敗訴から一カ月後、私はベルリンに赴いた。政府高官や国会議員、顧客、報道関係者などとの面会予定が詰まっていたからだ。アイルランド捜索令状をめぐる当社の訴訟について関心を示してくれるのではと淡い期待があったが、あれほどの強い関心を集めるとは予想もしていなかった。実は、初日の朝八時に取材を受けたのだが、二杯めのコーヒーを飲んでも、最初の判決を出した治安判事の名前さえ思い出せずに苦労した。当社の訴訟チームはすでに敗訴から立ち直っていたし、第二ラウンドとなる地方裁判所に向けて気合を入れ直し、ウォームアップに余念がなかった。過去は過去と割り切ってすでに前に踏み出していたのだが、ドイツの人々はそうではなかったのである。

どこに顔を出しても、開口一番、「フランシス判事」が話題に上るのだ。おかげで二日間のベルリン滞在が終わりに近づいたころには、判決の詳細や、担当した治安判事の名前がすっかり脳裏に焼き付いてしまった。ニューヨークの小さな法曹界から一歩外に出れば、下級裁判官である彼の名前など誰も知らないのに、二〇一四年のベルリンでは、われわれの敗訴を言い渡したジェームズ・C・フランシス四世という治安判事の名は誰もが知っていた。

とにかく常に質問攻めだった。

「あの判事が〇〇と言ったのはどういう意味ですか」
「なぜ判事は〇〇と言ったのでしょうか」
「今後はどうなると思いますか」

そして質問を投げかける彼らの手には、決まってフランシス判事の判決のコピーがあり、書き込みがぎっしりと入っている。判決の一部を読み上げてくる人もいた。多くの人々が判決を詳しく調べていたのだ。

初日の午後は、ドイツ屈指の大きな州のＣＩＯ（最高情報責任者）とじっくり腰を落ち着けて意見を交換することになっていたが、そのころにはすっかりヘトヘトになっていた。ＣＩＯは、高級そうなマホガニーのテーブルにフランシス判事の判決文を置いた。そして人差し指で判決文を指しながら、次のように釘を刺した。

「この判決が逆転しない限り、いかなるデータであれ、わが州がアメリカ企業のデータセンターに保管することなど、絶対にありえませんよ」

その年は世界のどこを訪れても、この問題から逃げられなかった。東京にも行ったが、まさかベルリンと同じ反応が待ち構えているとは思ってもみなかった。あるレセプションに出席したときには、取引先関係者に囲まれて身動きが取れなくなってしまった。アイルランド・データセンター訴訟の結果が、当社取引先のビジネスに重要な影響を及ぼしているため、私に現状を伝えようと集まってきたのだ。口々に「マイクロソフトにはこの訴訟に勝ってもらわないと困る」と言う。日本の取引先も訴訟の行方を固唾を飲んで見守っていた。私は世界各地で公の場に顔を出すたびに、裁判をあきらめず、必要なら最高裁まで戦い抜くと繰り返し誓った。

だが、裁判は遅々として進まず、仮に勝訴しても訴訟には限界があると気付いた。現行法の下での捜索令状の範囲については結論が出るかもしれないが、時代遅れのＭＬＡＴ協定に取って代わるような新しい法律が定められるわけでも、時代に即した新しい国際条約が締結されるわけでもないのだ。

もっと大きな構想が必要だ——そう考えた当社は、新たな提案書を作成して世界各国の当局に足を運び、旗振り役となってくれそうな同盟づくりに奔走した。アメリカでは議会に法案が提出されたが[9]、当社としてはこれを新しい国際的な協定につなげていく必要があった。

二〇一五年三月、チャンスが転がり込んできた。私が出席したホワイトハウスでの会合がきっかけで、プライバシーと監視の問題に関する見直しの機運が高まったのだ。ブラジル支社の幹部に対する刑事訴訟やマイクロソフトに対する罰金について説明していると、それを遮るようにオバマ大統領が「それはひどい」と声を上げた。この会合での協議を受けて、できればイギリスやドイツなど主要同盟国一、二カ国との国際協定に向けた新たな取り組みを大統領が直々に約束してくれたのだ。

それから一一カ月後の二〇一六年二月、イギリスとアメリカが今の時代に即した二国間データ共有協定の草案をひっそりと発表した。ようやく重要な材料の一つが産声を上げたのである。

だが、この協定も、議会が法律として成立させない限り、効力を発揮しない。議会で広く支持を集めていたものの、世界中にあるデータを入手するために捜索令状を駆使してきた司法省は、これまでのやり方を変えることに依然として尻込みしていた。法案審議は手詰まり状態で、大幅な妥協なしに法案成立は楽観視できない状況だった。

結果的には連邦最高裁自体がこの行き詰まりを打開したが、これが思いも寄らない方法だった。

二〇一八年二月末、季節外れのぽかぽかとした朝、連邦最高裁の麗しくそびえる正面玄関を目指して、ワシントンDCのファーストストリートを歩いていた。[10] われわれは建物の見事な佇まいをしばし眺めた。そこで九人の判事を前に、グローバルな視点から見たクラウドコンピューティングの意味を説明することになっていた。

威風堂々たる四階建ての連邦最高裁ビルは、連邦議会議事堂の真向かいにあり、アメリカの司法府と立法府が文字どおり対峙している。一方に目をやれば、議事堂の輝かしいドームが青空に映える。その向かい側の大理石の重厚な階段を上って、堂々たる柱の間を通り、彫刻が施された大きな扉に向かう。ここが裁判所への入り口だ。

われわれが訪れた二月二七日は、このビルのシンボルである正面階段の辺りから長い行列が通りに沿ってブロックを一周するほど続いていた。アメリカ政府と戦うわれわれの姿の傍聴を求める人々だった。四年前、大西洋を挟んでアイルランドからメールのデータを持ってくることを拒んだために始まった裁判で、ついに最後の対決を迎える日がやってきた。

マイクロソフトが連邦最高裁に提訴したのは、これが四回目だった。ここでの戦いは、いつも特別な経験だ。世界最新のテクノロジーが生み出した問題をめぐる裁判ではあるが、その裁き方は一世紀近く前と変わらない。携帯電話もノートPCも持ち込み禁止である。毎回、電話などは預けてから、赤を基調とした大きな法廷の席に着く。まるで緞帳が上がる前の舞台のようだ。そんな法廷で、唯一テクノロジーといえそうなものがあるとすれば、時計くらいか。

最新のテクノロジーがまるで視界に入らない場でテクノロジーの意味や影響を検討する連邦最高

裁の力量には心から敬意を表したい。当社が初めてここで裁判を経験したのは二〇〇七年のことだ。偶然にもアイルランドでのＣＤ－ＲＯＭ生産に絡む特許問題をめぐる争いだった。[11] 弁論の翌週、筆者は同裁判所の調査官にばったり出会った。「判事が話しているときに、あなたは少々落ち着かない印象でしたが」と言われた。

努めて表情に出さないようにしたつもりだったが、明らかに失敗していたらしい。そのときのことは今もよく覚えている。マイクロソフトがニューヨークからヨーロッパにあるコンピュータに「フォトン（光子）を送ること」の影響や意味をめぐって、ある判事が相手方弁護人と協議していたのである。[12]

それを聞いてこんなことを考えていた。それが表情に出てしまったのだろう。「フォトンがこの裁判とどういう関係があるんだ？ それにニューヨークが出てくる理由があるのか？」

しかしこの審理を通じて学んだのは、審理中余計なことに気を取られないようにするということだけではなかった。判事は必ずしも最先端技術に精通しているわけではなかったが、事情に明るい若い事務官が付いている。しかも判事は、こうした事実に基づく理解を、ときに法律分野にとどまらない知恵と判断力で補完していた。連邦最高裁は、判事の任命や議論の余地がある問題について一般市民の攻撃対象になることもあるものの、世界に冠たる真に偉大な機関としての地位を守っている。ほぼ連日、九人の判事が難題に対して、理路整然とした結論を下そうと努めている。これまで世界各地の裁判を見てきたが、連邦最高裁が残してきた成果に信頼を寄せている。

　この日の朝、一時間の口頭弁論の後、九人の判事の反応を見る限り、原告・被告ともに思っていたほどの好感触は得られなかった。どちらが勝つのか、あれこれ思いをめぐらすことはできたが、大いに自信を持って予測することは不可能だった。お膳立てされたものか、こちらの思い過ごしかはわからないが、法廷には原告・被告の双方に和解を促すかのような雰囲気が漂っていた。

　ただ、和解するにしても、大きなハードルが残っていた。新しい法律が成立でもしない限り、当事者双方が最高裁判所の判断を放棄するわけにはいかないのだ。ファーストストリートの向かいの議会で新しい法律が生まれなければ、こちらでの和解はあり得なかったのである。

　法律の制定を求めることは、ある意味で神に祈るようなものだ。議会は何ごとにつけても意見が分かれるのが当たり前で、手当たり次第に法案を通してくれるわけではない。だが、今回はわずかながらチャンスありと見た。当社には、政府対応チームの責任者を務める古参のワシントン通、フレッド・ハンフリーズがいる。そこで彼にどのような選択肢がありうるのか相談してみた。その結果、ホワイトハウスにも協力を呼びかけて、法案に賭けてみることにした。

　実は、その四年前の提訴からほどなくして、上院・下院の双方で超党派の活動が始まっていた。こうした動きがなかったら、法案に賭けることなど思い付きもしなかっただろう。だが、議会での二度の公聴会に加え、陳情を何度も繰り返した末に、上院司法委員会の犯罪・テロに関する小委員会委員長だったリンゼー・グラム上院議員の仲介で司法省との最終協議を迎えることになった。

グラム議員は強い決意を持って連帯を呼びかけた。その一年ほど前の二〇一七年五月に私は同議員が開催した公聴会で証言をしたことがあった。多くの出席者を集めたその公聴会では、イギリス政府からはパディ・マクギネス国家安全保障担当首相次席補佐官が、アメリカとの協定の意義について証言に立った。スコットランド人らしい気さくな性格に加え、イギリスでのテロ対策の取り組みについて実務的で冷静に理解している人物だった。アメリカ側のトム・ボサート大統領補佐官（国土安全保障担当）は、このマクギネス次席補佐官と定期的に意見交換していて、議会に落としどころを探るよう呼びかけた。

連邦最高裁の弁論後、すぐに新たな法案が提出され、当事者がそろって支持することに同意した。これが後に「海外データ合法的使用明確化法」で、英語の頭文字を取ってＣＬＯＵＤ法（以下、クラウド法）案と呼ばれることになる。

この法案には、気になる規定があった。司法省の求めていたとおり、捜索令状の対象範囲を外国にまで広げる一方、令状を受け取ったテクノロジー企業は、これが相手国の法律と衝突する場合には捜索令状の無効を裁判で争うことを認めるという、双方に配慮した内容になっていた。

つまり、アイルランドやドイツ、あるいはＥＵ全体が現地法に基づいてアメリカからの一方的な捜索令状を阻止し、もっと透明性のある方法または協力的な方法を適用することができ、それを受けてテクノロジー企業はアメリカの裁判所に提訴できるということである。

さらに重要なことに、クラウド法案では、そのような一方的な行動に取って代わる、時代に即した国際協定の新たな権限の根拠を生み出していた。こうした協定の下で、法執行機関は、より迅速で現代的な手続きにより、相手国のデータにアクセスできるようになる一方で、プライバシーやその他の人権を保護する規則を設けることになる。どの法案もそうだが、完璧はありえない。まして、何らかの歩み寄りの末に生まれた法案の場合はなおさらだ。それでも、われわれが四年以上の歳月をかけて進めようとしてきたことの大部分は盛り込まれた。

もっとも、そのクラウド法案も、議会で成立しなければ意味がない。それが大きな頭痛の種だった。上院、下院の双方の法案審議日程を見ると、クラウド法案自体を取り上げる余裕があるとは思えなかった。しかも、最高裁判所の判断が下されるまでの短期間で審議するとなると、なおさらだ。そこで思い付いたのが、別の法案に組み込む方法だった。

実際問題として法案可決の見込みがあるとすれば、クラウド法案を予算案（歳出法案）に組み込む方法しかなかったが、そう簡単にはいかない。まず、議会が予算案の可決自体に苦労することが挙げられる。そして、それが故に予算と無関係の法案を予算案に組み込むことには、連邦議会の院内総務らが以前から難色を示していたからだ。

グラム上院議員の後押しがあるので、上院共和党はこの方法を支持してくれることはわかっていた。だが上院民主党が首を縦に振らなければ、この方法は水泡に帰す。そんなとき、突破口になってくれそうな人物がいることを思い出した。院内総務としての力はもちろん、台風の目となる求心力もある人物、それがチャック・シューマー上院少数党院内総務である。この問題に精通しているとは言い難いものの、打診してみたところ、すぐに調査を開始し、検討すると約束してくれた。

ボサート大統領補佐官やグラム、シューマーの両議員の支援もあり、下院の院内総務らを動かすほどの盛り上がりを見せた。ほどなくしてポール・ライアン議長、ナンシー・ペロシ少数党院内総務の二人が予算案にクラウド法案を含めるかどうかの協議に本格的に動き出した。交渉のたびに法案の修正が重なる。数日おきにもうダメかと思われるような状況に出くわしながらもボサート補佐官と何度も話し合い、あきらめないことを誓い合った。辛抱強く電話攻勢や陳情を重ねたこともあって、法案は何とか生き残った。


二〇一八年三月二三日、ドナルド・トランプ大統領がクラウド法案を含む包括予算案に署名し、ついにクラウド法が成立した。[13] これを受けて連邦最高裁の訴訟も手打ちとなった。ニューヨークの連邦地裁に提訴してから四年以上が経過していた。だが、最後に連邦最高裁の建物を出てからは一カ月にも満たないスピード解決だった。最終段階はあまりに目まぐるしく進展し、細部に至るまで関わってきたわれわれ自身が信じられないほどの展開だった。

結果は満足のいくものだったが、同時に複雑な心境でもあった。われわれはクラウド法は強力な法になると考えていた。だが、どんな法案であれ、和解であれ、何らかの妥協の産物であることに変わりない。確かに徹底的に法廷で争う方がおもしろみはあるが、双方合意のうえで話をまとめる方が見返りは大きいことをわれわれは身をもって知っている。一般論でいえば、前進のための唯一の方法だった。そして合意のためには、歩み寄りが欠かせなかった。

また、議会では、結果についてしっかりと説明することを求められた。特に込み入った内容に関してはなおさらだった。だからこそ、われわれはさまざまなことを想定したうえで説明資料を作成しておいた。だが、クラウド法はあまりの急展開だったうえ、議会での根回しにも膨大な時間がかかったため、準備不足は否めなかった。

案の定、世界中の顧客やプライバシー保護団体、政府関係者などから、クラウド法とはどういうもので、実際にどのように運用されるのかといった問い合わせが殺到し始めた。顧客からは質問が押し寄せ、プライバシー保護団体からは懸念の表明が相次いだ。われわれが慌てたことは言うまでもない。すぐに世界各地で説明の機会を設け、情報不足を補う資料を作成した。[14] ほぼすべての国のマイクロソフトの営業担当者が駆り出された。一カ月後にフランスの街を歩いていて、現地マイクロソフトの社員から声をかけられたときは、ギクリとしたものだ。彼はレストランで食事をしていて、たまたま私がその近くを通りかかっただけなのだが、即座に気付いて食事もそのままに追いかけてきたのだ。そして、息を切らしながら、例の新法に関する質問を矢継ぎ早にぶつけてきたのである。

こうした状況は、変化の大きさもさることながら、まだまだ大きな改善が求められていることも物語っていた。ともかく国家間の新しい協定に基づく新たな未来の枠組みができたのである。制定から一年を迎えたクラウド法について、リチャード・ダウニング司法次官補は、「目下の課題に対して生まれた単なる解決策ではなく、大いなる理想を込めた解決策」と評価した。そして、「法の支配を守り、志を同じくし、権利を尊重する国々からなるコミュニティづくりを目指した解決策である。このコミュニティに参加する国々は、共通の価値観と互いの尊重に根差し、法律の抵触（法律同士が衝突すること）を最小限に抑えながら、共通の利益を促進させられる」と説明した。[15]

クラウド法は、あくまでも土台のようなもので、ここに新しい家々が建てられなければならない。現代の世界では、捜査当局に迅速な行動が求められる一方、プライバシーなどの人権を保護し、国家の国境は尊重されなければならない。

新しい国際協定でこうした要求すべてに応えることは可能だが、協定締結に当たっては慎重に取り組み、しかも粘り強く進めていくことが大切だ。一朝一夕には終わらない多大な努力が欠かせないのである。

第4章 サイバーセキュリティ

ハッカー集団との戦い

二〇一七年五月一二日、ロンドン中心部にある聖バーソロミュー病院の手術準備室にパトリック・ワードという男性が運び込まれた。セントポール大聖堂から数ブロックのところにある同病院は、地元の人々には長らく「バーツ」の愛称で親しまれ、現在は大きな医療複合施設の一角をなしている。バーツが建設されたのはヘンリー一世がイングランドを治めていた西暦一一二三年のことである。ヒトラーによるロンドン大空襲が続くなかでも診療を続け、爆弾が雨のように降り注ぎ、ときにその美しい建物にも被害をもたらした第二次世界大戦の戦火をくぐり抜けてきた病院だ。[1] だが、九〇〇年に及ぶバーツの長い歴史のなかでも、あの金曜日の朝に投下された爆弾ほど大きな被害を与えたものはなかった。

冒頭で紹介したパトリック・ワードは、イングランド南部のドーセット州にあるプールという小さな村から三時間かけて病院に運び込まれた。彼の一族は、一八〇〇年代後半から海辺の村で農業を営んでいた。まるで物語からそのまま出てきたような景色が遠くまで広がっている場所だ。ワードの職業もこの牧歌的な故郷にふさわしいもので、パーベック・アイスクリームという高級アイスクリームメーカーの販売部長として長らく活躍してきた。彼は仕事を愛していた。「おしゃべりするのとアイスクリームを食べるのがわたしの仕事なんですよ」と彼は話す。「幸いどちらも得意なんです」。

ワードは、二年前から外科手術の順番を待っていた。遺伝が原因で心臓の壁が厚くなる重い心筋症を患っていた。見た目はがっしりとした体格で、ハイキングやサッカーにも興じるような中年男性だったが、この病気のせいで日常生活に支障をきたしていた。その朝、胸毛を剃られ、体の状況を見るため、いろいろな検査の後、担架に乗せられた。ようやく手術が受けられる日がやってきたのだ。そこに医師が現れ、「数分後に始まりますよ。では後ほど手術室で」と声をかけて出て行った。だが、一向に手術室に運ばれる気配はない。ワードは待ち続けた。

一時間以上待っただろうか。くだんの医師が再び現れた。

「実はハッキングの被害に遭いまして。病院全体のシステムがまるごとダウンしてしまって、手術ができない状態なんです」

第二次世界大戦中も診療を止めることのなかった病院が、突然止まってしまった。広範囲に及ぶサイバー攻撃の標的にされたのである。院内のコンピュータシステムは完全にクラッシュしていた。その日、救急搬送はすべて別の病院に振り替え、外来診療の予約はすべてキャンセル、外科病棟は休診となった。この攻撃でイギリス政府が運営する公的医療機関全体の三分の一が麻痺状態に追い込まれた。[2]

その日の昼前。マイクロソフト本社があるレドモンドでは、経営幹部が金曜日恒例のミーティング中だった。CEOのサティア・ナデラと一四人の直属の部下が毎週顔を合わせていた。会合は役員会議室で朝八時に始まる。同じフロアには私のオフィスもあった。製品や事業のプロジェクトについて順次協議していき、昼下がりに終了となるのが通常の流れだった。だが、二〇一七年五月一二日はいつもと違っていた。

まだ二つめの議題も終わっていない段階でサティアが突然声を上げた。「さっきから大量のメールがCCで来ている。顧客への広域サイバー攻撃とあるが、いったい何があったんだ?」

顧客からの問い合わせに対応してマイクロソフトのセキュリティ担当エンジニアが緊急出動していることはすぐにわかった。原因を突き止め、急激に広がっている攻撃の影響を見極めようとしていたのだ。昼までにはこれが普通のハッキング行為ではないことが明らかになった。攻撃に使われたマルウエアのコードをマイクロソフト脅威インテリジェンスセンター(MSTIC、社内の読み方は『ミスティック』)で解析した結果、ZINC(「亜鉛」の意)と呼ばれる組織が二カ月前に実験していたものと判明した。MSTICでは、国家が背後にいるハッキング集団には元素周期表の元素名にちなんだコードネームを付けている。今回の事件でFBIはZINCを北朝鮮政府と断定した。その一年半前にソニー・ピクチャーズのコンピュータネットワークに侵入したのと同じ集団だ。[3]

この集団による直近の攻撃は、技術的な観点からいえば尋常でないほど巧妙で、元々ZINCがつくり出したコードに新たなマルウエアのコードを追加し、ワームとしてコンピュータからコンピュータへと自動的に感染を広げていく仕組みだった。感染先でハードディスク内のデータを暗号化してロックをかけた後、ロックを外す〝鍵〟と引き換えに支払いを要求するランサムウエア（身代金要求型ウィルス）だ。このときはデータ復旧の鍵代三〇〇ドルを要求するメッセージだった。鍵がなければユーザーのデータは凍結されたまま永遠にアクセス不能になってしまう。

今回のサイバー攻撃はイギリスとスペインで始まった。数時間のうちに世界中に広まり、最終的に一五〇カ国以上のコンピュータ三〇万台が感染した。[4] 事態が収束するまでに、このマルウエアは「WannaCry」（「泣きたい」の意）という名前で世界の話題になった。文字どおり情報システムの管理者泣かせだったうえに、世界に対する警鐘となったマルウエアだった。

その直後、ニューヨーク・タイムズがWannaCryのコードの最も高度な部分はアメリカの国家安全保障局（NSA）によって開発されたものだと報道した。ウィンドウズのセキュリティホール（脆弱性）を突くためのツールだという。[5] NSAが敵のコンピュータに忍び込む目的で開発した可能性が高い。このツールがシャドー・ブローカーズという正体不明のハッカー集団によって盗まれ、ブラックマーケットで販売されていた。シャドー・ブローカーズは有害なコードをネット上にばら撒いては惨事を起こしている集団である。NSAが開発したツールは、要するに高性能兵器である。そんな高性能兵器を、シャドー・ブローカーズは、やり方さえ知っていれば誰でもたどり着けるような場所で公開していた。この集団は、特定の個人や組織とのつながりが明らかになっているわけではないが、脅威情報に精通する専門家は、破壊行為に熱心な国家の隠れ蓑ではないかと見ている。[6]
今回、ZINCは、NSA開発のコードにランサムウエアを組み込んで、インターネットを容赦なく荒らしまくるサイバー兵器を生み出したのである。

当社のあるセキュリティ責任者は「NSAがロケットを開発して、それを北朝鮮がミサイルに転換したようなもの。違いは先端部」と説明する。つまり、アメリカは高性能サイバー兵器を開発したのだが、管理のミスで野放しになってしまい、これを北朝鮮が手に入れて世界全体を狙った攻撃に乗り出したというわけだ。

事件の数カ月前だったら、そんな話はあり得ないと一笑に付されるような話だった。それが世界中を震撼させるニュースになっていた。この皮肉な状況を傍観者としてあれこれ言っている暇などなかった。顧客のもとに緊急出動し、保有システムへの影響の有無、マルウエア拡散阻止、機能不全に陥ったコンピュータの復旧を支援するのが先決だった。昼ごろまでにセキュリティチームは、新しいバージョンのウィンドウズを搭載するコンピュータの場合、その二カ月前にリリースされた修正プログラムが適用されていれば今回の攻撃から逃れることができたが、ウィンドウズXP搭載の古い機種は攻撃を回避できなかったと結論付けた。

これは決して小さな問題ではなかった。依然として一億台を超えるコンピュータでウィンドウズXPが稼働していたからだ。長年、当社ではコンピュータのアップグレードと最新のウィンドウズのインストールを呼びかけてきた。ウィンドウズXPがリリースされたのは二〇〇一年で、アップルの初代 iPhone が生まれる六年も前のことだ。初代 iPod のデビューよりも半年前である。セキュリティホールが見つかるたびに修正プログラムを提供してはいるが、これほど古い製品がセキュリティ上の最新の脅威に付いていけるわけがない。軍事用途に使われるような最先端の攻撃に対して、一六年も前のソフトウエアに防御を期待するのは、ミサイル攻撃に対して塹壕を掘って抵抗するようなものだった。

こうした呼びかけに加えて各種割引や無償アップグレードなども用意したが、古いOSにこだわる顧客もいた。こうした既存ユーザーのために、最終的には古いシステム向けにもセキュリティ対策の修正プログラムの提供を継続する決定を下したが、新バージョンと異なり、こうした旧システムユーザーには、修正プログラムをサブスクリプションサービスの一環として購入してもらう方式とした。こうすることで、よりセキュリティが強化されたウィンドウズへの乗り換えを促す狙いもあった。

ほとんどの場合、こうしたアプローチで脅威は防げるのだが、あの五月一二日の攻撃は別だった。WannaCry はワーム型（自身の複製をつくって感染を広げるマルウエア）だったため、とんでもないスピードで拡大したのだ。当然、いかにダメージを食い止めるかが重要になる。ただ、マイクロソフト社内では激しい議論になった。この攻撃に対するウィンドウズＸＰ向け修正プログラムの配布先として、セキュリティサブスクリプション利用者以外にも範囲を広げ、当社製品の海賊版を使っているコンピュータも含め、世界中のユーザーに無償配布すべきかどうかが問題になったのだ。サティアは議論をストップさせ、すべてのユーザーに無償で提供することを決定した。そのような対応はＸＰからの乗り換えを促してきた取り組みが損なわれるとして社内の一部から異論が出たが、サティアは「今はそんな議論をしている場合ではない。被害はあまりにも広範囲に及んでいる」とのメールを社員向けに発信し、反対派の沈静化を図った。

WannaCryの感染状況は、技術的には封じ込めと阻止の成果が上がっていたが、政治的な影響はむしろ悪化していた。事件の起こった金曜日、シアトルの夕食どきに、中国の北京では土曜の朝を迎えていた。中国政府関係者から当社の北京支社に問い合わせがあり、ウィンドウズＸＰ向け修正プログラムの状況について尋ねるメールがウィンドウズ部門の責任者であるテリー・マイヤーソンに届いた。

中国では世界のどこよりもウィンドウズＸＰ搭載機が使われていたことを考えれば、こうした問い合わせが寄せられること自体、驚くに値しない。例のマルウエアが拡散したのは中国の現地時間で金曜の夜。オフィスにあるほとんどのコンピュータは電源が切られていたため、週末は攻撃の影響を受けずに済んだものの、時代遅れのウィンドウズＸＰ搭載機の脆弱性は当然残ったまま月曜を迎えることになった。

だが、中国側が念頭に置いていたのは、XP向け修正プログラムだけではなかった。高官からテリーに送られたメールには、その日のニューヨーク・タイムズに掲載された記事についての質問もあった。その記事とは、アメリカ政府がソフトウエアのセキュリティホールを探し出してリストアップしているにもかかわらず、問題を開発元に知らせて対策を取らせるどころか、秘密にしているという内容だった。[7]

高官としては当社の反応を知りたかったのだろうが、この点については、直接アメリカ政府に尋ねてほしいと伝えた。当然のことながら、当社も他のテクノロジー企業も、自社製品の問題点が報告されなくてうれしいわけがない。われわれは逆に政府に対して、セキュリティホールを見つけたら報告してほしいと働きかけてきた。適切に対策を取ることができれば公共の利益にもつながるからだ。

この問い合わせは、その後に世界中から続々と寄せられるものの一つにすぎなかった。土曜の朝には、どうやら被害を受けた顧客のサポートだけで終わる話ではないということがわかってきた。次第に明らかになりつつあった地政学的な問題についてもっと表立った形で対処する必要があったのだ。その午前中にサティアと次なる対応策について電話で協議した。WannaCryに関する質問の殺到が予想されるため、情報公開に踏み切ることになった。

全体像を客観的に把握するため、今回の攻撃の細かい部分からしばし離れ、より大局的なサイバーセキュリティの見地から解決策を模索した。マイクロソフトをはじめとするテクノロジー業界各社にとって、サイバー攻撃から顧客を守る責任が最優先であることは明確に表明している。それは大前提だ。だが、われわれは、サイバーセキュリティが顧客との責任分担になっている点を強調しておく必要があると考えた。当社としては、顧客がもっと簡単にコンピュータやソフトウエアを更新・アップグレードできるようにしておくことは大切だが、たとえ当社が新たな技術を提供しても、それが実際に使われていなければ効果はないことが、今回の事件からも明らかになった。

また、WannaCry攻撃ではっきりしたことがある。多くの国家が軍事攻撃能力を高めるなか、サイバー兵器の管理能力の重要性が高まっているという点だ。われわれはよく「従来の兵器にたとえていうなら、米軍のトマホークミサイルが盗まれたようなものだ」[8]と指摘している。ただ、トマホークと違って、サイバー兵器は小さなＵＳＢメモリにも保存できる。となれば、防御はますます難しくなるし、盗難防止も困難になる。それだけに軽視できない問題なのだ。

われわれがサイバー兵器をトマホークミサイルに例えたことについて、ホワイトハウスやＮＳＡの関係者の一部はあまりお気に召さないようだった。イギリス政府の関係者のなかにも同じ意見があるようで、「WannaCryをたとえるとすれば、トマホークミサイルではなくライフルの方が適切」との指摘もあった。だが、ライフルで一五〇カ国を同時に攻撃できるだろうか。ライフル説は的外れというほかない。いずれにせよ、サイバーセキュリティを担当する役人たちが、こうした問題について記者会見で直接説明することも、国民に対して正当性を主張することも、いかに不慣れなのかを露呈する出来事だった。

一番驚いたのは、そもそも北朝鮮が攻撃を仕掛けた理由について幅広い議論が見られなかったことだ。今日に至るまで決定的な答えが出ていない。それに関しては、特に興味深い説がある。

この攻撃の一カ月前、北朝鮮は大々的にミサイルを打ち上げたものの、失敗に終わって大恥をかいている。ニューヨーク・タイムズのデイビッド・サンガー記者らが伝えているように、アメリカ政府は、「電子戦争の戦術も含め」、あの手この手でミサイル開発を遅らせようとしていたという。[9]

記事にあったように、ミサイル打ち上げ失敗の具体的な原因は知る由もないが、ジェームズ・マティス国防長官は、「大統領も軍部も、つい最近、北朝鮮がミサイル打ち上げに失敗したことを承知している。大統領からはこれ以上のコメントはない」とだけ述べ、曖昧な返答に終始していた。ふだんは余計なことまで口走ることで知られる大統領からのコメントがたったこれだけというのだ。

サイバー攻撃でミサイル発射を妨害された報復として、北朝鮮が同様のサイバー攻撃を仕掛けたとしたらどうだろう。WannaCryは、事実上の無差別攻撃ではあったが、それこそが狙いだったとしたら？　つまり、「そちらは一カ所を狙えるのだろうが、こちらは至るところに同時に報復できるのだ」というメッセージだとは考えられないだろうか。

こう考えると、WannaCryに思い当たる点はいくつかある。第一に、ヨーロッパが狙われたタイミングは、東アジアで誰もがコンピュータの電源を落としていて、帰宅して週末を過ごそうとしていた時間帯だった。北朝鮮が西ヨーロッパや北アメリカの被害をできるだけ大きくする一方、中国への影響を最小限に抑えたかったとすれば、絶好のタイミングだ。その後、太陽の動きに合わせて感染は広がっていった。欧米の企業や政府機関は依然として金曜の業務時間だったが、中国は週末に入っていて、週明け月曜の出社時まで対応は不要だった。

さらに、北朝鮮はセキュリティ専門家の間で「キル・スイッチ」と呼ばれる緊急停止機能まで複数用意していた。マルウエアにこれ以上拡散しないようにブレーキをかける機能を盛り込んでいたのだ。キル・スイッチの一つは、拡散の時点ではまだこの世に存在していない特定のURLを探すように設定されていた。言い換えれば、そのURLが存在しない限り、WannaCryは拡散を続けるわけだ。だが、誰かがそのURLを登録して有効にしたとたん、キル・スイッチが発動してWannaCryは自身の複製を停止する仕組みになっていた。URLの登録や有効化の作業は技術的に難しいものではない。

五月一二日も終わりに近づいたころ、イギリスのセキュリティ研究者がWannaCryのコードを解析していてこのキル・スイッチを発見した。指定されていたURLをわずか一〇・六九ドルの料金を払って登録し、有効化してみたところ、WannaCryがそれ以上拡散しなくなった。[10] WannaCryを開発した犯行グループの詰めの甘さだと指摘する見方もあったが、その逆と考えられはしないか。WannaCryの開発者が、月曜の朝までには機能を停止させて、中国や北朝鮮自体に大きな混乱を起こさないようにしたかったのではないか、と。

もう一つ、WannaCryに組み込まれている身代金要求のメッセージや脅迫方法について疑わしい部分がある。当社のセキュリティ専門家によれば、北朝鮮はかつて身代金要求のランサムウエアをばら撒いた前科があるが、その犯行手口は違うものだった。銀行など旨味のある標的を選び、かなり慎重に多額のカネを要求していたという。それと比べると、今回のロック解除の身代金として三〇〇ドルを無差別に要求する手口とはどう見ても相容れない。ランサムウエアの手口を採用したこと自体、マスコミや世間の目をそらすための小細工だったのではないか。そしてアメリカや同盟国の政府関係者だけに真のメッセージが伝わるように仕組まれていたと考えられないだろうか。

アメリカのサイバー攻撃に対して、北朝鮮がサイバー攻撃で応じていたとすれば、今回の出来事は一般に考えられているよりもはるかに由々しき事態だ。世界を舞台にした〝武力戦〟がまさに目の前で行われた例になる。そして戦闘の巻き添え被害どころでは済まない影響が民間人に及んだ攻撃だったことになる。その影響も最初から意図されたものだったのだ。

真相は藪の中だが、深刻な課題が浮き彫りになった。サイバー兵器はこの一〇年で飛躍的に進歩していて、現代戦でどういうことが起こりうるのか大きく変わっている。だが、実際に何が起こっているのかわからないような形で使われているため、一般人の目にはどういうリスクに対処すればいいのかわからないし、緊急の公共政策面でもどのような課題があるのか見極め切れない状態なのだ。しかもこうした課題が表面化するまで今後も危険度は高まる一方なのである。

サイバー戦争脅威論を話半分で聞いていた人々も、その六週間後にサイバー空間で炸裂した爆弾で目が覚めたはずだ。

二〇一七年六月二七日、今度はウクライナに続々とサイバー攻撃が仕掛けられた。ここでもやはりNSAから盗まれた例のコードが使われていて、同国の全コンピュータのうち推定一〇％が麻痺させられた。[11] 後にアメリカ、イギリスに加え、五カ国の政府は、攻撃がロシアによるものだったと断定した。[12] かつて猛威を振るった「Petya」（ペトヤまたはペチャ）というランサムウエアがあり、今回もこれと共通のコードが一部に使われていたことから、セキュリティ専門家の間では「NotPetya」と命名された。ちなみにPetyaという名称は、一九九五年のジェームズ・ボンド映画『007 ゴールデンアイ』で旧ソ連製の架空の兵器「ゴールデンアイ」の一部を構成する衛星兵器として登場する。[13] 半径五〇キロ弱の範囲にある電子機器の通信を使用不能にする兵器という設定だった。

さて二〇一七年の現実世界では、NotPetyaの攻撃ではるかに広い範囲が被害を受けた。影響はウクライナ全域におよび、企業や交通機関、銀行が麻痺しただけでなく、国境を超えて物流大手のフェデックスや医薬品大手のメルク、デンマーク海運大手のマースクなどの多国籍企業にも被害が広がった。特にマースクは世界全体をカバーするコンピュータネットワークが停止に追い込まれた。[14]

マースクのコンピュータ復旧のためにマイクロソフトのセキュリティエンジニアチームが同社ロンドンオフィスに到着すると、二一世紀とは思えないような異様な光景が広がっていた。現場に最初に急行したマイクロソフトのフィールドエンジニア、マーク・エンプソンは「電源の入ったコンピュータ、プリンター、スキャナーの動作音がかすかに聞こえるだけで静まり返っていた」と振り返る。

オフィスビルの通路を歩いていても、まるで廃墟のように感じたという。

「普通、修理で駆け付けたら、まず『どういう状況ですか』とか『ダウンしたサーバーはどこですか』とか『こっちはいかがですか』といったやり取りで始まるんですが、このときばかりは何から何までダウン状態でした。『じゃあ電話は？』と聞いても『ダウンしています』。『インターネットは？』と聞いても『それもダウンです』と」

経済や暮らしがいかにＩＴに依存しているのか改めて思い知らされる出来事だった。すべてがネットワークにつながった世界では、いつ何が麻痺状態に陥っても不思議ではないのだ。だからこそ、たとえば送電網を標的にしたサイバー攻撃の可能性は真剣に考えておくべきなのだ。

都市が電力、電話、ガス、水道、インターネットを失えば、石器時代のような状況に陥ってもおかしくない。冬場なら寒さに凍え、夏なら暑さに参っているだろう。生命維持のために医療機器が欠かせない患者は命を落としかねない。将来、自動運転車が当たり前の世の中になって、高速道路をクルマがびゅんびゅん走っているときに、サイバー攻撃が自動車の制御システムにまで及べばどうなるだろうか。

こうしたことが現実として起こりうる時代にわれわれは生きている。NotPetya の被害を受けたマースクは、同社貨物船が依然として船長の制御下にあることを社会に向けて改めて保証する異例の措置を取った。こうした措置からも、世界がいかにコンピュータに依存しているかがわかる。サイバー攻撃による大混乱がいつ起こってもおかしくないのだ。

社会を支えるインフラにソフトウエアが当たり前のように使われている時代だからこそ、多くの政府が攻撃的サイバー兵器に投資する理由になっている。中学生ハッカーやもっと若い世代が国際的な犯罪に手を染めるのとはわけが違い、政府ともなれば規模もレベルもまったく次元の異なる態勢で運用する。この分野でアメリカは早くから予算を組み、依然としてトップクラスの座を維持している。だが、ロシアや中国、北朝鮮、イランなどが一気に追い上げ、サイバー兵器の開発レースを繰り広げている。

WannaCry や NotPetya の攻撃は、世界的にサイバー兵器の能力増強が一気に進んでいることの証しでもある。わずか数カ月後、多くの政府がこの注意喚起を必ずしも真剣に受け止めていなかったことが判明する。

世界各地で外交官と言葉を交わしていると、「誰も殺されてはいない。そもそも人間に対する攻撃とは違う。単に機械が機械に攻撃しているだけじゃないか」といった懐疑的な声を何度も耳にした。

また、従来のいかなる兵器技術の進歩と比べても、サイバーセキュリティについての考え方には世代間格差がある。というのも、若い世代ほどデジタル技術に囲まれて育っている。生活そのものがテクノロジーに支えられているようなもので、こうした世代がふだん使っている機器に対する攻撃は、とりもなおさず彼らの自宅に対する攻撃にほかならない。個人の生活に直結する問題なのだ。

だが、上の世代が同じように捉えているとは限らない。

ここで、さらに厄介な疑問が浮かんでくる。デジタル版の9・11が発生する前に世界に警鐘を鳴らすことはできるのか。はたまた、各国政府は今後ものらりくらりと先送りを決め込むのだろうか。

NotPetya攻撃後、われわれは、ウクライナの地で何が起こっていたのか世界に伝えたいと考えた。実際、何度もサイバー攻撃に苦しめられてきた国でもある。NotPetyaにあれほど大暴れされたわりには、ウクライナ国外での報道はずいぶんとおとなしいものだった。そこでマイクロソフトは、実際の状況を把握するため、社員で構成するチームを派遣し、首都キエフの人々に話を聞くことにした。[15]現地で会った人々は、会社を失い、顧客を失い、職を失っていた。現地では、クレジットカードやATMが停止状態のために食品も買えないという。通信回線がストップしていて子供と連絡がつかないと訴える母親もいた。9・11とは一緒にできないが、この世の行く末を暗示しているようだった。

街の人々は事の次第を包み隠さず話してくれたが、サイバー攻撃の被害者を直撃すると、自らのネットワークセキュリティに関してばつが悪いのか多くを語りたがらない人も少なくなかった。これでは問題が解決するどころか、迷宮入りになってしまう。マイクロソフトにとっては歯痒い状況だった。

二〇一七年、当社弁護士は、Xboxのネットワークにハッキング行為をした二人をイギリスで訴える方向で検討していた。この一件で厄介な問題がいくつか浮上したものの、私は提訴を公表することにゴーサインを出した。われわれが毅然として戦わなければ、社会でのリーダーシップを発揮することなど望むべくもなかったからだ。

マイクロソフトとしては、発言を増やすだけでなく、行動も増やす必要があったのだ。

ヨーロッパ各地で出会った外交官も賛同してくれた。ジュネーブの国連で、あるヨーロッパ系の大使からこんなふうに指摘された。

「対策が足りていないことはわかっているのですが、どうすればいいのか依然としてわかりません。たとえ何らかの行動に移すにしても、現時点で各国政府に同意してもらうのは内容が何であれ簡単ではない。これはテクノロジー企業が先頭に立って対応すべき課題です。各国政府を動かすにはそれが一番効果的です」

ほどなくして、その機会が訪れた。セキュリティエンジニアで構成される組織がある判断を下したのだ。それによれば、テクノロジー企業数社で協調して行動すれば、WannaCryに関与していた北朝鮮グループ（ZINC）のマルウエア機能の重要な部分を無効化できると発表したからだ。そこで当社は、ZINCが悪用しようとしたセキュリティホールの修正プログラムを配布し、被害を受けたPCを復旧し、犯行グループが利用していた当社サービスのアカウントを停止した。その効果は恒久的なものではないが、犯行グループの攻撃能力に一撃を加えることになった。

マイクロソフトやフェイスブック、さらにはほかの企業でも、今後もこうした取り組みを進めるのか、進めるとしたらどういうやり方が適切か、長時間かけて話し合った。当然、犯行グループから見れば、こういう取り組みこそが攻撃の大きな標的になる。それも含めてサティアとじっくり検討し、一一月には取締役会に計画推進の方針を伝えた。法的にも、それ以外の面でも十分な根拠があり、他社との協調も試してみる価値ありと判断したからだ。

また、アメリカのＦＢＩ、ＮＳＡをはじめ、他国の当局にも通知しておく必要があると考えた。許可を求めるわけではなく、単に当社の方針を伝えておくためである。当社が停止した一連のアカウントの情報を基に、北朝鮮の脅威に対処する諜報作戦が展開されていないことを確認しておく意味もあった。

数日後、私はワシントンＤＣに赴き、ホワイトハウスを訪問した。ウエストウイング（西棟）の地下にある執務室で、国土安全保障担当のトム・ボサート大統領補佐官、ロブ・ジョイス・サイバー安全保障政策調整官に当社の計画を説明した。この時点では、計画は翌週に実施予定だった。二人によれば、トランプ大統領の強力な後押しもあり、WannaCry 攻撃が北朝鮮の仕業だと公式に発表しようとしていたという。これは、各国政府がサイバー攻撃について公式に責任の所在をはっきりさせる重要な一歩となる。ボサート補佐官は、「不均衡で無差別」と見なされるサイバー攻撃に対して、対抗姿勢を公式に表明することがアメリカ政府にとって重要と語った。今回の場合、ホワイトハウスは他国とともに積極的に動いた結果、各国が結束して公然と北朝鮮を犯人として名指しすることができた。

当初、ボサート補佐官からは計画の延期を求められた。「発表の準備が整うまであと一週間はかかる。それに、各国が同時に発表した方がいいだろう」というのが理由だった。私は、すでに世の中から期待されているように一二月一二日の修正プログラムのリリースにタイミングを合わせる必要があり、これ以上行動を遅らせるわけにいかないと食い下がった。マイクロソフトによる毎月第二火曜日の修正プログラムのリリースは、「パッチ・チューズデー」とか「火曜日の更新」と呼ばれ、毎月の定例になっていたからだ。

そこでこちらから代案を提示した。

「では当社の作戦に関する発表の延期を検討しましょう。そうすれば、共同で発表できるのではないですか」

このやり取りからわかるように、WannaCryへの政府の対応には矛盾した面があった。後に記者発表でも明らかにされたことだが、ボサート補佐官から受けた説明では、すでに実施されている制裁措置を考えれば、攻撃への反応としてアメリカ政府ができることは非常に限られているとのことだった。「トランプ大統領は、制裁措置として打てる手はすべて打っていて、これ以上は北朝鮮の人々を飢え死にさせることになる」と明言している。[16]

後にトランプ政権は、サイバー攻撃への対抗措置を強化する余地ありと判断することになるのだが、政府にできない措置でもテクノロジー業界は実施できる立場にある。実際、テクノロジー企業側は、北朝鮮のマルウエア機能を支える重要な部分をただちに無力化することが可能だった。そこで政府とわれわれ企業側の発表を連携させられれば、関係国に対して一層強力なメッセージとなる。

われわれは協調行動として二つの柱を打ち出した。一つめは作戦の遂行、二つめは包み隠さず公表することだった。マイクロソフト、フェイスブック、さらに匿名を希望するもう一社を含めた三社の各セキュリティチームは、一二月一二日のパッチ・チューズデーの朝、ＺＩＮＣのサイバー能力を無力化する共同作戦に打って出た。作戦は首尾よく進行した。

だが、作戦そのものよりも、作戦を公表することのほうが厄介だった。どの分野でもそうだが、セキュリティの専門家は、措置の内容を公表することに躊躇するものだ。セキュリティの世界は、情報共有よりも情報遮断をよしとする体質が強いこともある。また、公表によって、報復攻撃を招くリスクが高まるおそれもある。だが、政府関与のサイバー攻撃に対して実効性ある措置を講じるためには、そのような抵抗感は捨ててもらわなければならない。

ただでさえテクノロジー業界とトランプ政権は複雑な関係にあったのだが、これがさらにこじれた。当時、何カ月かに渡って移民をめぐる論争が再燃していた。このため、現政権と手を組んで何かに取り組んでいると公言すること自体、気が進まないという声も聞かれた。確かに筋論でいえば距離を置いた方がいいとしても、可能なら手を組むことも必要だ。サイバーセキュリティに関しては、実質的な前進を望むのであれば、歩調を合わせるだけでは不十分で一緒に取り組むことが不可欠だった。

ホワイトハウス側は、ＺＩＮＣへの対抗措置を一二月一九日に発表する意向を示した。そこでマイクロソフトは、フェイスブックと匿名のもう一社に連絡を取り、三社が足並みそろえて前進する気があるなら、テクノロジー企業としての対抗措置を積極的に公表すべきだと伝えた。ところがその前日の朝の時点では、公表の意思を固めていたのは当社だけで、他の二社の決断待ちだった。当社単独でも公表に踏み切るつもりだった。政府関与のサイバー攻撃を効果的に抑止するには、こちらも対応能力を高めている事実をはっきりと突き付けるしかないではないか。誰かが第一歩を踏み出さなければならない。それがまさしくわれわれだった。

その晩、朗報が届いた。フェイスブックが当社とともに共同措置について公表する意向を示したのだ。翌朝には、さらに明るいニュースも飛び込んできた。ボサート補佐官がホワイトハウスで記者会見を開くという。今回の攻撃が北朝鮮の仕業であることを公表する際、アメリカ単独ではなく、オーストラリア、カナダ、日本、ニュージーランド、イギリスの五カ国も名を連ねることになったのだ。サイバー攻撃が特定の政府によるものであることを複数の国々が連名で公表するのは、初めてのことだ。さらに同補佐官は、マイクロソフトとフェイスブックが前週に具体的措置を講じ、犯行グループのサイバー攻撃能力を部分的に無効化したと発表した。

政府とテクノロジー企業が足並みをそろえた結果、それぞれ単独で実行した場合を上回る成果が得られた。もっとも、世界のサイバーセキュリティに対する脅威への万能薬にはならない。勝利と呼ぶにはほど遠い状況だった。

第5章

民主主義を守れ

独裁政権による選挙妨害

一七八七年、フィラデルフィアで開かれたアメリカ憲法制定会議が結論に達した後、独立記念館から出てきたベンジャミン・フランクリンは、どのような政府がつくられたのかと問われて、「共和国です、維持していけるなら」と答えたのは有名な話だ。[1]

この言葉はアメリカ全土を駆け巡り、世代を超えて語り継がれている。民主共和制が新しい政府の形にとどまらず、人々が絶えず警戒を怠らず、ときにはこれを守り維持するために立ち上がらなくてはならないことを物語る言葉だ。

アメリカの歴史を通じてこの言葉は、選挙や社会への貢献であり、ときには命をなげうつことも含め、市民による行動を意味してきた。ほかにも重要な場面では、第二次世界大戦の勝利にアメリカの産業界が寄与したように、国内企業の動員を求められることもある。歴史を見ればわかるように、いつ行動を起こす必要があっても不思議ではないため、絶えず警戒していなければならないのである。

二〇一六年七月のある日曜の夜、突然、この警戒が必要になった。それに先立つ二週間、私はオハイオ州クリーブランドとペンシルベニア州フィラデルフィアで開かれた共和党と民主党の全国大会にそれぞれ出席するため忙しい日々を過ごしていた。週末は本来の仕事の遅れを取り戻すのに追われ、その日も夜遅くになってそろそろ切り上げようかと思った矢先、「緊急」マークが付いたメールが届いた。まさかこれが作戦行動の始まりを告げる一斉攻撃の知らせだとは思いも寄らなかった。テクノロジー業界に挑戦状が叩き付けられたのだ。まさに業界が警戒度を高め、民主主義を守り切ることができるのかが試されようとしていた。

メールは、マイクロソフトの法律副顧問を務めるトム・バートからだった。タイトルには「緊急・DCUの件」とあった。DCUはマイクロソフトの犯罪対策部門の略称で、トムの指揮下にあるチームの一つだった。創設は一五年前だが、意外にもテクノロジー業界では依然として他に例のない存在だ。DCUは世界各地に一〇〇人以上のメンバーを擁し、検事や特別捜査官の経験者のほか、トップクラスの科学捜査専門家、データ専門家、ビジネスアナリストらも名を連ねている。元々、DCUは一九九〇年代のマイクロソフトにおける偽造防止対策の活動を母体に誕生したが、その後、インターネット上で新しい形態の犯罪行為が広がりを見せ始めたときに捜査当局と連携して対応するデジタル版ＳＷＡＴ（特殊攻撃部隊）に発展した。[2]

さて、その一〇日前、二〇一六年の民主党全国大会直前の金曜日のこと。民主党全国大会からロシアのハッカー集団が盗み出したメールを「ウィキリークス」が流出させた。同大会が開催された一週間は、この流出騒ぎが大きなニュースになった。週後半になってマイクロソフト脅威インテリジェンスセンター（ＭＳＴＩＣ）は、ロシア系ハッカー集団による新たなハッキング行為を発見した。ＭＳＴＩＣでは、この集団をストロンチウムと命名した。またの名をファンシーベアとかＡＰＴ28ともいう。トム率いるＤＣＵとしては、ストロンチウムの動きを止めるため、翌火曜日に合法的な攻撃を仕掛けておきたいと考えた。

ＦＢＩや諜報関係者の間では、ストロンチウムはロシアの情報機関であるＧＲＵ（ロシア連邦軍参謀本部情報総局）との関連があると見られていた。トムによれば、ストロンチウムは、民主党全国大会やヒラリー・クリントンの大統領選挙運動に関わるアカウントを含め、さまざまな政界の要職や候補者をターゲットに、マイクロソフトの各種サービスに対してなりすましによる偽装侵入を繰り返していたという。当然のことながら、マイクロソフトもこの一件に巻き込まれたのである。

ＭＳＴＩＣは、二〇一四年以降、ストロンチウムの監視を続けていた。その年にストロンチウムが特定人物を標的としたフィッシング詐欺、いわゆるスピアフィッシング攻撃を仕掛けていたからだ。標的にしたユーザーに対して巧妙にでっち上げたメールを送り、いかにも本物らしいウェブサイトへのリンクをクリックさせる手口だった。リンク先にはマイクロソフトの名前も使われていた。

その後もストロンチウムは、さまざまなツールを駆使して、キーロギング（キーボードからの入力内容の記録・取得）、メールアドレスやファイルの獲得、情報収集にも関わっていた。それだけでなく、USB接続の記憶装置にも感染させることにより、ネットワークから物理的に隔離されているコンピュータのデータまで検索しようとしていた。

ストロンチウムは、ほかの犯罪ハッカー集団と比べて技術レベルが高く、相当執拗に攻撃を仕掛けてくる傾向があり、狙いを定めた標的に対し、長期に渡っておびただしい数のフィッシングメールを送り付けている。そこまでしてでも、価値のある標的をまんまと騙すことができれば見返りが大きいからだ。

このような手口は多くのコンピュータユーザーにお馴染みなのだが、犯罪を撲滅するのは簡単ではない。以前、ネットワークセキュリティ専業ＲＳＡの年次総会がサンフランシスコで開催された際、誰かが会場からツイッターでつぶやいていたとおり、「どの組織にも手当たり次第にクリックしてしまう社員が少なくとも一人はいる」のだ。人間の好奇心と不注意を巧みに突いた攻撃なのである。

ハッカーの動きを分析しているうちに気付いたことがある。標的のメールアカウントに首尾よく侵入できたハッカーは、往々にして「パスワード」というキーワードを検索しているのだ。いろいろなサービスに登録したパスワードが増えてくると、備忘録代わりに「パスワード」というタイトルや本文のメールを自分宛に送っておくユーザーが多いらしく、これがハッカーに簡単に拾われているのである。

二〇一六年七月、MSTICは、ストロンチウムがユーザーのデータを盗む目的で新たなインターネットドメインを登録しようとしている動きをつかんだ。彼らの狙いは、「Microsoftdccenter.com」のようにマイクロソフトの名前を含めたドメイン名を勝手に用意して、本物のマイクロソフトのサポートサービスを装ったリンクを設定することだ。DCUは問題に対処するため、週末の間に合法的な戦略を練り、日曜日にトムから報告があったように、こうした偽サイトを閉鎖に追い込む計画を立て、実行の準備を整えていた。

この計画は法的にも技術的にも画期的な手法で、元々、DCUが先鞭をつけたものである。裁判所に赴き、ストロンチウムがマイクロソフトの商標を侵害していることから、当該ドメインの権限はDCUに譲渡されるべきと主張するのだ。ある意味で、この部分は画期的だったのだが、当然といえば当然の話である。商標法が施行されてから何十年と経っているが、最近では「Microsoft」といった登録商標を許可なくウェブサイトの名称に使うことは禁じられている。

技術的な観点から説明すると、DCUの科学捜査部門内に「シンクホール」という仕組みを用意し、マイクロソフトのネットワークから切り離した場をつくる。このシンクホールは、感染したコンピュータからストロンチウム側のC&Cサーバー（感染したコンピュータに犯人側が指令を送って操るためのサーバー）に向けた通信をすべて阻止する仕組みだ。ストロンチウム側のネットワークをこちら側の管理下に置き、どの顧客が感染しているのか特定したうえで、顧客とともに感染端末の復旧に取り組むのが目的だ。

私はこの計画が気に入った。そもそもDCUを立ち上げた当初の目的にもかなっていた。当社の弁護士や技術者が力を合わせ、本当の意味で顧客のためになる手法を生み出すことになるからだ。成功が約束されていたわけではないが、トムは楽観的な態度を崩さず、火曜の朝、バージニア州の連邦裁判所で緊急に行動すべきと主張した。そこで、私はゴーサインを出した。

この斬新な対策は、ある意味で楽勝だった。何しろ、ハッカー集団側が法廷に現れないことはまず確実だったからだ。自ら管轄裁判所に出廷して、訴追されるようなことをするだろうか。DCUが常に掲げているゴールは簡単に達成できるものではないが、このときは成功を収めた。当社の法務戦略によって、ハッカーの強みである匿名性が一転して弱みになったのである。

裁判はわれわれの勝訴で終わり、問題のドメインは当社の管理下となり、被害者を特定して対策を取ることができた。裁判所の判決は公開され、あるセキュリティ系の媒体一誌だけが当社の成果を報じていたが[3]、それ以外のマスコミはまったく無反応だった。われわれはこの戦略を展開していくことに自信を持つようになった。その後、同様の提訴は実に一四回に及んだ。ストロンチウムが登録した九〇件ものドメインの使用を差し止め、ついには裁判所に掛け合って、すでに退職した判事を特別裁判所主事に任命し、当社の申し立てを迅速に認めてくれるよう依頼したほどだ。

二〇一七年初めには、われわれは、フランス大統領選の候補者陣営にハッキングを仕掛ける活動を暴いた。標的になった陣営のスタッフはもちろんのこと、フランスの国家安全保障当局にも注意を促した結果、セキュリティ対策が強化された。データ分析能力を駆使して目下のトレンドや新たに見えてきたトレンドを把握したほか、将来、ハッカーらが使いそうなドメイン名を予測するＡＩアルゴリズムの開発にも取り組んだ。だが、万能薬は存在しない。イタチごっこである。とはいえ、追いかける側の当社が新たな武器を手にしたことは間違いない。

残念ながら、逃げる側のハッカー集団もますます巧妙になっていて、アメリカ大統領選挙中、誰にも気付かれないような手を使っていた。二〇一六年、例のロシアのハッカー集団がメールを武器に使って、ターゲットのユーザーから情報を抜き取り、盗んだ通信内容をわざと流出させて、ヒラリー・クリントン陣営の責任者や民主党全国委員会らに赤っ恥をかかせた。[4]

二〇一七年には、同集団がさらに巧妙化させた手法をフランスに持ち込み、エマニュエル・マクロン大統領候補陣営のものだとの触れ込みで本物と偽物のメールを組み合わせて流出させている。[5]マイクロソフトのＤＣＵをはじめ、テクノロジー業界の同様の専門チームがこの問題を阻止する新たな対策を講じるが、ほどなくしてストロンチウムもこの対策をかわすように新たな手法を繰り出してきた。

新しいハッキング方法を編み出しては世界中で暴れ回るストロンチウムをわれわれは追いかけた。追跡しているうちに九〇カ国以上のターゲットにたどり着いた。特に活発な動きが見られたのが、中央ヨーロッパ、東ヨーロッパ、イラク、イスラエル、韓国だった。

通常であれば、アメリカとＮＡＴＯ加盟国による強力で一体的な対応があったはずだ。だが、このときは通常とは大きく事情が異なっていた。アメリカでは二〇一六年大統領選の正当性が取り沙汰されており、党派を超えた協議などとても期待できる状況ではなかったのだ。ワシントンDCで当社が契約する政治コンサルタントを集めて協議した際、私は、マイクロソフトはどちらの党にも失望していると主張した。共和党関係者の多くは、ストロンチウム問題への対応に及び腰だった。彼らにしてみれば、対策に乗り出すこと自体、共和党出身の大統領の顔をつぶすことになるからだ。かたや民主党の一部は、対ロシア政府で効果的な措置を講じることよりも、ドナルド・トランプを批判することに躍起になっているように思えた。アメリカは伝統的に党派を超えてアメリカのリーダーシップを支え、これがNATO加盟国をまとめ、戦後の民主主義を守る柱となってきたが、この柱が目の前で崩れ去ってしまったのである。政治コンサルタントたちに不満を並べ立てると、彼らはうなずきながらこう言った。「それがワシントンなんですよ」。

テクノロジー業界が自力でこの流れを変えることは、まず不可能に思えた。二〇一七年末、私は訪問先のスペインやポルトガルで政府高官から直接、ロシアからのハッキング行為に対して懸念を募らせているという訴えを聞かされた。まだテクノロジー業界の対策が足りていないというプレッシャーもそのとおりだったが、実際の出来事についてもっと的を絞った具体的な議論なくして、社会の支持を集めることは困難だった。

われわれが特に悩んだのは、脅威について公の場でどう語ればいいのかという点だった。テクノロジー業界のリーダーは具体的な名前を挙げることにそろって尻込みしていて、マイクロソフトとて似たような状況だった。当社は、政府ではなく、一企業にすぎない。自国の政府に対する批判を展開したこともあったが、外国政府を名指しして当社のプラットフォームやサービスを乱用していると追及することには慣れていなかった。だが、このまま見て見ぬ振りを続けていれば、阻止すべき脅威を増長させるリスクがあることがだんだんとはっきりしてきた。

二〇一七年後半、マイクロソフトのサービスに対する新手のメールハッキング攻撃を発見した。狙われたのは、二〇一八年の中間選挙で改選を控えた現職上院議員のようだった。そこで、アカウントに被害が及ぶ前に、該当する上院議員の事務所にハッカーの標的にされている旨を伝えた。攻撃を未然に防いだことについて、どの上院議員も公にコメントするのを控えたため、われわれも沈黙を貫いた。

二〇一八年七月、アスペン・セキュリティ・フォーラムでトム・バートが演説することになり、パネルディスカッションで改選を控えた議員二人に対するフィッシング攻撃を検知し、被害を未然に防いだことに触れた。念のため議員の名前は伏せたが、そもそもマスコミはあまり気に留めていなかった。ところがテクノロジー系ニュースサイトの「デイリー・ビースト」が取材に動き、標的になった一人はミズーリ州選出のクレア・マカスキル上院議員だったと報じたのである。[6] すると、マスコミ各社がこぞって動き出した。これを受けて、ホワイトハウスの緊急対応室で記者会見が開かれ、この問題について取り上げられることになった。

当社がマカスキル議員事務所に攻撃の予兆を伝えた時点で、この一件を公表してほしいと依頼していたのだが、その時点では議員事務所側から断られたことは先に書いたとおりだ。ただ、結果的に騒ぎになったこともあり、ようやくマカスキル議員自身が記者会見で経緯を語ることになった。「今回の攻撃は失敗だった。こんなことをしてただで済むと思っているなら言語道断。わたしはこんな脅しに屈しない」と強い口調で犯人を非難した。[7]

それまで気付かなかったのだが、議会のスタッフはこの手の攻撃を公の場で話すことに不慣れだったのだ。以前、ある組織のＩＴ部門と仕事をしたときはその傾向が顕著だった。何か一つ決めるだけで何カ月もたらい回しの状況が続くありさまで、要するに誰も首を突っ込みたくないのだ。だが、組織の上層部の一声で、それまでの停滞が嘘のように簡単に決まっていったのである。

オンラインサービスの提供元でもあるマイクロソフトとしては、何かあったときに公の場で明らかにすることも大切だが、それだけでは足りないことに気付いた。そこで当社は、オンラインでの干渉行為から選挙候補者や関係団体を守るためのプログラムづくりに着手した。「アカウントガード」と呼ばれるプログラムで、Office 365 のメールや各種サービスを利用する政治団体・個人に無償で提供されるサービスだ。ＭＳＴＩＣが国家ぐるみの攻撃活動を積極的に監視し、攻撃が検知された場合には選挙運動スタッフに詳しい情報を提供して注意を喚起する仕組みである。[8]

私はこのアカウントガードというプログラムが気に入っていたが、もちろん、これだけで万事解決というわけにはいかない。選挙への干渉をエスカレートさせないようにするため、世界の民主主義国家が防御体制を強化してくれれば、テクノロジー業界としても実際の状況をもっと明確に公言できるようになる。

アカウントガードの発表は、事態打開のきっかけとなった。ストロンチウムの動きを観察していたところ、明らかにアメリカの政治家を標的にしたウェブサイトを六つも開設していた。このうち三つは上院を狙ったものだった。二つは特に注意が必要なサイトで、一方は共和党系の有力組織で、世界中で民主主義を推進している共和党国際研究所（ＩＲＩ）を標的にしていて、もう一方は、保守系シンクタンクのハドソン研究所を標的にしているようだった。ロシアのさまざまな政策や戦術に強く反対していることで知られる研究所だ。こうして見てみると、ストロンチウムは民主党だけを狙っていたわけではなく、アメリカ政治を支える民主党、共和党の双方を標的にしていたことになる。

ＤＣＵは裁判所命令に基づき、この六つのサイトすべてを当社のシンクホールに振り向けた。その結果、われわれは、ハッキングの被害者を出すことなく対策を講じることができたと判断した。争点は、どこまでこの事実を公表するかに移っていた。マイクロソフト社内でもさまざまな部門やグループの間でかなり突っ込んだ議論があった。だが、特にハッキングの矛先が共和、民主の両党に向けられていたことを考えれば、国民の幅広い議論を喚起するいい機会でもあった。

社内の話し合いが一週間に渡って続いた末に、金曜の朝、結論を伝える電話が入った。両研究所や上院議員の事務所の責任者に連絡を取り、翌週火曜日に公表に臨むという計画を前もって説明することになったのだ。
両研究所の責任者は即座に当社の行動を支持してくれた。攻撃されるということは、ある意味で重要な活動をしていると認められている証拠であり、いわば「名誉のしるし」だ。アカウントガードの発表と併せて、当社は、新たな攻撃に関する情報を提供したほか、「ロシア政府との関係があり、ストロンチウム、ファンシーベア、ＡＰＴ28などの呼び名で知られるグループ」によって六つのウェブサイトがつくられていたとの明確な声明を出した。[9] マイクロソフトが、攻撃を仕掛けた犯人として、ロシアと名指ししたのは初めてのことだった。数日のうちにフェイスブックとグーグルも追随し、管理下にあるサイトからの偽情報・フェイクニュースや偽アカウントの排除に動き出した。
むろん、これで一件落着といえるような状況ではなかったが、二〇一六年からのテクノロジー業界の取り組みが一定の成果を見た瞬間だった。業界で新たな措置を講じているうちに、こうした民間の活動に見合った努力を政府もすべきだと迫るメディアの論調が増えてきた。この結果、幅広い協調的な取り組みを生む基盤づくりにつながった。私は「ＰＢＳニュースアワー」という報道番組に出演した際、「このような脅威から大切な民主主義を守り抜くため、それぞれの立場の違いを乗り越えて協調して取り組む必要がある」と訴えた。[10]
当然といえば当然だが、テクノロジー業界が世論に強く訴えかけるようになったことが、ロシア政府にはおもしろくなかったのだろう。二〇一八年一一月、ワシントン州レドモンドにあるマイクロソフト本社の社員がモスクワで開催されるＡＩ系会議に出席するためにビザを申請したところ、三二〇〇キロ以上離れたワシントンDCにあるロシア大使館に出向いて「ビザ面接」を受けるよう命じられた。面接室に入ると、大使館員から封筒を手渡され、中に入っている二通の文書を読むよう丁重に指示された。そしてこれを本社に持ち帰り、経営幹部に渡せと言う。面接はわずか五分足らず。当該社員のビザはすんなり交付された。

すぐにこの二通の文書が添付されたメールが私のもとに届いた。ロシア語のニュース記事の英語版をプリントアウトしたものだった。いずれもさる八月に私が表明した内容を詳細に報じたもので、それらに対してロシア政府が不満を示しているという。記事の一つは、「ロシア当局は、ハッカー攻撃を含め、外国の選挙に干渉したと言いがかりをつけられていることに繰り返し反論している」と結んでいた。[11]

ロシア側がマイクロソフトに当てたメッセージからもわかるように、多くのアメリカ系テクノロジー企業は板挟み状態にあった。当然のことながらアメリカの政治家は、外国からのハッキング行為に毅然と対応せよとけしかけてくる。ところが、そのとおりに行動すると、今度は外国から圧力をかけられるのだ。

ロシア側の活動の全体像が徐々に明らかになるにつれて、攻撃に悪用されるリスクがあるデジタル技術はメールだけでないことが判明した。リスク管理の現場は重要な教訓の宝庫だ。たとえば、最も高い確率で降りかかってきそうなリスクと、可能性は限りなくゼロに近くとも万一降りかかったら最悪のリスクの両方に備えておくことが大切だ。

デジタル関連で、民主主義に対するリスクを検討した場合、投票集計機のハッキングや正確な開票結果への妨害行為以上にひどい事態は思いつかない。特に重要な選挙で接戦にもつれ込んだ後、どこかの外国政府が、投票集計システムをハッキングして、もはや修正の施しようがないほどにめちゃくちゃにしてしまったらどうなるだろうか。フランクリンの言葉を思い出してほしい。報道される開票結果が本当に投票された結果なのかどうか国民が疑心暗鬼になってしまったら、いったいどうやって共和国を「維持できる」のだろうか。

すでに、投票集計機に不正工作が仕掛けられそうかどうかを探る国家的な動きが実際に繰り広げられている。しかも、二〇〇〇年代初頭に開発されたソフトウエアやハードウエアを採用している投票集計機の多くに脆弱性が存在することは、専門家の論文でも指摘されている。問題に対処するために政府は予算を積み増しているものの、各種論文などではっきりと指摘されているように、老朽化したコンピュータシステムの脆弱性には、今以上の対策が必要だ。

これこそテクノロジー業界が対策に手を貸すべき問題である。実際、各社で革新的な取り組みが広まっていて、マイクロソフトでは二〇一九年五月に「エレクションガード〔選挙防衛の意〕」というサービスを開始した。これは暗号化を施した電子投票システムで、有権者による投票と全体の集計が保護されるものだ。[12] オープンソース型のソフトウエアに、安価な標準仕様のハードウエアを組み合わせ、新旧のテクノロジーのいいところをうまく活用している。

投票者が電子画面上で候補者を選ぶと、この投票内容が紙にプリントされ、投票者本人が投票記録として保管できる。この結果、選挙後の監査の際にこの記録が利用できるのだ。また、投票者が受け取る投票記録票には電子追跡番号も付いていて、自分の投票内容を暗号化したデータが記載されている。この追跡記録を使えば、後日、投票内容が正確に記録されたのかどうかオンラインで確認できる。このため、一票一票を高い信頼性の下で安全確実に集計可能だ。民主主義を守り、正しく機能させるうえで、このような対策は欠かせない。

一〇年前には、選挙運動のハッキングや投開票への妨害行為などサイバー攻撃の脅威は皆無に近かった。だが、現在は日々のニュースに登場するほど当たり前のリスクになっている。一九四〇年代に民主主義国家の政府や産業界が力を合わせて世界大戦で勝利を手にしたように、現在も平和を守るために一体となって対抗する体制づくりが不可欠である。

独裁政権はあの手この手で偽情報を撒き散らそうとしているだけに、今後、ますます事態は複雑になっていくはずだ。

第6章

ソーシャルメディア

自由ゆえの分断

エストニアの首都タリンの中心部、バルト海沿岸にある博物館には、巨大なシーソーのような展示物がある。シーソーの両端にはそれぞれ若い男性と女性が立っていて、両腕を広げて互いに見つめ合いながら、しっかりと立っている。そして足元のシーソー自体は、時計の針のようにゆっくりと回り続けている。何やら奇妙で不思議な展示だが、見るからに重要なメッセージを発信している。[1] 今、世界中の自由な社会が直面している危ういバランスを表現しているのだ。自由ゆえに人々が分断されかねないソーシャルメディアの時代、民主主義を守ることは簡単ではない。

バルト海に面するエストニアは、この一〇〇年の間に主権を勝ち取ったかと思えば再び失い、また主権を取り戻すという激動の歴史を歩み、大変な苦難を強いられてきた。主権を回復するための紆余曲折の歴史を語り継ぐ同博物館で、展示の最終章を飾るのが、この回転する男女の展示物である。同時に、現代の民主主義が直面しているテクノロジー上の課題をも訴えている。展示の音声ガイドは「エストニアは一日にして自由を勝ち取ったのではありません。わたしたちは自由を求め続けています。日々、努めているのです」と語りかける。

この博物館の名は「占領と自由の博物館」。中世の面影を残す旧市街から坂を下ったところにある。二階建てで規模は控えめながらも、このガラスと鋼鉄の建物は、坂の上にそびえる一三世紀の城市との見事なコントラストを醸し出している。エストニア新時代の象徴として誕生した同博物館は、壁一面をガラスにすることで現代的なデザインの建物内部に北欧の日差しを上手に取り入れている。その光で照らし出されるのは、ロシア、ナチス・ドイツ、ソビエトの占領が生み出した複雑きわまりない悲しい物語だ。だが、博物館が光を当てているのは、苦難や迫害、虐殺ばかりではない。自由を求める世界中の人々の声も代弁している。そして何よりも重要なのは、あのシーソーの上の男女が品良く表現しているように、自由と責任の絶え間ないせめぎ合いの現実を問いかけているのだ。

二〇一八年秋にわれわれがエストニアを訪問していたころ、ツイッターとフェイスブックを舞台に繰り広げられた組織的なフェイクニュース拡散について、アメリカ議会による調査が佳境に入っていた。聞いたこともないような新たな事態に世界は動揺し、「どうしてこんなことになったんだ?」とか「なぜもっと早く気づかなかったんだ?」といった疑問が噴出していた。

こうした疑問に対する一つの答えが突然浮かんだのは、われわれが例の博物館を訪れた土曜の朝のことだった。博物館を設立したのは、エストニア人女性で後にアメリカ国籍を取得したオルガ・キストラーリッツォ。ロシア帝国が崩壊した一九二〇年、ウクライナの首都キエフに生まれたオルガは、さまざまな独裁体制に翻弄されながら少女時代を送った。その後、兄とともにウクライナの暴動と飢饉を逃れて北側のエストニアに渡った。第二次世界大戦も終わりに近づいていたころ、ソビエト軍がエストニアを併合し、当時、年ごろの娘となっていたオルガは、撤収するドイツ兵士らに混じって同国を離れる最後の船に乗り込んだ。

一九四九年、オルガはアメリカに渡って夫、娘とともにようやく落ち着いた生活を送るようになる。その安住の地は、後にマイクロソフト本社が置かれるワシントン州レドモンドからわずか数分の場所だった。

アメリカで半生を送ることとなったものの、オルガの心の中にはいつもエストニアがあった。依然としてソビエトの占領が続いていたが、幼少時代に過ごした故郷は片時も忘れることがなかった。[2]変化が訪れたのは一九九一年だ。五〇年以上に及ぶソビエトの占領の末に、その支配の手から解放され、ついにエストニアは独立国家として未来に向けて歩み始めることになったのである。

エストニアの民主主義の未来に少しでも貢献しようと奮起したオルガは、生涯かけて蓄えてきた資金を投じて博物館の建設に乗り出す。占領時代の体験を二度と繰り返してはならないという願いを込めて世界に語り継いでいくためだ。博物館の後ろ盾となった同国のレナルト・メリ大統領は、二〇〇三年の開館の際、この施設には単なる博物館にとどまらない意味があるとして、次のように語った。

「ここは自由の家であり、自由とその対極にある全体主義とを隔てる壁がいかに繊細で傷つきやすいものかを常にわたしたちに思い起こさせてくれる場となる」[3]

毎年、同博物館には世界中から五万人以上が訪れ、占領と自由に向かい合ってきたエストニアの姿を目の当たりにしている。そしてテクノロジーが武器になりうるという現実までも世界に問いかけることになった。

エストニアはインターネットを武器に共産主義の闇から脱出し、後にインターネット通話アプリ「スカイプ」発祥の地として名を馳せ、「eデモクラシー」を高らかに掲げるまでに発展を遂げた。ところが二〇〇七年、旧占領国がエストニアのデジタル体制の脆弱性を狙い撃ちした結果、民主主義が本来持つ脆さが露呈した。同時に、一国の自由をもたらした技術が、一転して同じ国に脆弱性をもたらすことが明らかになった。

その年の春、エストニアは、初めて外国政府によるサイバー攻撃を受けることになった。DDOSと呼ばれる攻撃で、いわばネット上での包囲攻撃のようなものだ。その結果、エストニアの政府サービスや経済を支えているサイトも含め、同国のインターネットの大部分が麻痺してしまったのである。[4] 世界はロシアの仕業ではないかと疑った。

「何かが犬のように吠えているなら、それは犬ということです」

タリンでわれわれとランチをともにした際、エストニアのマリーナ・カリュランド前外相はそう話した。

「わが国のケースですか？　あれはクマでした」

　察しはついているのだ。攻撃があったとき、カリュランドはエストニア大使としてロシアに駐在していた。

　人口わずか一三〇万のエストニアだが、二〇〇七年の攻撃をきっかけにサイバーセキュリティ絡みで一躍有名になってしまった。その結果、NATOはタリン郊外にサイバー防衛協力センター（CCDCOE）を設置することになった。ロシアからの侵攻に怯えながら日々を送るエストニアでは、国も指導層も、戦争と平和だけでなく、自由と弾圧にも絶えず目を光らせざるを得ない。今の情報技術という天秤の左右にある課題である。

　前出のオルガが生み出した博物館は、テクノロジーと社会の衝突をほかでは見られないような形で提示している。弾圧された人々は、自由の追求という共通の願いを胸に結束する。だが、ひとたび自由を手にすると、その共通の絆は薄らいでいく。鉄のカーテンが音を立てて崩れ落ち、自由が訪れはしたが、同時に自由ゆえの課題を突きつけられ、エストニア国民が混乱を感じたとしても無理はない。

　博物館の展示はこう語りかける。

「ある意味わたしたちは恐ろしい状況にあります。誰もが自分たちが欲しいものはいったい何なのかわからなくなっています。何をしても許されるとしたら、あなたは何を望みますか。それを探し続けて、人々はくたくたに疲れ果てるのです」

フェイスブックCEOのマーク・ザッカーバーグは、もっと「開かれ、つながり合った」世界にするとの目標を掲げ、自らオンラインの空間を築き上げた。これは、自由を支持する究極の形ということもできる。だが、それとは対極の国はどうか。国内のありとあらゆるタイプライターが登録制になっていて、印字内容はすべてKGBの諜報員によって抜き取られていたような国だ。人々が萎縮して物議を醸しそうな会話はする気にもならない。エストニア国民は、そういう経験をしているだけに、ひとたび情報や意見が堰を切ったように自由に流通し始めると、その勢いがどれほど激しいものかよくわかっていた。

実際のところ、人々はどう振る舞うのか。例の博物館の展示が示しているように、人は仲間を見つけようとする。フェイスブックの場合、仲間とはネット利用者のなかの仲間である。ネット上で同好の集まりを見つける様子は、人間社会が誕生して以来の共同体づくりと同じだ。こうして生まれる集団の絆が深まるにつれて開放的ではなくなり、自分たちが交流したい相手だけを選ぶようになる。共有する情報も、自分たちの見方に適合するものだけになっていく。しかも現実の社会と同じように、他人の悪い話はすぐに広まる。特に自分たちとよそ者との違いには敏感で、すぐさま防衛本能が目覚める。要するに、ここで理想主義と人間の性（さが）が衝突するのだ。

このことにいち早く気づいて、プラスに生かそうとした人々は誰だろうか。エストニア人のように、弾圧と自由の狭間で生きてきた人々はこうした変化を誰よりも早く感じ取ることができただろう。つまり、ロシアと国境を接する国々に生きる人たちだ。逆に、一番鈍感なのは誰か。アメリカ西海岸で自由な暮らしを謳歌してきた理想主義のアメリカ人だ。

もっとも、この現象の本当の意味を理解するには、テクノロジーのもう一つの影響を忘れてはならない。それは、人々のネット上のコミュニティへの帰属意識が高まるあまり、目の前の人との関係が希薄になるという現象である。

気づいてみれば、人々は対面で言葉を交わさないような相手とネット上で会話することに夢中になっている。ときには別世界の人同士だったりすることもある。デジタル技術のおかげで世界は小さくなり、見知らぬ者同士を隔てていた垣根が低くなった。その一方で、実際に隣に座っている人との間では深い沈黙が流れるようになった。この現象は目新しいものではない。この一世紀以上を振り返ると、離れ離れに暮らす人々を結びつけるテクノロジーは、ほぼ例外なく、すぐ近くで一緒に暮らす人々の間に新たな壁を生み出しているのだ。

近代技術のなかで、自動車ほど人々の暮らしを一変させたものはない。そしてアメリカの農村部ほど激しい変化が見られた地域はほかにない。二〇世紀初頭まで田舎暮らしの住民にとって、買い物、仕事、教会での礼拝、学校、近所づきあいはすべて半径三〇キロ強の範囲で完結していた。つまり行動範囲が馬車で行ける範囲に限られていたのである。よろず屋が町の中心で、学校には一つか二つしか教室がなく、そこにあらゆる学年の子供たちが集って学んでいた。村の小さな教会が地域全体を受け持っていた。

ところが、ガソリンを燃料とする自動車が地方にまで普及すると、地域の風景ががらりと変わる。農家所有の自動車だけを見ても、一九一一年から一九二〇年にかけて八万五〇〇〇台から一〇〇万台以上に膨れ上がっている。[5] 自動車と近代的な道路が新たな世界を切り開き、可能性は大きく広がり、都会と田舎の格差が縮小した。ある歴史家は、自動車の登場で「田舎に住む人々は、物理的な孤立、文化的な孤立から解放された」[6]と指摘する。

だが、これだけ行動範囲が広がったことに伴う代償もあった。[7] 地元以外の場所で過ごす時間が増える分だけ、家族や近所と過ごす時間が減少したのだ。自動車が走るようになって、一枚岩にまとまっていた小さな町に、ほころびが生じてきたのだ。

一九六〇年代初めには、固定電話も家族のあり方に対して、似たような影響を及ぼした。ティーンエイジャーにとっては、自分の部屋で一人で過ごす時間が、電話で友達と過ごす時間に変わり、後にこの電話がコンピュータに変わっていく。気づいてみれば、一つ屋根の下にいる家族一人ひとりが孤立していたのである。

それから四〇年後、スマートフォンの出現を受け、自室の電話から離れられなかった子供たちが、再び親の近くで過ごすようになった。物理的な距離こそ近くなったものの、文字どおり「心ここに在らず」の状態だ。やがて、家庭は、食事のときには電話を切る、切らないをめぐって家族が言い争う場となっていった。こんなふうに、テクノロジーのおかげで世界はずいぶん小さくなったが、隣近所との絆や一つ屋根の下に暮らす家族との絆は希薄になっている。

このことは民主主義にとっても新たな課題を生み出している。人々がネット上で過ごす時間が増え、ときにはその相手が見知らぬ他人ということもあり、人々の好みや願望、さらには先入観を巧みに突いたデマやフェイクニュースに感化されやすくなっていて、これが現実世界に影響を及ぼしている。

世界の共和制国家は、何十年もの間、さまざまな強みを発揮してきた。その好例が、開かれたコミュニケーションや誰もが参加できる議論だった。これがあるからこそ、党派を超えて広範な理解も得られるし、外交政策の課題について支持を集めることもできた。あるいは民主的自由路線を堅持することも可能になる。決してたやすいことではないが、難しい判断について大衆の支持を取り付けるうえで、常に新しいコミュニケーション技術が力を発揮してきた。たとえばアメリカが第二次大戦参戦前にイギリス支持を打ち出す際、フランクリン・ルーズベルト大統領はラジオという手段を活用して、大衆の支持を集めている。アメリカは、それからの数十年にわたって中欧・東欧の閉鎖社会で情報の拡散と民主主義の促進にラジオからファクシミリに至るまでありとあらゆる手段を生かしてきた。

だが、このようにして育まれた自由で開かれた社会の強みが今、何者かによってひっくり返されようとしている。メールのハッキング行為はロシアの新たな攻撃の一端に違いないが、その背後には、はるかに大きな標的を見据えた野望が渦巻いている。ケーブルニュースにしても、その後登場するソーシャルメディアにしても、西側の民主主義国家、とりわけアメリカで、ばらばらに孤立したタコツボのような情報空間を産み落としている。

フェイスブックやツイッターといったプラットフォームを介して拡散された情報が、その真偽にかかわらず、選挙中にさまざまな陣営を撹乱し、ロシアの国益にそぐわない候補者を邪魔するようになったらどうだろう。技術者や社会科学の専門家らがサンクトペテルブルクとモスクワに集められて、ソーシャルメディアを駆使してアメリカの政治や社会に影響を及ぼそうとしていたとしたら。しかも、フェイスブックやツイッターに負けずとも劣らないアイデアとスピードで動いていたらどうか。そして、目の前でこうして繰り広げられている出来事に、アメリカ人は誰一人としてまともに注意を払っていなかったとしたら。

フェイスブック、インスタグラム、ツイッター、ユーチューブが上院諜報特別委員会から提出命令を受けたデータを、二〇一八年後半にオックスフォード大学とアメリカの分析会社グラフィカの合同調査チームが分析した。その結果、ロシアのインターネット・リサーチ・エージェンシー（IRA）が「アメリカに広範なサイバー攻撃を仕掛け、ネット上のプロパガンダでアメリカの有権者を騙して分断に追い込んだ」ことが、初めて本格的に立証された。[9] こうした偽情報拡散工作は、双方向性や人づてに広がるソーシャルメディアの特性をうまく利用し、アメリカの政治日程上、重要な節目が近づくたびに激しくなる傾向が見られた。また、同調査チームの報告によれば、二〇一五年から二〇一七年にかけて、「IRAが仕組んだフェイスブックのページやインスタグラムの投稿を家族、友人にシェアしながら『いいね』をつけたり、コメントを残したりした」ユーザーは三〇〇〇万を超えていたという。[10]

ロシアの工作部隊は、アメリカ産のテクノロジーを巧みに利用することで、アメリカ政治の内部に入り込み、引っ掻き回すことができたのである。このような外国の影響力は現実世界にあふれかえっていた。特にＩＲＡが二〇一六年にヒューストンで、イスラム教への抗議運動と、これに異議を唱える反抗議運動の二つの集会が開催されるという偽情報を拡散した事件は有名だ。[11]デマだったが、これに踊らされた賛成派と反対派が実際に集まってきて、互いに罵声を浴びせ合うことになった。ロシアのサンクトペテルブルクにいる工作部隊にまんまとけしかけられてしまったのである。

二〇一七年末ごろになると、その現実がますますはっきりとしてきた。フェイスブックを舞台にしたロシアの偽情報工作の報道がメディアを賑わせるようになり、その拡大や影響を懸念する声があがっていたにもかかわらず、マーク・ザッカーバーグを含め、テクノロジー業界のほとんどの関係者がそれに対して懐疑的な見方を示していた。[12]

もっとも、事態はすぐに一変する。二〇一七年秋、フェイスブックは世界中の政府高官の間で批判の的になっていることを悟る。テクノロジー業界では二〇年ほど前にはマイクロソフトが独禁法違反で槍玉に挙げられたが、今度はソーシャルメディアの雄であるフェイスブックが世の中の厳しい視線を最も集めるようになっていた。私自身、マイクロソフトが批判の矢面に立たされていた時代を現場の当事者として過ごしてきただけに、フェイスブックに対する政府の要求の重要性がわかったし、これがエスカレートしていくことは間違いないと感じていた。また、同社がとてつもない困難な状況に直面していることも理解できた。

そもそもフェイスブックは、外国政府が民主主義の破壊工作に使うプラットフォームとしてサービスを設計したわけではなく、そのような工作活動を阻止するどころか、事前に察知する仕組みさえ用意していない。フェイスブックはアメリカという国で育まれたが、やがてロシアの手で母国に牙を剝くように仕立て上げられるまで、同社の、いやテクノロジー業界全体、はたまたアメリカ政府の誰一人として、このような現象を予見できなかったのである。

二〇一八年二月にミュンヘン安全保障会議に出席した際、世界の目がフェイスブックに向けられていることが特に印象的だった。同会議は一九六三年に始まり、現在は各方面から厚い信頼を集める元ドイツ外交官ヴォルフガング・イッシンガーが中心となって毎年開催されている。世界各国の国防相や軍上層部・閣僚らが一堂に会し、国際的な安全保障政策を話し合う場で、二〇一八年度の出席者リストには、ＩＴ業界の幹部も名を連ねていた。

歴史あるバイリッシャーホフ・ホテルのロビーは、軍幹部らでごった返していた。人混みをかき分けて進んでいるうちに、少々場違いな感覚に陥った。ぎゅうぎゅう詰めのエレベーターに押し込まれると、当時グーグル会長のエリック・シュミットらの姿を見つけ、ようやくほっとした気分になった。こんなところでシリコンバレーの人間に出くわすのも珍しい。

「こちらにはもう何度か？」とシュミット。

「いやいや、ここに来なきゃいけないような事態とは、これまで無縁だったのでね」

ところが二〇一八年は時代が変わった。彼も私もそろってミュンヘンに足を運ぶほど深刻な状況になったのだ。

会議は、情報技術の兵器化に議論の大半が集中した。防衛関連の会議にもかかわらず、意外な顔があった。国際通貨基金のクリスティーヌ・ラガルド専務理事だ。各社CEOとの昼食会の際、この会議に出席した理由を尋ねられたラガルド専務理事は、情報技術がどのようにして民主的なプロセスを阻害するために使われているか理解できれば、金融市場への攻撃について考える参考になると説明していた。その可能性にはゾッとさせられたが、彼女の先見性に安心感も抱いた。

会議はかなり込み入った内容で少々重苦しい雰囲気に包まれていた。そんななかで防戦一方だったフェイスブックの最高セキュリティ責任者アレックス・スタモスには同情の念を禁じ得なかった。パネルディスカッションでは、欧州議会の新進気鋭のオランダ選出議員からスタモスに鋭い質問が浴びせられた。また、その晩には、大西洋会議関係者との遅いディナーがあり、そこでも政府高官らが何度もスタモスに怒りの矛先を向け、フェイスブックが「こういう問題を野放しにしてきた」と追及する場面が見られた。

懸念があること自体はもっともな話だが、誰もがフェイスブックを名指しで責め立てている構図に怒りがこみ上げてきた。そもそもこういう事態を引き起こした張本人を非難する者は誰一人としていなかったからだ。まるでドアの鍵を閉め忘れた人間を罵倒していながら、実際に盗みに入った泥棒のことはおくびにも出さないという奇妙な状況だった。

フェイスブックにとっても、アメリカにとっても、世界の民主主義共和制国家にとっても、そしてテクノロジー業界全体にとっても、もっと大切な問題は、どういう手を打つべきかだ。一部の政府関係者は、フェイスブックなどソーシャルメディア企業に罪を着せ、問題の解決を迫ろうとしていた。むろん、技術を開発した企業には大きな責任があるが、それだけでは不完全だ。政府とテクノロジー業界の双方による対策を組み合わせる必要がある。

二〇一八年夏、転機が訪れる。マーク・ザッカーバーグが議会で次のように証言した。「わたしは規制不要論者ではない。人々の暮らしのなかでインターネットの重要性が高まっている以上、真に考えるべきは規制の是非ではなく、適切な規制のあり方だ[13]」。このときを境に、テクノロジー業界は、問題の深刻さを認識して対応方針を転換した。ザッカーバーグの言葉にあるように、規制が必要なことは確かだったが、どのような規制なら効果があるのかを見極めなければならなかった。

その問題に答えを出そうと先頭に立って動いているのが、元携帯電話会社幹部で、二〇〇九年からバージニア州選出の上院議員を務めるマーク・ウォーナーだ。二〇一八年夏、ウォーナーは、偽情報の工作活動を封じるための新たな法案づくりを掲げて、一連の提議をまとめた白書を発表している[14]。技術やプライバシーに関わる問題も伴うため、ウォーナーはさらなる議論を呼びかけている。

この白書でウォーナーが考察しているように、ソーシャルメディアに絡んで新たに持ち上がっている問題がある。それは、現行のアメリカの通信品位法には、ソーシャルメディアへの適用除外規定があり、これをめぐって懸念が高まっているのだ。一九九六年に議会で法案が通り、「対話型コンピュータサービス」のパブリッシャー（メディア運営者）については、テレビ局などの従来のパブリッシャーが抱えている多くの法的責任を免除することにより、インターネットの成長を促進する路線が掲げられた。たとえば、テレビやラジオと異なり、ソーシャルメディアサービスは、そのサイトで公表される違法コンテンツについて、アメリカでは州法や多くの連邦法の下で法的責任を負わないことになっている。[15]

しかし、インターネットはもはや揺籃期ではなく、今やその影響は世界の至るところに及ぶ。国家もテロリストも犯罪者もよこしまな目的にソーシャルメディアサイトを利用する。これを受けて政治指導者らは、従来型のメディア関係者と共同歩調を取り、今後もソーシャルメディアサイトだけに法的な優遇措置を与えるべきか疑問を呈するようになっている。たとえば、「高度な音声・映像合成ツールを駆使して制作される本物と見分けがつかない偽動画」である「ディープフェイク」が広がっているが、ウォーナー上院議員はこの点を問題視し、ソーシャルメディアサイトにコンテンツの監視を義務付ける新たな法的責任を課すべきと指摘する。

ソーシャルメディア上で次々におぞましい言動が拡散しているのを受け、政界からの圧力が大きくなっている。今から一〇年後に、二〇一九年三月がターニングポイントだったと振り返る日が来るかもしれない。三月一五日には、ニュージーランドのクライストチャーチの二つのモスクで何の罪もないイスラム教徒ら五一人がテロリストによって虐殺された。

このテロリストについて、技術コラムニストのケビン・ルースはニューヨーク・タイムズで「最近の過激主義者らの殺伐とした会話のなかでテロの構想が芽生え、具体化していったという意味で、インターネット時代ならではの銃乱射事件の第一号と感じた」と書いている。[17]「テロ攻撃の予告がツイッターに投稿され、オンライン掲示板「8chan」でも公表され、攻撃の様子はフェイスブックでライブ配信された。その動画はユーチューブ、ツイッター、レディットで数え切れないほど再生されている。こうしたサイトが慌てて問題の動画を削除しようと動くが、すぐに新たなコピーが投稿されるといった具合だった」とルースは指摘する。[18]

ちょうど二週間後、われわれは数カ月に及ぶ出張の途上でニュージーランドの首都ウェリントンに立ち寄った。同国のジャシンダ・アーダーン首相は、見事な判断力と被害者に寄り添う思いやりあふれる姿勢で事件の余波や危機的状況を乗り切った後、ソーシャルメディアについて路線変更を訴えるスピーチを行った。

「わたしたちは傍観者に徹することはできない。こうしたプラットフォームは単なる場であって、そこでやり取りされている内容の公表を可能にしているプラットフォームに責任はないという意見があるが、わたしたちはそういう考えを受け入れるわけにはいかない[19]」。

さらに同首相は、「ソーシャルメディアは、(情報を掲載して世に広める)パブリッシャーであって、単なる郵便配達員ではない。稼ぐだけ稼いで責任は負わないではすまされない」と、強い口調で述べた。[20]

ニュージーランドでわれわれは、アーダーン首相をはじめとする閣僚メンバーと面会した際、首相の意見に異議を唱える気など微塵も感じなかった。それほどまでにテクノロジー企業は多くの宿題を抱えていたのだ。約四半世紀前に生まれた規制制度では、相手が敵対的な国家だろうがテロリストだろうが、Bing, Xbox Live, GitHub, LinkedIn などマイクロソフトのサービスも例外ではない。社会に対する脅威には対処しきれないことが突如として明らかになったのである。

ソーシャルメディアプラットフォームの悪用とひとくちにいっても、テロリストによるものと国家が後ろ盾になった攻撃とでは明確な違いがあるのだが、共通項もある。どちらも、社会の安定を突き崩すことを意図している点だ。政治的には、この双方の攻撃に対抗措置をとると、ますます事態を悪化させる傾向がある。だから各国政府はソーシャルメディアサイトそのものの規制に動いていくことになるのだ。

ソーシャルメディア規制の動きは過去に例がないように思われるが、実はアメリカでは似たような動きが過去にあった点を忘れてはならない。現在の状況は、かつて一九四〇年代にラジオ放送の内容を規制した動きと大差ないのだ。

一九二〇年一一月、電機メーカーのウェスティングハウスの手でアメリカ初のラジオ放送番組が放送された。ウッドロウ・ウィルソン大統領の後継として大統領選に勝利したウォレン・ハーディングのニュースだった。[21] ラジオが一般家庭に初めてやってきた当時は、現代の驚異と見られていた。イベント生中継や娯楽、臨時ニュースなど、共通の体験を通じて世界とつながることができたからだ。この無線通信技術は一九三〇年代に人気がうなぎのぼりとなり、一九三〇年代末にはアメリカの家庭の八三％の居間にラジオが鎮座するまでになった。[22] ラジオの黄金時代であり、ここからアメリカの文化や政治から家庭生活に至るまで、あらゆるものが生み出されていった。[23]

ラジオが広く普及した一九三〇年代後期、社会的影響力に対する懸念が高まった。二〇一〇年にオンラインメディア『スレート』は次のような記事を掲載した。

「ラジオ放送は、子供が気が散って読書に集中できない、学校の成績が悪くなると攻撃を受けた。当時は読書や勉強に没頭することが健全だと考えられていたからだ。一九三六年、音楽誌『グラモフォン』は、『退屈な宿題に対して、オーディオスピーカーには圧倒的なわくわく感があるため、子供たちの注意散漫が悪化』しているとして、ラジオ放送によって刺激に敏感な子供たちの頭脳のバランスが崩れるとしている[24]」

第二次大戦後、学者のビンセント・ピカードが命名した「ラジオへの抗議行動」なる動きが盛り上がりを見せる。[25] ピカードが指摘するように、当初は無料番組をエサにラジオ受信機を販売するビジネスモデルでラジオ市場は成長を遂げたが、一九四〇年代にはアメリカのほとんどの家庭にラジオが行き渡り、場合によっては二台目、三台目を持つ家庭もあった。その結果、ラジオ放送のビジネスモデルは広告型へと発展し、これが一部の評論家の目（いや、正確には耳）には、昼間のメロドラマなど、どんどん低俗になっていく番組を生む温床と映った。ピカードによれば、「こうした批判は、草の根の社会運動やさまざまな新聞・論壇誌の批評、さらには一般的なリスナーから編集部や放送局、連邦通信委員会（FCC）に届けられる多数の投書を通じて高まっていった」[26]。

世間の苛立ちが頂点に達すると、FCCは一九四六年に調査報告書（表紙が青いことから「ブルーブック」と呼ばれる）を発行し、「放送免許の権限は、相応の公共の利益の要件を満たすことを条件とする」と記すことになった[27]。民間放送各局は、この報告書を不服として政治的反動を爆発させ、その提案内容を却下させたが、この出来事をきっかけに放送の歴史が変わり、大手ラジオネットワークはドキュメンタリー番組制作の予算を組み、公共の利益にかなう番組づくりに着手するようになった[28]。

こうしたラジオへの抗議行動を振り返ると、ソーシャルメディアに対する風当たりも同様につかの間の政治的な動きであって、規制強化にまで発展しないと見る向きもあろう。絶対そうならないとはいえないが、ソーシャルメディアに絡む問題は逆に、今後さらに深刻になっていくだろう。しかもそれには十分な根拠がある。

第一に、国家主導の偽情報流布やテロリストの宣伝工作など目下の問題は、一九四〇年代の退屈な番組の問題よりはるかに深刻だからだ。第二に、ソーシャルメディアの規制は世界全体の流れだからだ。何よりもまず憲法修正第一条を重視するアメリカは、伝統的にコンテンツの規制に消極的だが、他の国々はそこまで言論の自由の保護に熱心とはいえない。

それでも「世界全体の流れ」とまでいうのはおおげさでは、という向きもあったかもしれないが、ニュージーランド・クライストチャーチのテロ攻撃に続いてオーストラリアで発生した事件をきっかけに、そうした見方は一掃された。一カ月もしないうちに、オーストラリア政府はソーシャルメディアや同様のサイトに対し、「忌まわしい暴力的素材」は「迅速に」取り除くことを義務付け、違反した場合は該当するテクノロジー企業経営幹部に対し最高三年の禁固、年間売上高の最高一〇%の罰金を含む刑事罰を科す新法を可決した。[29] テクノロジー業界関係者の目には厳しい刑事罰と曖昧な法的基準と映り、不安の声が上がった。だが、こうした展開になること自体、世界中の政治リーダーがいかに不満を募らせていたかを物語っている。オンラインサービスには法的に優遇措置を与えるというかつての考え方から打って変わって、新たな規制の枠組みを取り入れるという政治的な要求が明白になった。[30]

だが、新しいものが必要だということと、何が必要か正確に把握するということは別の話だ。ソーシャルメディアサイトでユーザーの投稿が公開される前に、従来の印刷媒体やラジオ局・テレビ局のような編集的な校閲・審査過程を組み込むことは不可能に思われる。フェイスブックに投稿される写真一枚一枚、リンクトインに登録される情報一つひとつについて、人々の目に触れる前に、担当者が手作業で審査することなど不可能だ。そんなことをしたら世界中の何億、ひょっとしたら何十億ものユーザーがコンテンツをアップロードし、家族や友人、同僚と共有するというわたしたちの新しい習慣がもろとも破壊されてしまうだろう。

これは、大ナタを振り下ろして解決するというよりも、むしろ外科手術並みに繊細にメスを入れて解決する問題だ。むろん、簡単ではない。政治的な風当たりが強いときはなおさらだ。二〇一八年にウォーナー上院議員がソーシャルメディア各社との対話を求めたのは、性急な法制化による対応を回避するためでもあったのだが、当事者である有力テクノロジー企業からの反応は皆無に近かった。

ロシアによるソーシャルメディアを使った工作がエスカレートしている状況に懸念を募らせたウォーナー上院議員は、実態に合わせて内容を調整した選択肢を用意した。そのうちの一つは、ユーザーによる違法コンテンツの再投稿を阻止する対策をソーシャルメディアに義務付け、ひとたび問題が確認されたら対策を講じる法的責任を強化したもので、後にオーストラリアでも採択されている。[31] その二週間後、もっと一般化された改良案がイギリス政府から提案された。こちらは、「ユーザーの安全を確保することに一層の責任を負う法的な注意義務を企業に課す」内容で、独立した規制機関による監視体制を確立するというものだ。[32] ウォーナー上院議員は、問題投稿の元になったアカウントまたは最初の投稿の特定、偽アカウントの発見、ボットによる情報拡散時のユーザーへの周知徹底をソーシャルメディア各社に義務付ける規則案も提示している。

有害コンテンツについては具体的にカテゴリーを絞る一方、それらの投稿元や出どころに関する情報を十分にユーザーに提供するなど、補完的な措置を講じる余地はまだある。特に、情報源を明らかにする取り組みでは、コンテンツ自体の真偽を評価するのではなく、投稿元・出どころに関する正確な情報をユーザーに提供することが重要である。これは、今日の政治広告に適用されている常識的な手法である。その真偽を決めるのは、一般の人々だ。だが、投稿の内容について判断を下す前に、誰の発言であるのかが明確になっていなくてはならない。また、テクノロジーがここまで発達している二一世紀においては、ネット上の発言が人間によるものなのか、自動的に発言できるように仕組まれたボットによるものなのかを人々が容易に見分けられるようにしておく必要もある。

興味深いことに、これと同じ考え方は、メディア業界出身の二人の著名なアメリカ人が立ち上げた非政府組織にも採用されている。一人はウォール・ストリート・ジャーナルの元発行人で保守派のゴードン・クロビッツ、もう一人は法律専門誌『アメリカン・ロイヤー』や裁判専門テレビ局「コートTV」を創業した元ジャーナリストでリベラル派のスティーブン・ブリルである。この二人が立ち上げた「ニュースガード」というサービスは、さまざまなジャーナリストの力を借りて、食品よろしく「成分表示ラベル」という形で、メディアごとの信頼度などの情報を表示してくれる。

ニュースガードを使用する際には、無料のブラウザ用プラグインをインストールすればいい。すると、フェイスブックやツイッター、グーグル、ビングなどの検索エンジンの検索結果やソーシャルメディアのフィードの隣に緑色か赤色のアイコンが表示される。このアイコンを見れば、そのサイトが「信頼できる」、「隠された意図がある」、「嘘やプロパガンダを流すことで有名」といったことがわかる。[33] ニュースサイトや情報サイトの格付けに加え、ユーザー作成のコンテンツが含まれるプラットフォーム系のサイトには青色アイコン、本物のニュースのパロディを目的としたユーモア・風刺系サイトにはオレンジ色アイコン、未審査・未格付けのサイトにはグレーのアイコンが添えられる。[34]

このサービスの開発には大変な苦労があった。アメリカ以外にもサービス範囲を広げ、世界に通じるような格付け基準づくりに挑んでいたからだ。それでも、クロビッツとブリルの動きは政府よりはるかに速かった。ウォーナー上院議員の提案が議会の公聴会にたどり着く前に、ニュースガードはすでにサービスを開始し、今も継続してサービスの調整や改良に取り組んでいる。非政府組織の活動ゆえ、国際展開も迅速に進められる。だが、民間の資金源に頼らざるを得ず、ブラウザのプラグイン対応はテクノロジー企業頼みだし、結局のところ、サービスを導入するかどうかはユーザー自身の手に委ねられている。

最終的に、二つの大きな教訓が見えてきた。第一に、官民それぞれの取り組みは連携して進め、相互に補完するのが望ましい。第二に、対象とするのは最新のテクノロジーであっても、過去の課題から学べることはたくさんある。

意外なことだが、外国からの民主主義に対する干渉は、アメリカ建国当時からあった。民主主義共和国という形態は、その性格上、人々の信頼を揺るがし、世論に影響を与えようとする妨害工作に弱い。最初に工作を仕掛けたのは、初期のフランス大使のエドモン＝シャルル・ジュネだった。

ジュネがアメリカに到着したのは、一七九三年四月。エスカレートする英仏戦争をめぐり、ジョージ・ワシントン大統領がアメリカの中立を正式に宣言するほんの数週間前のことだ。ジュネは、誕生したばかりの共和国アメリカをフランス寄りに傾ける使命を携えていた。フランスに対する債務の早期返済をアメリカに迫ったり、アメリカの港から出航した私掠船（交戦相手国の船を攻撃して積み荷を奪う許可を得た民間船）によるイギリス商船への攻撃を許可したりと、さまざまな手を繰り出した。必要とあらば、アメリカ政府を転覆させる工作まで準備していた。

ジュネの影響もあって、トーマス・ジェファーソンはフランスの肩を持つようになる。一方、アレクサンダー・ハミルトンは親イギリスの立場をとるといった具合に、アメリカの政権内部で緊張が高まった。ジュネは使命を果たそうと、アメリカ国民に直接訴えかけようと考えた。その動きがきっかけで、アメリカの二大政党制の原型が生まれただけでなく、さらに大きな影響がもたらされたと指摘する歴史家もいる。

「政治的対話は熱を帯び、街角の喧嘩は珍しくなくなり、長年の友情は切り裂かれた[35]」

一七九三年、ワシントン大統領ら政権メンバーは互いの考え方の違いを乗り越えて団結し、フランス政府に対してジュネの召還を要求した[36]。

この結末は、現代に生きる人々にとっていい教訓になる。民主的なプロセスに対する外国からの干渉があった場合でも、共和制を支える利害関係者それぞれが互いの違いを乗り越えて協力し合い、的確な手を打てば、干渉にうまく対処できるのだ。ピンとこないかもしれないが、あの当時のジェファーソンとハミルトン（そして両者それぞれの支援者グループ）の意見の違いは、今でいう共和党と民主党の食い違いと同じくらい激しいものだった。

ハミルトンは政治的に対立していたアーロン・バーとの決闘で命を落とすが（ブロードウェイミュージカルの『ハミルトン』でご覧になった方もいるだろう）、現在の政治家が決闘という方法で決着をつけることなど、いくら何でもありえない。現代の民主共和制国家では、国民の感情的な分断や、ひょっとしたら痛烈な批判合戦などが内在的なリスクであり、絶え間なき試練である。

こうした背景に加え、依然としてアメリカの政治に不当な圧力をかけ続けようとするフランスの陰謀もあったことから、ワシントン大統領は、一九七六年の辞任挨拶のなかで、「共和制の政府にとって外国による影響力が最も有害な敵の一つであることは歴史と経験から明らかであり、自由な国民であるためには常に警戒を怠ってはならない[37]」と訴え、外国からの影響力がはらむリスクについて注意を喚起している。後世の歴史家の間では、外国政府による関与の良し悪しを考察する際、ワシントンの演説を引き合いに出すことがある。だが、この演説でワシントン自身がもっと重視していたのは、実際に目の前で繰り広げられていた対立や外国政府によるアメリカ政治への直接的な関与であり、その結果として生じたリスクにじかに対処することだった。

むろん、ワシントンによる訴えは二世紀以上前のことで、その間に世の中は大きく変わっている。当時は、世論に影響力を行使しようとする者は新聞や小冊子、書籍などを利用した。その後、電信、ラジオ、テレビ、インターネットへと進化している。今日では、世界のどこかの政治的な動きに対して、サンクトペテルブルク辺りの小部屋に身を隠した何者かがものの数分もあれば、標的を定めて偽情報を投下することもできるのだ。

アメリカ政府自体、ＩＴを駆使して他国の国民に特定の立場を支持してもらうために情報を流したり、場合によっては説得工作に出たりすることもある。そのなかには秘密工作もあった。特に一九五〇年代にはＣＩＡがヨーロッパや南アメリカでそういう工作を仕掛けていたが、今日では多くのアメリカ人がそうした秘密工作に拒絶反応を示すだろう。逆に冷戦時代の自由ヨーロッパ放送（ドイツを拠点に旧ソ連・東欧共産圏に向けたプロパガンダ放送局）や今日のボイス・オブ・アメリカ（米国務省による海外向け短波放送）のように公然と実施している活動もある。

アメリカはテクノロジーを駆使して民主主義の種を蒔き、それを育むための情報を拡散することで国家としての安心感を覚えていた。ところが今はテクノロジーが偽情報の拡散や民主主義の妨害に使われつつある。これは、基本的人権の面からいえば、それぞれ次元の違う話と片付ける向きもあろう。

だが、別の見方をすれば、極めて重要な部分で現実政治が変容していることになる。最近まで通信技術は民主主義に有利なもので、独裁主義を追い込むものと考えられてきた。インターネットは、テクノロジーの非対称リスク（ある程度の利益が期待できるが、ひとたび問題が起こるとはるかに大きなマイナスをもたらすリスク）を民主主義国家にもたらしたのだろうか。しかもそのリスクに対して、ベンジャミン・フランクリンが「維持すべし」と訴えた共和制の国家よりも、独裁国家のほうがたやすく適応できるというのだろうか。

その答えは、おそらく「イエス」だ。デジタル技術によって、まったく新しい世界がもたらされたことは確かであり、必ずしもそれが以前より優れているとは限らない。しかも、対処法はまだ完全に明らかになっているわけではない。ただ、少なくともいえることは、ワシントンの時代と同様に、民主共和制国家の利害関係者が力を合わせる必要がある点だ。政党の垣根を越えての協力はもちろんのこと、テクノロジー業界も一丸となり、また世界中の政府とも手を携える必要があるのだ。

第7章 デジタル外交

テクノロジーの地政学

二〇一八年二月、マイクロソフトのレドモンド本社をキャスパー・クリングという人物が訪れた。ＩＴ系の起業家と間違えられても不思議ではない風采。あるいは、カリフォルニア辺りでよく見かけるしゃれたスーツ姿に無精髭という風貌から俳優かミュージシャンか。握手している最中、一瞬、この人は誰だったっけと戸惑うほどだった。

実はキャスパーはデンマークの大使なのだが、いかにも外交官然としたイメージとはまるで違う。しかも彼が担う役割も尋常ではない。大使としての赴任先が国家ではなく、テクノロジー業界、つまり世界初のテクノロジー担当大使なのである。その使命は、デンマーク政府と世界中のテクノロジー企業との関係づくりにある。キャスパーが大使を務める〝大使館〟には、二〇人以上の職員がいて、アメリカ、中国、デンマークの三大陸に散らばって仕事をしている。

その前年の春、コペンハーゲンに駐在するヨーロッパ各国の大使一団と会う機会があったが、誰もがキャスパーの担う新たな役割に興味津々だった。テクノロジー担当大使というポストについて、デンマークのアナス・サムエルセン外相は、「世界第一号」であり、必要不可欠な役割と説明する。国家の動きと同様にテクノロジー企業の動きもデンマークに影響が及ぶ時代としたうえで、「こうした企業が新しい国家のような存在になっている。そこにわれわれはしっかり向き合っていく必要がある」[1]と述べている。

テクノロジー業界とのパイプ役として正式な大使を任命したのは、デンマークが世界初だが、実は同国の決断に先立ってイギリス政府も同様の措置を講じていた。二〇一四年、当時のデーヴィッド・キャメロン首相が特別な外交官のポストを創設したのだ。その任務は、主として捜査当局の技術に関わる課題に対処することで、それに加え「アメリカのテクノロジー企業に対する特使」も担うとされた。同ポストの初代に任命されたのが、元駐米イギリス大使のナイジェル・シャインワルドだ。

この動きに、オーストラリアやフランスなど他国の政府も追随している。これは世界の変化を物語る動きだ。いわゆる金ぴか時代（南北戦争後～一八九〇年代ごろの好況期）の企業帝国の出現以降、大企業は経済・社会で大きな役割を果たしている。

一八〇〇年代後半の鉄道ほど、アメリカ社会、ひいてはアメリカの法律を大きく塗り替えた産業はない。すでに一九〇〇年代に突入する時点で、財務アナリストのヘンリー・ヴァーナム・プアーによる『*Poor's Manual of the Railroads of the United States*』という産業分析本が「影響力、権力、利益のどの面から見ても、鉄道ほど魅力ある事業はない」[2]と指摘している。

鉄道は、何千キロもの線路を巡らせ、州をまたいで展開するアメリカ初の大事業だっただけに、事業経営、特許、資産、労働力を管理する規則・法律の必要性が一気に高まるきっかけにもなった。

私の書棚にジェームズ・イーライ著『*Railroads and American Law*（鉄道とアメリカの法律）』という本がある。ソフトウエア会社の役員の書棚に似つかわしいとは思えないが、テクノロジーがいかに世界を変えるのか想いを致すうえで、折に触れて開くのがこの本なのだ。[3]

当時の鉄道は今日のインターネットに匹敵するとの見方もあるが、大きく異なる部分もある。今日のデジタル技術は商品も企業もはるかにグローバル化しており、情報通信技術はわたしたちの生活の隅々にまで浸透している。そのため、外交政策上の課題をめぐり、テクノロジー業界がいやおうなしに表舞台に引っ張り出されることになった。

二〇一六年には、「サイバーセキュリティなくして国家安全保障なし」というスローガンがマイクロソフト内で当たり前のように唱えられるようになり、公の議論の場でもこの考えが浸透していった。この考えを提唱しているのは、マイクロソフトだけではない。

ドイツのコングロマリット、シーメンスAGは「将来、サイバーセキュリティは、安全保障分野で最重要課題になる」と予測している。[5]言うまでもなく、国家安全保障の根幹を揺るがすような問題があれば、外交の世界でテクノロジー業界の存在感がますます大きくなる。

その意味では、こうした問題に会社としてどう取り組んでいるのか公式にはっきりと説明する重要性が高まっていた。そしてサイバーセキュリティに取り組んでいるうちに、当社は次の三つの戦略を打ち出し、世の中に周知していくべきであると認識するに至った。

第一に、言うまでもないことだが、技術的な防衛力の強化である。当然、テクノロジー業界が最初に動かないことには始まらないが、実際に開発されたサービスが採用されるようになれば、今度はユーザーとの共同責任になる。マイクロソフトでは、新たなセキュリティ機能の開発に年一〇億ドル以上投じ、セキュリティ専門家やエンジニア合わせて三五〇〇人以上の専任スタッフを動員している。この取り組みは現在も続いていて、新たなセキュリティ機能の導入ペースも上がっている。セキュリティ強化はテクノロジー業界において圧倒的に優先度の高い課題となっている。

第二の戦略は、運用面のセキュリティに関わるもので、マイクロソフトはこれを他のテクノロジー企業以上に高い優先順位で扱っていた。具体的には、社内の脅威情報収集チームによる新たな脅威の検知、「サイバーディフェンスオペレーションセンター」（CDOC）を窓口とした顧客との脅威情報共有、デジタル犯罪対策部門である「デジタルクライムユニット」によるサイバー攻撃の阻止・対策といった活動だ。

特に最後に挙げた活動は、従来なら政府レベルで対処していた分野だが、ここにマイクロソフトが関与していくことになった。と同時に厄介な問題が持ち上がった。個々の攻撃に企業はどう対応すべきか。ハッキング被害を受けた顧客の復旧作業をマイクロソフトが支援するのは当然のことだが、そもそも攻撃を受けたことはどうやってわかるのか。撃退も視野に入れるべきなのかといった点に答えが出ていなかったのである。

二〇一六年にテクノロジー企業のリーダーがホワイトハウスに集まった際もこの問題が話題になったが、反応はまちまちだった。その場に居合わせたある経営者は、企業に撃退能力を持たせることにずいぶん乗り気だったが、私はテクノロジーを駆使した私的制裁のような行為が間違いや混乱を引き起こしたりするのではないかと不安を覚えた。

その点、マイクロソフトのデジタルクライムユニットは、司法による問題解決を第一とし、ことと次第によっては捜査当局にも協力を要請していた。そうすることで公権力が適切な役割を果たしている法の秩序の下でわれわれが活動し、適切な形で法の支配に従うことができる。私はこの方針を維持するだけの十分な理由があると感じていた。

アメリカをはじめ、世界中でナショナリズムが台頭しているなか、グローバル企業には、グローバルに行動するための知的基盤が必要だった。われわれは社内に向けて〝デジタル界の永世中立国スイス〟として行動するよう求めた。攻撃には一切関わらず、専守防衛を誓い、世界中の顧客を守ることに力を注ぐためだ。ナショナリズムに傾いている国を含め、どの政府にとってもテクノロジーは信頼の置けるものでなければならない。テクノロジー業界が国籍を問わずあらゆる顧客を守り、罪のない民間人を標的にした政府の攻撃に手を貸さないと誓うことも、各国政府の利益につながる。

この二つの戦略を組み合わせても、エスカレートする攻撃に対処するにはまだ力不足に思えた。サイバーセキュリティをしっかりと支えるには、三本目の脚が欠かせなかった。それが国際ルールの強化と協調的な外交行動により、サイバー攻撃の脅威を抑止するとともに、国際社会が各国政府に圧力をかけて無差別なサイバー攻撃をやめさせることなのである。政府というものは、グローバルな責任意識がもっと高まらない限り、不正行為があっても簡単にシラを切るものだ。

二〇一七年一月にデンマーク政府は後にキャスパー・クリングが就任する新ポストの創設を発表した。たまたまその一週間前、マイクロソフト社内ではサイバーセキュリティについてテクノロジー業界のモチベーションを高め、国際社会の団結を促すにはどうすればいいのか議論していた。

そのなかで赤十字国際委員会(ICRC)が一九四九年に世界の各国政府に働きかけて、ジュネーブ条約に第四条約(「戦時における文民の保護に関する一九四九年八月一二日のジュネーブ条約」)を追加して成立させたことを思い出した。戦争犠牲者の保護を目的としたジュネーブ条約は、一九四九年に新たに改良が加えられ、厳密には第一条約から第四条約の四条約からなる「ジュネーブ諸条約」として成立した。この第四条約は、まさに戦時中の文民の保護を強化することが目的だった(以降、本書では一九四九年の「ジュネーブ諸条約」と呼ぶ)。議論の場で私は、「文民に対する攻撃が目の前で繰り広げられている。これが平時だといえるのだろうか」と問いかけた。

当社の広報責任者のドミニク・カーが即座に「どうやらデジタル時代のジュネーブ諸条約の出番

だ」と応じた。
そのとおりだ。一九四九年に各国政府が戦時中の文民保護を誓ったように、デジタル時代にふさわしいジュネーブ諸条約のようなものをつくれば、各国政府が平時にインターネット上の文民を保護すべきというメッセージを人々に伝えられるはずだ。いわゆるサイバーセキュリティの規範づくりに向けてすでに各国政府や外交官、テクノロジー専門家の手で作業が進められている。現代版のジュネーブ諸条約があれば、そうした取り組みを肉付けできるのではないか。どのような形で実現するのか定かではないが、技術に詳しくない人々にも納得してもらわねばならない。そのためには、なるほどと思える事例やブランドがあったほうがいい。

そこでマイクロソフトでは、平時に民間人・民間機関や重要インフラを狙ったサイバー攻撃を阻止する国際ルールについて継続的に強化していくこと、知的財産を盗み出すハッキング行為の禁止対象を拡大すること、そしてこうした攻撃があった場合には、民間部門による検知・対応・復旧の作業を政府が支援するよう義務付けるルールの強化を呼びかけた。さらに、特定国への攻撃が国家ぐるみで行われていることを捜査し、その証拠を公表する独立機関の創設を働きかけた。[6]
この案を二〇一七年にサンフランシスコで開催されたRSAセキュリティカンファレンスで提示したところ、多くの記者がこの話題を取り上げ、デジタル版ジュネーブ諸条約の必要性を熱心に呼びかけてくれた。[7]新しいアイデアへの反応を探るには、マスコミの報道が一番のリトマス試験紙になるが、もっと大切なのは、政府での議論の風向きが変わるかどうかだ。そして人々がどのくらい耳を傾けてくれているのかを見極めるには、皮肉といえば皮肉だが、異論が出ているかどうかがポイントなのだ。何しろ、問題が山積していてメディアの関心もばらばらになっているなかではせっかく多くのアイデアがあっても、荒野に枝が転がっているようなもので、誰も気づいてくれない。重要なポストにある多忙な人たちは、人々の発言に耳を傾ける時間もないのだ。

マイクロソフトの提案はリトマス試験に合格したようだった。ワシントンDCで、デジタル版ジュネーブ諸条約というアイデアに誰よりも不快感を覚えていたのは、アメリカのサイバー戦での攻撃能力強化を陣頭指揮していた政府高官だったからだ。彼らにいわせれば、サイバー能力の使用に歯止めをかける規則ができようものなら、アメリカのような政府にとって邪魔でしかない。

しかしアメリカ政府は、平時の民間人に対するサイバー攻撃には否定的な立場を表明しており、当社が規制を求めているのもまさにその部分なのだと強調した。それに、もっと広い意味でいえば、たとえ現時点でアメリカがサイバー能力のリーダーの座にあろうと、すぐに他国が追いつくことになる。それは兵器技術の歴史が証明している。

もし規則が強化されてアメリカがそれを遵守したとしても、敵が守る保証はないというのが政府側の言い分だった。だが、国際的な規則があれば、すべての国に対して大きな圧力が生まれるはずだ。サイバー攻撃に対して国際的にもっと協調的な対策を講じるため、道徳的・知的基盤を整えることもその一つだ。そもそも、規則にまったく違反していない行動を制限することのほうがはるかに難しい。

こうしたやり取りから学べることは少なくない。重要な国際基準はすでに存在しているのに、（新規則を作れば）その規則の効力が減じられるのではという指摘もあった。確かにそういうリスクはあるだろう。しかし、デジタル版ジュネーブ諸条約は長期的なゴールであり、実現までに最大一〇年はかかる大きなビジョンの一部である。その間は今の規則を守っていくしかない。こうした点を踏まえ、われわれは世界中の政府の専門家や学識経験者と突っ込んだ議論を重ね、サイバースペースにどのような規則が適用されていて、その運用をどう強化し、補強が必要な死角をどう見つけ出すか検討した。

一方、当社はグローバル企業であるが本国はアメリカだ。アメリカ政府が他国に攻撃を仕掛ける際、それを支援せず、グローバルな規模で民間人を守るというのはいかがなものかと、一部から反発の声が上がっていた。

当社がアメリカ政府に陳情に行った際、トランプ政権のある顧問から「アメリカ政府は他国民に対する諜報活動をしているが、おたくはアメリカ企業として、そうした活動の支援に同意する気はないのか」と問いただされた。

そこで私は、トランプホテルが（ホワイトハウスと連邦議会議事堂を結ぶ）ペンシルベニア通りにも中東にも進出していることを挙げ、「こうしたホテルでは、他国からの宿泊客に対してスパイ行為をしているのか。企業がそういう真似をするのは、あまり褒められたことではないと思うが」と問うと、その顧問は黙って頷いた。

当社は、少なくとも一石を投じることには成功した。二〇一七年六月、ホワイトハウスで開催されたテクノロジーサミットにCEOのサティアとともに出席した際、私はサイバーセキュリティ問題の分科会に参加した。あるホワイトハウス高官から事前に渡されたメモには、「デジタル版ジュネーブ諸条約の話題を持ち出さないでいただきたい。この分科会では、アメリカ政府にとってのセキュリティのベストプラクティスにテーマを絞り、他のテーマは控えられたい」とあった。

分科会の会場に入るとき、その高官がいたのでメモは確かに受け取ったと伝えた。だが、議論が始まると、ある企業のCEOが突然、テーブルに身を乗り出すようにして「今必要なのは、デジタル版ジュネーブ諸条約ではないですか」と発言した。

私は例の高官と顔を見合わせ、苦笑した。それまでデジタル版ジュネーブ諸条約のアイデアについてさまざまな人々と意見を交わしてきたが、提起される問題の多くは軍縮に関わるものだった。実際、兵器管理の規則については、昔から公の場で議論されてきた歴史がある。ならば、その成果に学ぶべきだろうと考えた。

冷戦終焉以降、当時の超大国であるアメリカとソ連が核兵器管理の協定を交渉するなか、軍縮こそが地政学的な焦点となっていた。[9]軍縮をめぐる課題については、当時の政策担当者らも熟知していただけでなく、広くいろいろなところで議論されていた。人間が生み出した核によって世界が終末を迎える可能性は人々の頭の片隅から離れることなく、それが一九八〇年代初頭にポップカルチャーにも続々と流れ込み始めた。

こうした核のリスクをひしひしと感じ取っていたレーガン大統領は、一九八三年六月四日、メリーランド州の人里離れたところにあるキャンプ・デービッドにヘリコプターで移動していた。軍縮に関する膨大な機密文書を携えていた。その晩、アパラチア山脈は嵐に見舞われ、レーガン大統領とナンシー夫人は、山荘にこもってある映画を見ていた。ちなみに俳優出身のレーガン大統領が二期にわたる大統領在職期間中に鑑賞した映画は、この夜の作品を含め、全部で三六三本だったという。[10]この日見たのは、前日に封切られたばかりの新作『ウォー・ゲーム』[11]で、実際の脚本担当者が山荘での上映をアレンジした。

このSFサスペンス映画の主人公は、学校の教師用コンピュータに侵入して自分の成績を書き換えたりするような高校生ハッカーだ。ある日、ひょんなことから北アメリカ航空宇宙防衛司令部（NORAD）のスーパーコンピュータに入り込んでしまい、あれこれいじり回しているうちに危うく第三次世界大戦を引き起こしそうになるというストーリーだ。冷戦を舞台にした同作のシナリオに最高司令官でもあるレーガンは大きな衝撃を受ける。

その二日後、ホワイトハウスで開かれた高官レベルの会合の席上、レーガン大統領は、あの映画を見た者はいるかと尋ねた。ぽかんとした表情の面々を見るや、彼はあらすじを詳しく説明した。そして統合参謀本部議長にこの筋書きはありうるのかと尋ねた。[12]このやり取りをきっかけに、連邦政府として初めて本腰を入れてサイバーセキュリティを考える決定につながったのである。「人生は芸術を模倣する」という言葉があるが、映画に現実が追いついた結果、コンピュータ詐欺・不正利用防止法（CFAA）が成立するに至り、映画で描かれたハッキング行為は違法になった。[13]『ウォー・ゲーム』は、当時の核兵器や核技術に対する不安に拍車をかけた。パーソナルコンピュータは誕生したばかりで、コンピュータマニアしか使わないような時代に、この映画は幅広い層の関心を集めた。三五年も前の作品だが、今の時代を予見していたかのようだ。作品のテーマは、コンピュータの脆弱性や、戦争の脅威、人間による制御不能になった機械の出現といった世の中の不安に通じるものである。また、作品のなかでは、NORADのスーパーコンピュータ上で戦争の兆候が見つかった場合の外交力の大切さにも触れている。そして映画のラストシーンで主人公が単純な三目並べゲームを繰り返しているうちに気付いたように、双方にミスがない限り勝利はなく、引き分けだけが続く虚しい戦いだ。それは核戦争も同じで、誰も勝者にはなり得ず、ただ世界の破滅だけがある。映画のクライマックスでは「奇妙なゲームです。勝つための唯一の手段はプレイしないことなのです」というセリフが印象的だ。

冷戦が終焉を迎えて以来、軍縮という話題は一般の人々の記憶からすっかり薄れた感がある。その結果、当時活躍した軍縮専門家の世代が表舞台を去り、この問題に対する社会の幅広い理解も消え失せている。ところが二〇一八年になって、「いつか来た道」を実感することになる。元駐ロシア・アメリカ大使のマイケル・マクフォールが言うように、「冷戦」が終わって「熱い平和」の状況に突入したからだ。[14]つまり、過去の教訓の埃を払ってもう一度使うときがやってきたのである。

実際、第二次世界大戦や数十年に及ぶ核軍縮交渉には、サイバーセキュリティ対策のヒントがある。一九四五年に日本に二つの原爆が投下されてから、およそ七五年にわたって世界は核戦争を回避してきた。第二次世界大戦終戦から冷戦終焉まで、各国政府が歩んできた険しく、ときとして遠回りの道には、学ぶべき点が多いのだ。

たとえば、国際人道法からも、一九四九年にジュネーブ諸条約の第四条約制定のために集まった各国政府の取り組みからも、重大な教訓が得られる。結果として特定の兵器の使用禁止や制限をしたというよりも、むしろ政府が武力衝突に関与する際の「方法」の制限に重点を置いた。政府が意図的に民間人を標的にしないこと、不相応な民間人死傷者を出すような戦闘をしないこと、軍事的価値を超えた過剰な危害を生じさせる武器を使用しないことが義務付けられている。[15]

実は、一九四九年の第四条約制定の旗振り役となったのは、特定の国の政府ではなく、赤十字国際委員会だった。その後も赤十字国際委員会は、今日に至るまで、同条約の施行に当たって重要な役割を果たし続けている。[16]

このジュネーブ諸条約の第四条約は、軍備管理そのものを考えるうえで非常に大事なポイントを示している。兵器全体を禁じるよりも、具体的な兵器の数量や特性を限定したり、兵器の使い方に制限をかけたりするほうが現実的である。

「身の毛もよだつほど恐ろしく、無用の長物同然と思われているような兵器なら、禁止措置でうまく対処できる。だが、戦場で決定的な優位に立てるような兵器なら、どれほど恐ろしいものでも、禁止措置は効果がない」という指摘もある。[17]

とりわけ軍備管理は、世界的にいろいろな取り組みはあるものの、困難を極める。それでも冷戦終焉当時にまとめられたある調査によれば、兵器の全面的廃絶よりも兵器を使わないように取り決める兵器管理協定のほうが、「単に順守される可能性が高いという点だけでも、結局は有効かもしれない」[18]。こういう考え方があるからこそ、世界の法律関係者は、サイバー兵器の「使い方」を制限する国際基準策定に力を入れてきたのだろう。[19]

軍縮の歴史からも繰り返し得られる教訓がある。えてして政府というものは、すきあらば国際協定から逃れようとする傾向がある。それゆえ遵守状況を監視し、協定破りがあれば責任を負わせる実効性ある手段が欠かせない。これは、サイバー兵器の管理でも、特に大きな課題になってくるはずだ。政府は、サイバー兵器自体は便利なだけでなく査察逃れの観点からも、ほかの兵器とは比べ物にならないくらい使いやすいと見ている。ニューヨーク・タイムズのデイビッド・サンガー記者が指摘しているように、残念ながらこうした理由からサイバー兵器は「完璧な兵器」となっているのだ。[20]

そこで、サイバー攻撃を仕掛けた国の責任を追及する権限を強化し、こうした攻撃に対処する集団体制を築き上げることが大切なのだ。アメリカなどの政府は、こうした体制づくりに力を注ぎ始めている。具体的には、反撃から、制裁を含む従来型の外交手段に至るまで、多種多様である。だが、どのような形態であれ、国際規則の違反行為に関する合意や、攻撃の責任を負わせる多国間合意があれば、サイバー空間の安定化に大きく貢献する可能性が高い。企業が所有・運用するデータセンターや回線、端末に対してこうしたサイバー兵器が使われる時代であることを考えると、われわれ民間部門が提供する情報は、攻撃元を特定するうえでさらに大きな役割を担うことになる。[21]

これはとりもなおさず、国際外交の重要性は色あせないことを意味する。新時代の外交課題に挑むにあたっては、新たなツールが存在する。前出のデンマークのサムエルセン外相は、テクノロジー企業が一種の国家のような存在になっていると指摘していたが、彼はそこに新たな可能性を見ていたのだ。あくまでも国家「のようなもの」であって、限界があることは確かだが、同時に重要なチャンスも見えてきたわけだ。テクノロジー企業が国家のような存在だとすれば、テクノロジー企業が国際協定を結ぶことも可能なのである。

そこで、テクノロジー業界にこの流れをつくろうと考えた当社は、〝デジタル界の永世中立国スイス〟を目指そうではないかと業界に呼びかけた。この提案を実現するには、各社を取りまとめ、国境を超えて、顧客を差別することなく守る協定に署名する必要がある。当社のサイバーセキュリティの考え方全般に幅広い支持が得られたという手応えを感じたものの、実際に行動に移すとなれば話は別だ。テクノロジー業界には、大きな志を持って精力的に取り組む人々がたくさんいるとはいえ、各社を取りまとめ、協調して何かを成し遂げることは、言うほど簡単ではない。

この呼びかけは後に「サイバーセキュリティテック協定」として結実する。[22]立役者となったのはマイクロソフトのデジタル外交チームだ。ケイト・オサリバン率いる同チームは、マイクロソフトの〝外交官〟として各国の政策担当者や業界パートナーと連携して、インターネット上での相互の信頼醸成やセキュリティ強化を目指す組織である。

サイバースペースが私有空間である以上、これを守るには、単に多角的であるだけでなく、多くの利害関係者を巻き込む必要があることは以前からわかっていた。国家が政府を代表するテクノロジー担当大使という新たなポストを設けたのと同様に、テクノロジー企業にも外交センスに長けた全権公使を置くべきだ。それはデジタルの平和維持に特化し、新たな局面に突入した戦場で自社の利益と顧客を守り抜くための専門家である。

当社はサイバーセキュリティテック協定の原則のあらましを掲げ、デジタル外交チームが業界の反応を探っていた。協定では、調印国に対して「場所を問わずユーザーと顧客を守ること」と、「国籍を問わず罪なき市民や企業への攻撃に反対すること」という二つの基本理念の遵守を義務付けている。これを基本原則に、テクノロジー業界がグローバルな規模でサイバーセキュリティを推進・維持するのだ。この基本理念を補足する形で、二つの現実的な誓約を掲げている。第一は、「テクノロジーのエコシステムの強化に向け、ユーザー、顧客、ソフトウエア開発者と連携しながら実用的な方法でセキュリティ保護を強化するため、新たな措置を講じる」こと、第二は、「サイバーセキュリティ強化に向け、サイバー攻撃への対応に当たって、必要に応じて情報共有の促進や相互の救援活動に取り組むなど、緊密に連携する」ことを掲げている。

ただ、こうした理念が有意義だと賛同してもらえても、その理念遵守を公式に約束してくれるとは限らない。フェイスブックを含む数社は早い段階から賛同してくれた。フェイスブックは、自社でプライバシーに関する懸念の高まりに対応していたこともあって、以前より前向きになっていた。シスコやオラクル、シマンテック、HPなど実績ある大手IT企業も、この呼びかけにただちに応えてくれた。

一方、グーグル、アマゾン、アップルからは色よい返事はなかった。この三社に話を持ちかけたときはフェイスブックが世界の各国政府から批判の矢面に立たされているタイミングで、フェイスブックと一緒に名を連ねることに消極的だった。当社は一九九〇年代に世間で集中砲火を浴びた経験があり、個人的にはフェイスブックに誰よりも同情を禁じ得なかった。苦難の日々は、多かれ少なかれ、誰にでもあるものだ。困難を抱えている人々を見て見ぬ振りを決め込むという態度は、業界が総力をあげて取り組まねばならない課題に対して何もしないのと変わらない。

ほかにも、アメリカ政府の関係者がこの三社の参加に反対していたという話も小耳に挟んだ。批判の的になるようなものに支持を表明したくなかったという考え方もあるだろう。また、単に社員が意思決定権を与えられていないため、調印したくても会社の承認が得られないだけだと解説する人もいた。再三、メールや電話で要請したが、この三社の参加には至らなかった。

幸いなことに、業界内の他の企業は賛同してくれた。実は、二〇社以上の署名が確保できるようなら協定を発足させようと社内で決めていたのだ。二〇一八年にサンフランシスコで開催されるRSAカンファレンスの日程が近くなるにつれて、このゴールの達成は確実になった。

サイバーセキュリティテック協定の発表に先立ち、数週間かけてホワイトハウスのほか、アメリカ政府や他国政府の主な関係者にも計画内容を内々に伝えた。不意打ちのような真似はしたくなかったからだ。ホワイトハウスの反応は好意的だったが、人づてに聞いたところでは、「民間人や企業」に対してサイバー攻撃を仕掛ける政府の手助けをしないという誓約文に、情報機関関係者の間で懸念を示す声もあったようだ。「民間人」という文言がテロリストも含んでいて、緊急事態発生時に情報機関がテクノロジー業界に支援を要請できなくなることを憂慮したのだ。これはありがたい意見だった。そこで「罪のない市民」という文言に変更した。

二〇一八年四月のサイバーセキュリティテック協定発表の時点で、調印企業は三四社に上った。[23] 弾みをつけるという意味では、十分すぎるほどの数が集まった。二〇一九年五月には、賛同企業数が二〇カ国以上一〇〇社を突破した。サイバーセキュリティの防御体制強化に向けた現実的な措置に一定の支持を確保できたことで、協定が名実ともに動き出したのである。

民間部門の協力体制を強化するには、世界的な規模でさらなる支持が必要だった。ありがたいことに、シーメンスがきわめて早い段階で動き、「信頼性憲章」(Charter of Trust)を策定した。この憲章は、IoT(モノのインターネット)を構成する膨大な数の小型通信機器の保護に重点を置いている。エアバスやドイツテレコム、アリアンツ、トータルなどヨーロッパを代表する多くの企業がただちに参加を表明した。[24]

アジアでも思わぬ反応が待ち構えていた。二〇一八年七月、われわれは日立の役員に会うため、東京に赴いた。同社は、日本の大企業として参加第一号をめざしていたからだ。調印のために日立本社を訪れると、彼らは開口一番、「実は当社も（マルウエアの）WannaCryにやられました。当初は表に出さないことも考えたのですが、連帯して立ち上がり、こういう活動に取り組まなければ、問題は解決できないと悟りました」と話してくれた。

その言葉がすべてを物語っていた。総じて日本企業はアメリカ企業よりも保守的と言われるが、グーグルやアップル、アマゾンが静観を決め込んでいるなか、日本を代表する老舗テクノロジー企業の日立が積極的に立ち上がる姿を見て、大きな衝撃を受けた。さっそく、テクノロジー業界が先回りして動き、新しい形の多角的な連合づくりを進める必要性について意見交換した。

第二次世界大戦後の世界の安全保障は多国間の努力で支えられてきた。それだけにわれわれとしては、今回も同様に各国政府にリーダーシップを発揮してもらいたかった。だが、ホワイトハウスにしても、他国の政府にしても、内向きの姿勢を強めていて、とてもそのようなムードではなかった。

本来なら各国政府が担うべき多国間主義の重責を一民間企業が主導するのは、皮肉でもあったが、それ以上に気まずさでいっぱいだった。それでも当社が推進していることに対して、批判よりも支持の声のほうがはるかに多かった。そして成果が見えてくるにしたがって、参加の意思を表明する企業の数も増えていった。

だが、外交の重要性を訴えるのであれば、産業界にとどまっているわけにはいかなかった。政府、企業、非営利団体が足並みをそろえる方法を模索しなければならない。そこで機会をうかがっていたところ、二〇一八年一一月にパリで開催される国際会議が絶好の機会になりそうだと判断した。その会議とは、第一次世界大戦終結一〇〇周年に合わせてフランスのエマニュエル・マクロン大統領の呼びかけで開催されることになった「パリ平和フォーラム」である。これに関してマクロン大統領はユーチューブにある動画を投稿している。[25] 動画は、第一次世界大戦終結後の二〇年間に民主主義の弱体化や多国間主義の崩壊が見られ、やがて第二次世界大戦を招いたと指摘していた。そしてマクロン大統領が求めたのが、二一世紀において民主主義と多国間主義を強化するためのプロジェクト案だ。われわれの構想はまさにこの呼びかけに応えられるのではないかと感じた。

幸いフランス政府関係者が興味を示してくれた。フランスでは、ちょうどデンマークのキャスパー・クリングのポストに相当するサイバー外交・デジタル経済大使（当時）というポストが誕生し、ダビッド・マルティノンが就任していた。マルティノン大使が担当するテーマは、インターネット・ガバナンス、サイバーセキュリティ、表現の自由、人権だ。マクロン大統領を支えるフィリップ・エティエンヌ外交顧問のリーダーシップの下、マルティノン大使などフランス政府高官は、すでに将来の青写真づくりに力を注いでいた。そこで、われわれは、サイバーセキュリティの新たな宣言や構想を打ち出す可能性についてフランス政府関係者と協議を重ねた。

フランスの強力な旗振りの下、世界各地での何カ月にも及ぶ綿密な協議が続いた。第一次世界大戦終結一〇〇周年記念日の翌日、マクロン大統領は「サイバー空間の信頼性と安全性のためのパリ・コール」と題した呼びかけを行った。[26] これは既存の国際基準の重要性を補強するもので、組織的で無差別なサイバー攻撃から市民と民間インフラの保護を訴える内容だった。また、各国政府、テクノロジー企業、NGO（非政府組織）が連携して、国家ぐるみのサイバー攻撃から民主的プロセスや選挙制度を守るよう呼びかけた。われわれは、こうした分野は国際法の下でさらに明確な支援を必要としていると考えていた。

もっと重要だったのは、パリ・コールに対する支持が広範囲に及んだことだ。マクロン大統領の演説があった午後、フランス政府はパリ・コールの署名が三七〇に上ったと発表した。署名リストには、EU加盟の全二八カ国、NATO加盟二九カ国など世界五一カ国の政府も名を連ねた。また、日本や韓国、メキシコ、コロンビア、ニュージーランドなど他の地域の主要国政府も署名した。二〇一九年初頭には、署名数がさらに拡大して五〇〇を突破、六五カ国の政府のほか、グーグルやフェイスブックを含むテクノロジー業界のほとんどの企業が加わった。ただし、アマゾンとアップルの名前は見られなかった。[27]

何とも皮肉なことだが、パリ・コールは、アメリカ政府の後押しなしに、これだけの支持を集めたのだ。アメリカ政府も署名はしていない。当初、われわれはアメリカ政府が署名すると期待していたが、パリでの会議の一カ月前になって、アメリカ政府は賛否いずれの立場も表明するつもりがないことが明らかになった。ホワイトハウスのスタッフの一部には、どのようなテーマであれ、多国間主義的な構想に消極的な雰囲気があったのだ。そのため、マイクロソフトは気まずい立場に置かれた。世界各地にいる当社の政府対応担当チームを通じて各国に支持を働きかけてきたのに、当のアメリカがこの状態だったからだ。

とはいえ、パリ・コールが画期的な取り組みであることに変わりはない。今日の世界が直面するグローバルなテクノロジー関連の課題に対処するため、二〇世紀の国際平和に不可欠だった多国間主義的な方式を生かしつつ、それを今日のグローバルなテクノロジー的課題の解決に必要なマルチステークホルダープロセス（国や企業など多様な関係者が参画するオープンなプロセス）に進化させている。それによって世界の民主主義国家を連帯させ、世界のテクノロジー企業や主要ＮＧＯと結びつけているのだ。さらに、今後新たな関係者が署名できるようにもなっている。

パリ・コールで具体化したこのモデルは、すぐに世界的な注目を浴びることになった。二〇一九年三月にクライストチャーチで発生したテロの悲劇からほどなくして、ニュージーランドのジャシンダ・アーダーン首相率いる内閣と面会する機会に恵まれた。その際、インターネットを舞台にテロリストが同国国民に攻撃を仕掛けるような悪夢をどうすれば防げるのか知恵を出し合った。すぐにパリ・コールの話題になり、同じように政府、テクノロジー業界、市民社会を巻き込んでいけるかどうかが焦点となった。その晩、われわれの頭からこの問題が離れることはなかった。翌朝の政府高官との会合では、ニュージーランドが「クライストチャーチ・コール」を打ち出すとすれば、何を呼びかけるかという話題が中心になっていた。

アーダーン首相の肝いりで、ニュージーランド政府はこの構想にすぐに着手した。最初の打ち合わせで私が進言したように、アーダーン首相は倫理的な面で支柱になってくれた。首相はこの事件に対する世界の関心もいつかは風化してしまうだろうと述べ、せっかくの機会を一時的な話題づくりで終わらせず、将来にわたって意味のある内容にしたいと望んでいた。そこで首相は、サイバーセキュリティ担当高官のポール・アッシュをヨーロッパに派遣し、現地の政府との提携を模索した。アッシュは、パリ・コールをきっかけにマクロン大統領率いるチームが熱心に活動している姿を目の当たりにした。

テクノロジー業界も大きな役割を担った。クライストチャーチでの銃乱射事件では、過激思想に煽られたテロリストの暴力行為を助長する道具にマイクロソフトのサービスが利用された。業界としては、こうした使われ方を阻止するために、どのような実践的な対策を講じられるのか見極めなければならない。そこでデーブ・スタールコフ最高顧問弁護士とその補佐グループの責任者であるフランク・モローに、対策のアイデアづくりの旗振り役を命じた。フェイスブックやツイッター、グーグル傘下のユーチューブのサービスも、今回のテロで影響を受けていた。もっとも、マイクロソフトのサービスは、膨大な動画投稿には使われていないものの、この手のテロ行為で影響を受けかねないサービスは九種類あることがわかった。具体的には、リンクトイン、Xbox Live、OneDriveでの動画共有、Bingの検索結果、クラウドプラットフォームのAzureなどである。

他のテクノロジー企業は、行動に移すだけでなく、対策強化の準備も整えていた。グーグル、フエイスブック、ツイッターの三社は、クライストチャーチの事件を起こしたテロリストがコンテンツ投稿サービスを活動に利用していたと認識していた。アマゾンの場合は、今回の事件に同社サービスが利用されてはいないが、問題解決に協力したいと考えていた。

これほど多様なサービスがある以上、さまざまな対策が必要になることは明らかで、規制のさじ加減もそれぞれに違って当然だった。技術的な要件にも、人権や表現の自由に関わる幅広い問題にも敏感にならなければならない。何度かグループの電話会議を重ねた結果、ネット上にある過激主義思想の暴力やテロリスト系のコンテンツに対処する九項目の具体的な勧告について、テクノロジー企業各社の支持を取り付けた。さらに、個々のサービスに適用できる五つの対策（サービス提供条件の強化、ライブ動画の管理強化、ユーザーからの不正利用報告に対する対応、テクノロジー規制の改善、透明性報告書の発行）も盛り込まれた。

また、業界全体に適用される四つの対策（危機対応手順やオープンソース型テクノロジーの開発、ユーザー啓蒙活動の拡充、社会的多元性やオンラインでの相互尊重の促進に向けたNGOの研究など多様な活動の支援）も策定した。パリでの会議まで一カ月しかなかったが、アーダーン首相からは、同会議での発表に間に合わせるべく、速やかな決定を促された。ニュージーランドとフランスの両政府の代表がカリフォルニアで会合を開き、その場に市民団体やテクノロジー企業も参加し、クライストチャーチ・コールの草案づくりの過程で持ち上がった具体的な問題について協議した。ニュージーランド政府側のチームは休む間もなく働き、政府首脳や関係者からの意見にも対応していた。ある晩、かなり遅い時間にサティアと私がアーダーン首相と電話で話していたときのこと。同国政府のフットワークの良さに感銘した旨を伝えると、首相はすぐさま、こういった。「小さい国は、すばしっこくないと！」

ニュージーランドのあの悲惨な乱射事件から二カ月が経過した五月一五日。「クライストチャーチ・コール宣言」の発表のためにパリに飛んだアーダーン首相は、マクロン大統領のほか、八カ国の政府首脳らと合流した。宣言は、テロリストや暴力的過激主義者によるオンライン・コンテンツに対して、政府やテクノロジー企業が個別対応と共同対応の両面で対処することを確約した。[28] パリに集まったテクノロジー企業幹部や各国首脳らが続々と署名していった。そして、これに合わせて、テクノロジー企業五社からなるグループも、クライストチャーチ・コールを行動に移すための九項目の対策を発表した。

わずか六カ月ほどの期間を置いて発表されたパリ・コールとクライストチャーチ・コール。世界が手を携えれば、これだけの成果をもたらすことができるという証しとなった。キャスパー・クリンジの言葉を借りれば、「テクプロマシー」（テクノロジーと、外交を意味するディプロマシーを組み合わせた造語）の成果である。政府だけに頼るのではなく、マルチステークホルダー型外交という新しいスタイルは、このように政府、市民団体、テクノロジー企業がともに活動するのだ。

もっとも、この考え方自体は決して目新しいものではない。最近の調査によれば、アドボカシーグループやシンクタンク、社会運動、教育団体など、さまざまな非政府組織が軍縮問題で長きにわたって重要な役割を担ってきたことがわかっている。[29] 古くは一八六〇年代にジュネーブで立ち上げられた赤十字の創設者らの活動があった。最近では、特に大きな成果をもたらした取り組みといえば、一九九〇年代の地雷禁止国際キャンペーンが挙げられる。同キャンペーンは、一九九二年に六つのNGOが開始したもので、後に六〇カ国の一〇〇〇近いNGOが参加する一大運動に発展した。[30] 主催団体は、「地雷を単なる軍事問題ではなく、人道問題・道徳問題として訴求することに成功した」。また、カナダ政府の支援により、この運動がきっかけで特別会合が開かれ、「一九九七年一二月に対人地雷禁止条約（オタワ条約）が採択された。禁止に向けたキャンペーン開始からわずか五年目の快挙だった[31]」。

そう考えると、パリ・コールやクライストチャーチ・コールの最も斬新な点は、新たな人道・軍縮問題に、国家以外の主体として、企業を巻き込んだところだろう。NGOに比べると、民間企業のほうが懐疑的な目で見られるかもしれない。だが、サイバー空間がこうした企業によって所有・運営されている以上、企業が何もしないでいるわけにはいかないのである。

また、パリ・コールとクライストチャーチ・コールは、デジタル外交という時代の幕開けを飾るにふさわしい新機軸でもあった。軍縮と人道的保護は、常に広く社会の支援が欠かせない。二〇世紀は、ときとしてシンクタンクから生まれた新たなアイデアが、NGOや政府の政策担当者との詳細なやり取りに登場し、やがて国際的な政治家による重要な演説を通じて一般に広まることもあった。だが、従来のマスメディアが細分化し、ソーシャルメディアが台頭してくると、新しい形で社会とつながる必要性と機会が生まれたのである。

これは、マイクロソフトがデジタル版ジュネーブ諸条約というアイデアについて、公の場で協議を重ねるなかで得た成果の一つでもある。昔ながらの外交官なら「そんなバカな」とあきれかえるかもしれない。実はサイバーセキュリティの国際法ともいえる「タリン・マニュアル2・0」[32]というものも存在していて、それなりに重要ではあるのだがいま一つインパクトに欠ける、専門家だけの議論にとどまっていた。そんななか、デジタル版ジュネーブ諸条約というアイデアは一般の人々の想像力に訴え、大きな支持を集めたのだ。タリン・マニュアル2・0自体は、キャスパー・クリンジの画期的な手法や彼のツイートにも頻繁に登場している。[33]パリ・コールの取り組みと市民外交への支持を結びつけるヒントもここから来ていることは確かだ。たとえば、「デジタル・ピース・ナウ」への支持を呼びかけた際には、オンラインでの署名件数は世界中から一〇万件以上に達した。[34]

デジタル外交を推進するに当たって、新しい環境に変わっている事実や楽観的な経験則だけに頼らず、歴史上の無残な失敗も糧に、確固たる決意で取り組まなければならない。二〇一七年一一月、国連での演説のためにジュネーブの国連欧州本部を訪れた際、その思いを強くした。本部が入っている建物「パレ・デ・ナシオン」は、一九三〇年代に国際連盟の本部として使われていた。今もアール・デコ様式の会議室がいくつか残っていて、第一次世界大戦後の時代を感じさせる。

この建物は、二〇世紀最悪の状況をもたらすことになる国際政治の舞台でもあった。一九三一年、日本が満州に侵攻する満州事変が勃発し、ほどなくしてヒトラー率いるナチス・ドイツがヨーロッパで大きな脅威となっていた。三一カ国の政府代表がこの建物に集まり、五年以上も協議を重ねながら、軍備増強を抑制する道を探った。だが、アメリカは基本的にヨーロッパの問題だとして、リーダーシップを発揮することを渋る一方、ヒトラー率いるドイツは交渉のテーブルを蹴ったばかりか国際連盟からも脱退し、世界平和に向けた各国の努力が終わりを告げようとしていた。

一九三二年に外交会議が開催される前、当時最高の科学者であったアルバート・アインシュタインは「人類が物事をまとめ上げる能力を技術進歩に合わせて発展させることができていたら、人類の暮らしは不安のない幸せなものに変わっていたはずだ」[35]と言った。そして「われわれの世代が苦労して手に入れた機械化時代の成果は、三歳児に持たせたカミソリのように危険である」と警鐘を鳴らしたものの、誰も耳を貸さなかった。ジュネーブでの会議は水泡に帰すのだが、三〇年代が終わるころには、この失敗をきっかけに世界は想像を絶するほどの荒廃へと突き進んでいったことは言うまでもない。

アインシュタインの言葉は、今日の課題を見事に言い当てている。テクノロジーの進歩はとどまるところを知らないが、そのテクノロジーを生み出した世界は、未来をまともに管理できるのだろうか。人類は、イノベーションのペースについていくことができず、何度となく戦争を起こしてきた。新しいテクノロジーを管理しようにも、あまりに手薄で遅きに失した感は否めない。サイバー兵器や人工知能といった最新テクノロジーが高度化するなか、現代を生きる人間が再び試されようとしている。

一世紀近く前の人類は失敗を犯したわけだが、現代のわたしたちがその失敗を回避するためには、デジタル外交という新たな取り組みと併せた現実的な抑止政策へのアプローチが必要である。二〇一九年四月、サンフランシスコで開かれた会議に、デンマークのキャスパー・クリンジをはじめ、二〇カ国以上のサイバー外交官が一堂に会した。新しい世代のサイバー外交官たちががっちりとスクラムを組んでがんばっている姿を目の当たりにして大いに勇気づけられたものだ。

デンマークが小国であることはまぎれもない事実だ。人口五七〇万人と、ワシントン州を下回る。ニュージーランドの人口はさらに少ない。だが、デンマークの外相の考えは間違っていない。二一世紀の今、グローバルな課題に対処する最善策は、他国の政府とだけでなく、テクノロジーの未来を決めるあらゆるステークホルダー（利害関係者）とも連携できるチームをつくることだ。優れたアイデアと決然としたリーダーシップを持った国が小国だからといって甘く見ることは間違っている。これまでになかったデジタル外交が現実のものとして動き出したのである。

第8章

消費者のプライバシー

フェイスブックを訴えた男

二〇一三年一二月、プライバシー侵害になりかねない政府による監視活動に業を煮やしたテクノロジー企業の幹部らがホワイトハウスを訪れ、こうした活動を改めるようオバマ大統領（当時）に迫っていたときのことだ。突然、話の流れが大きく変わった。大統領は一呼吸置いてから言った。

「そのうち、銃口がそちらに向くのではないですか」

大統領の発言は、そこに集まっていたテクノロジー企業こそ世界中のどの政府よりも大量の個人情報を抱えている点を鋭く突いていた。アメリカ政府に突き付けていた要求が、テクノロジー業界自体に跳ね返ってくる日が来るというわけだ。

むしろアメリカで銃口の向きが変わっていないことが意外だった。ヨーロッパでは、ずいぶん前に反転していた。一九九五年にはEUが厳しいデータプライバシー指令をすでに採択していた。[1] EUが打ち出したプライバシー保護の確固たる基準は、どう見てもアメリカの先を行く内容だった。欧州委員会はこの指令を基に、二〇一二年にははるかに厳しい内容のプライバシー規制案を提起している。

その後、EUは、審議に四年の歳月を費やした末、二〇一六年四月、包括的な一般データ保護規則（GDPR）を採択した。[2] そのわずか二カ月後、イギリスの国民投票でEU離脱が選択されると、同国のデータ保護関係当局は、EUが採択したばかりの新規則の適用を引き続き支持する意向を即座に表明した。テリーザ・メイ首相は二〇一七年初めにテクノロジー企業首脳と会合を持った際、イギリス経済は今後もヨーロッパ大陸とのデータのやり取りに依存することに変わりないため、統一されたデータプライバシー規則が必要になるとの認識を示した。

それに比べてアメリカはどうか。データプライバシー規則が世界中で大きな話題になっていても、アメリカは「われ関せず」の態度を決め込んでいた。消費者のデータが国境を超え、アメリカのデータセンターに入る時代にあって、ヨーロッパ各国の政府関係者が国民のプライバシー保護に懸念を深めるのも無理はなかった。にもかかわらず、アメリカは国内で幅広いプライバシー保護を確立できていなかった。

二〇〇五年、私は連邦議会で国家プライバシー法の採択を求める演説を行った。[3] ところが、当時はHPなど一部の企業を除き、産業界の大部分はまったく興味を示さないばかりか、反対の立場を取る企業さえあった。議会も無関心だった。

そんなアメリカで、思いも寄らない二人の取り組みが変化に火を付けた。プライバシー保護の声を上げた一人が、オーストリアのウィーン大学で法律を学んでいたマックス・シュレムスという学生だった。二〇一九年にヨーロッパで飛行機を乗り継ぎ中のシュレムスから、オーストリア名物料理のボイルビーフの紹介とともに、思わぬ情報が当社に寄せられた。

シュレムスは、オーストリアでちょっとした有名人だった。大西洋の両岸を舞台にしたプライバシー問題の紆余曲折をたどっていけば、すぐに彼の名前が見つかるはずだ。「プライバシー問題を扱っていたら、自分のプライバシーがなくなっちゃって」と本人は笑う。

アメリカでのプライバシーの考え方も含め、プライバシーというテーマは常にシュレムスの興味をかき立ててきた。一七歳のとき、高校の交換留学生としてフロリダのシブリングという「何もない田舎」に放り込まれたという。その小さな町に足を踏み入れてカルチャーショックを受けた。といっても、農業専攻学生団体のFAA（フューチャー・ファーマーズ・オブ・アメリカ）の交流会で戸惑ったとか、南部のバプテスト教会での人付き合いにまごついたといった、いかにもありそうな話ではない。シュレムスは留学先の高校による生徒の管理方法に衝撃を受けたのだ。

「完全なピラミッド形の管理組織でした。高校の構内に警察署があって、廊下の至るところにカメラがありました。成績、SAT（大学進学適性試験）の点数、出席率などあらゆるものが管理されていて、学生証に小さな許可シールを貼ってもらわないとインターネットも使えませんでした」

グーグルの検索も使えないように設定されていたが、それを回避するテクニックをアメリカ人の同級生に伝授したのは今もシュレムスの自慢の種だ。

「実は学校が規制していたのは、ドットコムで終わるＵＲＬだったので、『google.it』というＵＲＬでイタリア版のグーグルが使えると教えてあげたんです。あの学校にドットコム以外のトップレベルドメインを持ち込んだのは、この僕ですよ」

アメリカより「はるかに自由にあふれている」ウィーンに戻ったときは、心底ほっとしたという。

二〇一一年になってもシュレムスの頭からプライバシーの問題が消えることはなかった。その年、二四歳になったシュレムスはカリフォルニアのサンタクララ大学のロースクールに半期だけ留学することになり、再びアメリカにやってきたのである。シュレムスが出席するプライバシー問題のクラスは、たまたまフェイスブックの弁護士も兼任する客員講師が担当していた。そこでシュレムスは、ヨーロッパのプライバシー保護法の下でのフェイスブックの義務について質問したところ、そのような法律は適用されないと講師は答えた。

「『ヨーロッパの罰則は取るに足らないもので、法律などないに等しい。だからやりたいことがあれば、何でもできる』と言ったんです。ヨーロッパからの留学生が教室にいるなんて思いもしなかったんでしょうね」

これがきっかけでシュレムスはこのテーマをもっと掘り下げて、ヨーロッパの法的義務にフェイスブックが違反していると思われる点を期末レポートにまとめることにした。

ほとんどの学生にしてみれば、例の講師の話はあの場でおしまいだった。だが、シュレムスは普通の学生ではない。一年もしないうちに調査内容をまとめ、フェイスブックがヨーロッパ地域でデータセンターを設置しているアイルランドのデータ保護当局に告発したのだ。訴えは単純明快だったが、グローバル経済に打撃を与えかねない影響力も持っていた。ヨーロッパからアメリカへのデータ移転を許可している国際セーフハーバープライバシー原則（ＥＵ指令の条件と同等のデータ保護基準をアメリカ側が満たしていることを前提にデータ移転を認める制度）について、シュレムスは無効にすべきだと主張した。ヨーロッパのデータを守るうえでアメリカの法的安全策は不十分というのが、彼の指摘する根拠だった。

セーフハーバー原則は、大西洋を挟んだアメリカとヨーロッパの経済の基本的な柱になっていたが、プライバシー専門家を除けば、その事実はほとんど知られていなかった。ＥＵは一九九五年にデータ保護指令を採択している。この指令は、ヨーロッパの個人データを他国に移転させる際、移転先の国に十分なプライバシー保護対策が講じられている場合にのみ移転を許可するものだった。

ところがアメリカには国家プライバシー保護法がなかったため、大西洋の両岸でデータを行き来させるためには、政治的に少々知恵を絞らなければならなかった。そして二〇〇〇年にある解決策が採用される。企業がプライバシー原則七項目を満たしていることを自己証明し、これをアメリカ商務省が保証するという自主規制プログラムだった。この原則は、ＥＵ規則を踏襲していたことから、欧州委員会では、一九九五年のデータ保護指令に沿ってアメリカ側が十分なプライバシー保護を講じていると判断した。[4] このようにして誕生したのが、国際セーフハーバープライバシー原則だった。

それから一五年後、アメリカ―ヨーロッパ間のデータ移転は爆発的に増加した。四〇〇〇社以上がセーフハーバー制度を利用して年間二四〇〇億ドルのデジタルサービスを提供するまでになっていた。[5] このサービスには、保険や金融サービスから書籍、音楽、映画まであらゆるものが含まれていた。金融サービスはほんの一部にすぎなかった。

アメリカ企業は、ヨーロッパで三八〇万人の従業員を抱えていて、セーフハーバー制度に基づいて給与から健康保険給付、人事考課に至るまであらゆる面でデータを行き来させる必要があった。[6] アメリカ企業によるヨーロッパでの総売り上げは実に二兆九〇〇〇億ドルに達しているが、商品が顧客の手元に届き、売り上げが正確に計上されたことを確認するためには、大西洋を挟んでデジタルデータの移転が欠かせない。[7] この数字は世界が桁違いにデータに依存していることを示すバロメーターでもある。

政府高官や企業の経営幹部はセーフハーバー制度を現代の必需品と見ていた一方、シュレムスの見方はまったく異なっていた。アンデルセン童話の『裸の王様』に登場する子供のように、セーフハーバー制度に向かって「王様は裸だ！」と叫んだのである。

シュレムスは二〇〇八年からフェイスブックを使っていて、それを根拠にアイルランドのデータ保護委員会に告発した。二〇一二年、二度目のアメリカ留学を終えてウィーンに戻った彼は、フェイスブックとの間で「二二回のメールのやり取り」の末に、一二〇〇ページに及ぶ自身の個人データのPDFが収められたCD-ROMを受け取った。

「実はあれは、フェイスブック側が持っていたわたしの個人データのうち、半分か三分の一にすぎなかったのですが、それでも三〇〇ページ分はすでに自分で削除したはずのデータでした。確かに、そのデータには『削除済み』とは書かれていましたがデータ自体はしっかり残されていました」

シュレムスにいわせれば、フェイスブックは、セーフハーバー原則の合意を隠れ蓑に、実際にはEU法で義務付けられた保護基準を満たさないような方法で膨大なデータを収集・利用していたことになる。

シュレムスは告発の事実を公表し、セーフハーバー原則は廃止すべきと主張して、ヨーロッパ各地のメディアでちょっとした話題になった。フェイスブックはシュレムスに告発を考え直すよう説得するため、即座にヨーロッパ担当幹部二人をウィーンに送り込んだ。二人は、空港に隣接するホテルの会議室でシュレムスと会い、六時間かけて告発範囲を絞り込むように迫った。だが、彼は頑として首を縦に振らず、アイルランドのデータ保護当局に判断してもらう意向を示した。[8]

テクノロジー業界の他の企業やプライバシー問題関係者は関心を持ってこの訴訟を追っていたが、最終的に裁判はシュレムスの負けというのが大方の見方だった。一方シュレムスは、サンタクララ大学では期末レポートよりも告発状の作成に時間をかけていたほどで、担当教授に提出期限を延長してもらっていた。[9]

アイルランドのデータ保護当局は、二〇〇〇年に欧州委員会がセーフハーバーの条件に不足なしとした見解に従わざるを得ないとして、シュレムスに不利な裁定を下したことから、告発は行き詰まるかに見えた。いよいよシュレムスもロースクールのレポート作成に本腰を入れるときが来たかに思われたが、彼が白旗をあげることはなく、裁判はついに欧州司法裁判所に移った。そして二〇一五年一〇月六日、とんでもないことが起きた。

私は南アメリカの顧客を招いたイベントの準備のため、フロリダにいた。早朝、電話が鳴った。裁判所が国際セーフハーバープライバシー原則を無効にしたという知らせだった。[10] ヨーロッパ各国のデータ保護当局は、それぞれが独立してデータ移転の可否を判断できるとする判決だった。事実上、裁判所が各国の規制当局の権限を強化する内容であり、これによってアメリカのプライバシー保護状況の評価が厳しくなることは明らかだった。

判決後、すぐに人々の頭に不安がよぎった。これはデジタル版暗黒時代の再来の兆しなのか。大西洋を挟んだデータのやり取りは止まってしまうのか。実はマイクロソフトは、顧客が引き続き当社サービスを利用して国際的なデータのやり取りを継続できるように、この不測の事態に備えて、法律面で別の対策を講じていた。即座に顧客には心配無用と説明して回った。テクノロジー業界の関係者は誰もが平静を装ってはいたが、欧州司法裁判所の判断は不安の種だった。過去にセーフハーバーの交渉にも関わったことのある弁護士は、「現段階では何が安全なのか明言できない。今回の判決は極めて広範囲に及ぶもので、ヨーロッパからのデータ転送はどの方法を使っても問題になりそうだ」とぼやいていた。

判決の余波は大きく、大わらわで交渉に臨む姿が何カ月にも渡ってあちこちで見られた。解決は不可能ではないにせよ、とんでもない難題が立ちはだかった。アメリカのペニー・プリッカー商務長官と欧州委員会のヴェラ・ヨウロヴァ委員は、裁判所と欧州各国のプラバシー保護当局に納得してもらえるような対策づくりに取り組もうとしていた。

二〇一六年一月、現在の状況について話し合うため、欧州委員会のヨウロヴァ委員を訪ねた。入館証をもらうために一階で待っていたところ、本人がわざわざ出迎えてくれて驚いた。「実はちょっと席を外そうと思って外に出たところだったんですよ」とヨウロヴァ委員は笑顔でおどけて見せた。そんな彼女を遠くから見つけたある紳士がこちらに近づいてきた。彼女には面識のない人物だった。紳士がこう話しかけてきた。

「ぜひお知り合いになりたいと思いまして。マックス・シュレムスと申します」

例の判決に端を発して各国で国際交渉がにわかに活発化していたが、テクノロジー業界は最悪の場合に備えていた。マイクロソフトでは、本社のあるシアトル郊外のレドモンドからカナダまでの距離が近いことから、万一の場合にはバンクーバーにも設備を置く迂回措置を整えた。そうなれば、レドモンド本社の従業員がバンクーバーとの間で行ったり来たりする必要があるものの、裁判所の決定はカナダとヨーロッパの間のデータ移転には影響がないため、スムーズに運用できることは間違いなかった。

結局、最悪の事態は杞憂に終わった。二〇一六年二月初旬、プリッツカー商務長官とヨウロヴァ委員が新しい合意を表明したからだ。セーフハーバー原則に代わって、高度なプライバシー要件や年一回共同で点検する共同レビューを含むプライバシーシールドという新たな枠組みが誕生した。この新たなデータ保護要件への準拠を誓約したテクノロジー企業の第一号となったのが、マイクロソフトである。[12]

データをめぐる大惨事は確かに回避された。だが、このエピソードから変化の大きさがわかろうというものだ。

一つには、プライバシー保護のために完全に隔離された楽園など存在しないことが明らかになった。すべてのデータが一つの国の中にとどまっているなどとは、もはや誰も考えていないのである。これは、ヨーロッパのような大きな大陸にも、アメリカのような経済大国にも当てはまる。どのようなデジタル取引であれ、個人情報が国から国へと流れているのだが、ほとんどの場合、人々はこの事実を意識していない。

このため、外部から政治的な力が働くことになり、アメリカにプライバシー面で大きな影響が及ぶことになったのである。とりわけプライバシー保護に熱心なことで知られるヨーロッパのデータ保護規制当局にとって欧州司法裁判所の判決は、アメリカにプライバシー保護基準の強化を迫るうえで大きな追い風になった。

本当にそんな狙いがヨーロッパ側にあったのかと疑問を抱く者もいたが、二〇一五年の判決からほどなくして、信頼性のある現地報告が政府関係者の間にひっそりと出回り、そのような疑問は吹き飛んでしまった。同判決で中心的な役割を担った裁判官の一人は、数カ国のプライバシー保護当局関係者と直接会い、判決の詳細を説明し、アメリカの政府や商務省との交渉に判決をどう生かすべきか指南していたのだ。司法と行政がきっちり分離されているアメリカに真っ向から異議を突き付けるような対応だった。ヨーロッパでは異例の措置ではあったが、世界に目を転じれば、まったくない話ではなかった。

アメリカの政治指導者がヨーロッパのプライバシー保護当局の行為は度を越していると糾弾することはできても、変えようのない事実が一つあった。アメリカ企業が他国との間でデータをやり取りできる環境にアメリカ経済が大きく依存しているという事実である。今日の世界では、移民の流入を阻む壁の建設をめぐって議論することはあっても、国際的なデータの流れを阻止する壁を受け入れられる国などありえないのだ。つまりアメリカ企業によるプライバシーの扱いを左右する米欧交渉自体は現在の経済環境の一部になっているのだ。

最終的には中国に及ぼす影響も決して無視できない。ヨーロッパのやり方は、やがて中国に対する圧力の高まりにつながり、中国も重大な岐路に立たされることになる。中国国内ではデータのプライバシー保護など考えなくても済むかもしれないが、ヨーロッパとの経済関係を強化するとなれば、双方の間でデータの流れが発生することは避けて通れない。将来は中国国内でも対外的にも、プライバシー保護に無策で進んでいくことは困難になるはずだ。

今回は、あわや大惨事というところだったが、プライバシーシールドの交渉が始まったときの関係者は、総じて胸をなでおろした。一連の出来事は警鐘でもあったのが、またしても重要な問題の抜本的な解決が先送りにされてしまった。データの流れが止まらなければ、企業もビジネスを継続できる。ほとんどのテクノロジー企業も政府関係者も、長期的視点に立った地政学的影響について深く考えることなく、また別の機会に譲ってしまったことが悔やまれる。

ある意味で、そうなってしまうのも無理はない。二〇一六年はイギリスのブレグジットを問う国民投票やらアメリカ大統領選やらが目白押しで、それどころではなかったともいえるからだ。ところが数カ月もしないうちにヨーロッパでプライバシーをめぐる新たな動きがあり、誰もが気が気ではなくなった。EUの一般データ保護規則（GDPR）の施行日が迫っていたからだ。

テクノロジー業界関係者の間ではGDPRが日常の話題に上らない日はないほど一気に浸透した。法律関係者だけでなく、エンジニアやマーケティング担当者、営業担当者までがGDPRという言葉を口にするようになっていた。もちろんそれなりの理由はあった。この規則によって、世界のテクノロジープラットフォームの多くが設計面の見直しを余儀なくされており、それは決して容易な作業ではなかった。必ずしもEUが最初から意図していたわけではないものの、GDPRは結果的にはヨーロッパがアメリカや世界各国のプライバシー基準に影響を与える第二の手段となったのだ。

GDPRは、よくある規制とは違う。一般的な規制は、「やってはいけないこと」を企業に周知するためにある。たとえば、広告に誤解を招く表現を含めてはいけないとか、建築物にアスベストを使用してはならないといったことだ。自由市場経済の基本理念は、ビジネスのイノベーションを奨励することであり、特定行為は規制で禁止するものの、それ以外は企業に広範な実験の自由を与えている。

GDPRの最大の特徴ともいえるのが、実質的にプライバシーの権利宣言になっている点だ。消費者に一定の権利を与えることにより、企業に特定行為の回避だけでなく、新たな業務処理過程の追加を義務付けている。たとえば、個人データを預かっている企業は、消費者が自分のデータにアクセスできるようにしなければならない。顧客は、自分に関するどういう情報が企業に保管されているのか知る権利があるのだ。そしてその情報が不正確な場合、情報を訂正することもできるし、さまざまな条件に基づいて情報を削除する権利もある。さらに、本人が望めば、自分の情報を別の業者に移転させる権利もある。

GDPRは、データ版のマグナカルタといえる。ヨーロッパのプライバシー保護の重要な第二波なのである。第一波が押し寄せたのは、一九九五年のこと。ウェブサイトが消費者の個人情報を収集・使用する前に、消費者に告知し、同意を得なければならないとしたプライバシー指令だ。だが、インターネットの爆発的普及を背景に、人々のもとには大量のプライバシー告知が次々に届き、内容を確認する時間はほとんどなかった。GDPRでは、こうした実態を踏まえ、企業によって収集された自分の全データを消費者がオンラインで閲覧・管理できるように、現実的な仕組みを企業側が用意することになっている。

これが企業のITシステムに広範な影響を及ぼすことは想像に難くない。例を挙げれば、何百万もの顧客を抱える企業の場合、いや、たとえ数千の顧客を持つ企業であっても、新たに提唱された顧客の権利を管理するには、かなり詳細に規定された業務プロセスが欠かせない。そうしなければ、顧客データの特定作業を従業員の手作業に任せることになり、効率が悪いうえに、まず間違いなく不完全な作業に忙殺されることになる。だから、このプロセスは自動化する必要があるのだ。大きなコストをかけることなく迅速にGDPRに対応するには、組織内に乱立する複数のデータシステムを対象に、統一された方法で顧客データにアクセスする仕組みが必要だ。そのために社内のシステムに変更を加えねばならないのである。

マイクロソフトのように多種多様な顔を持つテクノロジー企業にとって、GDPRの影響はこれ以上ないほど強烈なものだった。当社は二〇〇を超える製品やサービスを扱っていて、社内の技術チームの多くがそれぞれにバックエンドのデータインフラを個別に開発・管理していた。

GDPRが施行されれば、このシステム間の違いが厄介な問題につながることは明らかだった。EUの消費者は、当社が扱うあらゆるサービスにまたがって、統一された手順で自分の個人情報を取り出して、共通のフォーマットで閲覧できるものと期待するだろう。それを効率的に実現するには、全サービスを完全網羅する新しい統一的な情報アーキテクチャを開発する以外になかった。言い換えれば、Office 365からOutlook, Xbox Live, Bing, Azure, Dynamicsなど、ありとあらゆるサービスが対象だったのだ。

二〇一六年初め、社内トップクラスのソフトウエアアーキテクト（設計者）を集めて精鋭チームを立ち上げた。二〇一八年五月二五日のGDPR施行までに残された期間は二年間とはいえ、どのメンバーも自分の仕事で多忙を極めていた。

まずソフトウエアアーキテクトを集め、GDPRで求められる事項について弁護士が解説した。続いて、弁護士の助けを借りながら、当社サービスに要求されるすべての機能を網羅した仕様書を作成した。次に、情報の処理・保管の新たな設計プランを策定した。このプランは当社の全サービスに適用され、新機能を実現する土台となるものだ。

八月最終週には、サティアをはじめとする経営幹部の同席の下、設計プランを精査する会議の準備が整った。この設計プランは膨大な設計作業を伴うことは全員が承知していた。このプロジェクトに三〇〇人以上のエンジニアに少なくとも一八カ月は専任で取りかかってもらう必要があった。そして、GDPR施行日までの最後の六カ月間は、必要なエンジニア数が数千人に膨れ上がることになる。数億ドルに及ぶ財務的裏付けが欠かせない。このため、幹部が一人欠けても成立しない会議だった。なかには休暇を途中で切り上げて駆け付けた者もいた。

技術設計チームと法務チームが設計プラン、スケジュール、リソース配分を精査していった。見事というほかなかった。いや、たまげたといったほうがいいだろうか。会議が進行していくうちに、サティアが突然、いかにも愉快そうに声を上げた。

「すごいと思わないか。社内のエンジニア全員がそろって単一のプライバシー保護アーキテクチャに同意するなんて、長年不可能に近いと思われていたんだから。ところが規制当局や弁護士に要件を突き付けられたとたん、統一アーキテクチャづくりがこんなにあっさりと進むとはね」

興味深い見方だった。設計はクリエイティブな作業であり、エンジニアは独創性あふれる人々だ。ある問題に対して、二つのソフトウエア設計チームがそれぞれの方法で解決策を編み出したとしよう。そこで、両チームに対して、互いに折り合いをつけて共通の方式を生み出すよう説得するのは、とてつもなく困難なことだろう。たとえ両者の違いが、重要な機能の根幹に関わるようなものでなかったとしても、自分たちが生み出したアイデアにこだわる可能性が高いからだ。

マイクロソフトの設計部門は大規模で多様性に富んでいて、権限委譲も進んでいるため、このような問題は他のテクノロジー企業よりも大きくなりがちだった。長年、似たようなサービスをいくつも提供していたことさえある。こういうやり方では、まずうまくいったためしがない。それとは対照的に、アップルは時折、製品を絞り込む戦略を繰り出し、この手の問題を解決する際の意思決定権限をスティーブ・ジョブズに集中させていた。何やら皮肉めいた話だが、ヨーロッパの規制当局が技術設計面でわれわれに妥協を強いる統一方式を決めたおかげで、当社が一種の恩恵にあずかることになったのである。

サティアはこの計画にゴーサインを出した。そして集まっていたメンバーに向かって、一つ新しい条件を加えた。

「これだけの時間とコストをかけて変更する以上、自社のためだけで終わらせてはもったいない。新しい機能は当事者である当社だけでなく、顧客にも第三者として利用してもらってはどうか」

つまり、すべての顧客がGDPR遵守のために使えるようなテクノロジーを開発せよという指示だった。特にデータが中心の世界では、まったくもって道理にかなった話だった。だが、見方を変えれば、作業も増えるわけだ。会議に出席していたエンジニアは一様に息を飲んだ。プロジェクトにはさらに多くの人員が必要になると覚悟を決めて会議は終わった。

膨大な技術要件を背景に、二つめの変化がすぐに表れた。地政学的に重大な影響がある変化だ。GDPR準拠のための設計業務が軌道に乗ったはいいが、地域ごとに異なるアーキテクチャを開発するとなると、さすがに情熱を維持することは難しくなっていった。いくつものシステムの保守にかかるコストは莫大だし、技術的にもあまりに煩雑になるからだ。

そんな折、二〇一八年初めにカナダのジャスティン・トルドー首相と興味深い意見交換をする機会に恵まれた。サティアとカナダを訪問したときには、トルドー首相のほか、上級補佐官数人が迎えてくれた。その際、プライバシー問題が話題に上った。当時、カナダでは依然として重要なテーマだったからだ。トルドー首相がカナダのプライバシー法改正の可能性を口にすると、すかさずサティアがGDPRの規定をそのまま採択してはどうかと水を向けた。この働きかけに先方は少々驚いたようだが、一つの国で何種類ものプロセスやアーキテクチャの維持にコストをかけたところで、そもそも重大な違いがない以上、コストに見合ったメリットは得られないというのがサティアの説明だった。

テクノロジー業界内でも、GDPRへの対応は、企業によって温度差があった。マイクロソフトはかなり熱心だったが、GDPRの要件の一部について負担が重すぎることを問題視する企業もあった。確かにGDPRには紛らわしい部分や改悪と思われる部分もあったが、テクノロジー業界の長期的な発展を考えれば、プライバシー問題に対する社会の信頼を維持することが重要だとわれわれは確信していた。

この考え方は、当社が一九九〇年代に独禁法訴訟に見舞われ、評判の面で高い代償を払った苦い経験から得た教訓でもある。当時と比べてバランス感覚のある態度で臨むようになったことに対して競合他社だけでなく社内のエンジニアからも日和見的だと見られたかもしれない。長い歳月と紆余曲折を経て、われわれも学んだということだ。

一方で、アメリカ国民がプライバシーに対して曖昧な態度を続けているのだから、規制強化など必要ないと主張する企業もあった。「プライバシーは死んだ。あきらめるしかない」というわけだ。

私は、プライバシー問題というものは、何か問題が起きない限り議論の対象にならないだろうと考えていた。この問題を深く考えるための政治的な基盤がほとんどないところに、ある日突然、手に負えない状況が生まれても不思議ではなかった。プライバシーに対する社会のどっちつかずの態度を見るにつけ、何十年も前の原子力業界の状況を思い起こさずにはいられなかった。

一九七〇年代の原子力産業は、原子力技術の進歩に伴うリスクについて国民的な議論を深めようともしなかった。一九七九年にペンシルベニア州のスリーマイル島原子力発電所で炉心溶融（メルトダウン）が発生した際には、国民も政治家も不意を突かれたような状態だった。他の国々とは異なり、アメリカはスリーマイル島事故の政治的後遺症を抱え、原子力発電所の建設もストップしてしまった。アメリカ国内で再び原子力発電所の建設が始まるまでには、それから三四年の歳月を必要としたのである。[13]

これこそ歴史に学ばなければいけないことであって、過去の過ちを繰り返すことは許されない。だが、二〇一八年三月、スリーマイル島級の世界を震撼させる事件が勃発する。選挙コンサルティング会社ケンブリッジ・アナリティカによるフェイスブック不正利用問題が明るみに出て、大きなプライバシー問題に発展したのだ。ケンブリッジ・アナリティカがフェイスブックの個人データを収集し、アメリカの有権者をターゲットにしたデータベースを作成したうえで、大統領選に出馬していたドナルド・トランプへの支持を働きかける広告が仕込まれたというものだ。このようなデータの利用自体、フェイスブックのポリシー違反に当たるのだが、この手の問題を検知できるようなコンプライアンスの仕組みがフェイスブックにはなかった。ユーザーから批判が殺到し、会社としては釈明のしようがない事件だった。できることといえば謝罪しかない。実際、マーク・ザッカーバーグも謝罪に追い込まれている。[14]

数週間もしないうちにアメリカ政府の風向きが変わってきた。規制に後ろ向きだったそれまでの姿勢とは打って変わり、もはや不可避の問題として、政治家とテクノロジー業界首脳がこの問題について協議する空気が醸成されたのである。とはいうものの、規制のあり方をはっきりと描けないまま時間だけが過ぎていった。

結局、その答えはアメリカの別のところから出てきた。シリコンバレーのすぐ近くだ。そこに第二の主役が現れる。この男が期せずしてシュレムスが担ったような旗振り役を演じることになったのである。

その人物とは、アラステア・マクタガートというアメリカ人だった。二〇一五年、サンフランシスコ・ベイエリアの不動産開発に携わっていたマクタガートは、カリフォルニア州ピードモントの緑豊かな郊外地区にある自宅でディナーパーティを開いた。サンフランシスコ湾を挟んで対岸には、個人情報をたっぷり握っているIT帝国シリコンバレーがある。パーティの招待客にはたまたまグーグル社員もいた。マクタガートがその客に仕事内容を尋ねたのだが、その答えにはどこか引っかかるものがあった。いや、恐怖感さえ覚えたのだ。

テクノロジー企業がいったいどのような個人情報を集めているのか。そんなものを集めてどうするつもりなのか。自分を収集対象から外してもらえるのか。マクタガートは次々に疑問をぶつけた。そして「もし顧客の個人情報を集めていることが世の中に知れ渡ったらどうなるか」と聞くと、そのエンジニアは「パニックになるんじゃないか」と答えたという。

カクテル片手に交わしたこの何気ない会話が、三〇〇万ドルをかけた二年に及ぶ運動のきっかけとなった。それから三年後、われわれとサンフランシスコで会ったマクタガートはそのときの思いをこんなふうに話した。

「これは大変なことだと感じました。『誰かが行動しなければいけない』と思ったんです。そして、その誰かというのは、自分かもしれないと」

ただ、マクタガートは三人の子を持つ父親であり、家庭がある。テクノロジー業界に喧嘩をふっかけるつもりはなかった。経営者として順風満帆であり、自由でオープンな市場の信奉者でもあった。何よりもＩＴ系企業がひしめくこの地域で不動産価格の上昇があったからこそ、商売もうまくいっていたのだ。だが、何かを変えなくてはいけないという使命感に駆られて決意した。そして、いつか子供たちに、個人情報という大切なものを守るために立ち上がったのだと伝えたい思いもあった。

マクタガートらの言葉を借りれば、現代は「監視のビジネス化」が横行する時代である。検索やコミュニケーション、位置情報、ショッピング、ソーシャルメディアなどを通じて、ユーザー本人の意向などおかまいなしに多くの個人情報が流れている。[15] そこから一握りの企業が想像を絶する力を手にしているとマクタガートは結論付けた。

「こういう企業の提示するプライバシー条件を受け入れなければ、サービスが使えない。とはいえ、今の世界で暮らしていくには、こういうサービスに頼らざるを得ない。しかも、個人情報の利用を拒否する選択肢もない」

無料のオンラインツールとは名ばかりで、実際には知らず知らずのうちに個人情報という対価を払わされているとマクタガートは指摘する。

このような野放しの状況を前に、マクタガートは志を同じくする支援者を募り、カリフォルニア州で新たなプライバシー保護法の制定を働きかけることになった。不動産に関わる規制や建築基準法が浸透している点に触れながら、「わたしが携わる業界は規制が厳しく、健全です。法律は常に技術に追い付いていかなければなりません。そうしないと、違法すれすれの線を突いてくる動きが絶えませんから」

マクタガートは不動産業の経験から政府の動きは十分に把握していた。政治的なセンスに長けていただけに、法案に対してシリコンバレーから反対の声が上がれば、州議会で法案を通すことは難しいと見ていた。となれば連邦法など夢のまた夢だ。

だが、カリフォルニア州は他の西海岸の州と同様に、別の政治的選択肢があった。これらの一八〇〇年代中期から後期にかけて誕生した新しい州では、憲法に定められた手続きに沿って一定数の署名を集めれば、住民投票を発議できるのだ。

過去には、カリフォルニアの住民発議（発案）をきっかけにアメリカの歴史の流れが何度となく変えられてきた。四〇年ほど前の一九七八年には「提案一三号」（州固定資産税の大幅削減を要求した税率制限条例改正提案）が住民投票で採択されたこともある。同提案によって州の固定資産税が減税されると、全米で住民運動に火が付いた。これが一九八〇年の大統領選に出馬していたロナルド・レーガン候補の追い風になり、「小さな政府」や減税を求める声が全国に広がった。このように、提案一三号は政治の流れを変える重大な分岐点になったと同時に、アメリカ人の八人に一人がカリフォルニア州民という事実を改めて実感させられる出来事でもあった。

さて、ケンブリッジ・アナリティカ事件はスリーマイル島級だったわけだが、アラステア・マクタガートはこの提案一三号に匹敵する旋風を巻き起こし、プライバシー保護制度を生み出すことができるのか。

その答えはあっという間に「イエス」に傾き始めた。マクタガートは住民投票に必要な数の二倍以上に及ぶ署名を集めた。彼の調査によれば、有権者の八〇%がプライバシー保護法案に賛成を表明していた。一方、反対意見が二〇%を占めたことにマクタガートは落胆したが、世論調査会社からこれほど高い賛成率は前代未聞と説明されて気を取り直したという。一般的には、豊富な資金力にものをいわせた住民投票運動の場合は、往々にして賛否が拮抗しやすいが、マクタガートが不動産事業で稼いだ資金をもっと注ぎ込んで運動を盛り上げる気があったら、一一月の投票で十分すぎるほどの賛成票を集めていたかもしれない。

マイクロソフトでは、マクタガートの住民投票運動を複雑な心境で受け止めていた。むろん、会社として連邦政府に働きかけるなど、アメリカでプライバシー保護法案を長らく支持してきた自負はある。二〇一八年五月のGDPR施行を受け、元FTC（連邦取引委員会）委員のジュリー・ブリルをプライバシー・規制問題責任者に迎え、競合他社とは一線を画する対応方針も貫いている。G

DPRは消費者のプライバシー権がEUの市民にしか与えられていないが、マイクロソフトとしてはその権利を世界中の消費者に広げる目標を立てた。

その結果、驚くべき事実が浮かび上がった。EUの消費者がプライバシー保護に熱心であることはわかっていたが、実はアメリカの消費者はそれ以上に高い関心を持っていることが判明したのだ。最終的にはアメリカもプライバシー権を保護する方向に進むというわれわれの感触は間違っていなかった。[16]

だが、マクタガートの法案は複雑で、難解な部分もあった。場合によっては、確かな根拠もなくGDPRと異なる技術要件が認められかねないとの懸念もあった。もちろん、こういった部分は、投票の賛否を左右するというよりも、議会や法案作成段階で修正してもらえば済む話ではあった。問題は、熱が冷めないうちに一一月のカリフォルニア州の住民投票から国政レベルへと持ち込めるかどうかだ。

テクノロジー企業のなかには、法案反対のための資金集め運動に乗り出す企業もあった。シリコンバレー界隈では、法案成立には五〇〇〇万ドル以上の資金が必要と見られていた。マイクロソフトは賛成派に一五万ドルを寄付した。業界内の賛成派との連携には十分な額だったが、反対活動を勢いづかせないための資金としては心もとない額だった。

結局、カリフォルニアの住民投票運動にはお金がかかりすぎるという理由で、賛成派と反対派が交渉のテーブルに着くことになった。法案の詳細を詰めたいマクタガートは、議員の同席を快く受け入れた。だが、一部のテクノロジー企業は、いったい何を要求すればいいのかもわからず苦労していたようだ。マイクロソフトでは、州政府にプライバシー専門家二人を送り込み、法案責任者やマクタガートのチームと行動をともにしながら細部まで把握するよう努めた。

紆余曲折はあったが、法案はついに議会を通過し、二〇一八年カリフォルニア州消費者プライバシー法が採択され、ジェリー・ブラウン州知事がただちに署名した。アメリカ史上最強のプライバシー法の誕生だった。GDPRと同様に、カリフォルニア州民は、自分に関するどのような個人情報が企業に収集されているのか確認できるだけでなく、その個人情報の販売を拒否したり、個人情報が保護されない場合には企業に責任を負わせたりすることが可能になった。

その影響はたちまち全米に広がった。長らくワシントンDCで包括的プライバシー法案に抵抗してきた反対派さえ、数週間もしないうちに宗旨替えの動きが見られた。カリフォルニアの〝水門〟が開けば、他の州も追随することは明らかだった。州ごとに規則がばらばらな状況を望まない経済団体は、カリフォルニア州法や他の州の措置に取って代わる連邦プライバシー法を採択するよう連邦議会にロビー活動を開始した。全国的な成果には道半ばだが、マクタガートはこの国のプライバシー問題に対する考え方を見事に変えてみせた。歴史的な偉業だった。

サンフランシスコでマクタガートと対面したときは、本人とはにわかに信じられなかった。これまでの経緯から、攻撃的なキャラクターを思い描いていた。あまりに強大になりすぎた業界に待ったをかけそうな、いかにも活動家然としたタイプではないかと。ところが実際に会ってみると、広い観点で将来を考える人当たりのいい実務家といった風情だったのだ。彼はこう説明した。

「これで終わりではありません。これからの一〇〇年を見据えて、テクノロジーとプライバシーについて議論していかねばなりません。独禁法も、スタンダード石油をめぐる訴訟から一世紀以上かかっていますから」

なるほどわかりやすい例えだ。マイクロソフトも、司法省がスタンダード石油の解体を命じてから八〇年後に独禁法の洗礼を受けた企業である。歴史を踏まえたマクタガートの指摘は、実に示唆に富んでいる。

マックス・シュレムスとアラステア・マクタガートの取り組みを重ね合わせると、将来に向けての重要な教訓がいくつか見えてくる。

第一に、一〇年か二〇年ほど前にテクノロジー業界の一部で、プライバシー問題は静かに終焉を迎えるとの予測もあったが、そうなるとは思えない。それどころか、暮らしのありとあらゆる面で〝デジタルの足跡〟が残されるという事実に人々が気づき始めている。プライバシーは保護が必要であり、強力なプライバシー法が欠かせなくなっている。アメリカがEUをはじめとする国々と歩調を合わせ、GDPRに匹敵する法律を施行する日が来るはずだ。

第二に、今後数年のうちに、特にヨーロッパでプライバシー保護の第三の波が押し寄せる見込みだ。サイトなどに表示される膨大なプライバシーポリシーなど読んでいる暇がないという声に応えてGDPRが誕生したのだが、今度は、消費者は別の不安を抱く。GDPRによってオンラインで利用可能になる自分の個人データにはどういうものがあるのか、すべてをチェックしておく時間などないという不安の声が上がっている。こうなると、データの収集・利用のあり方を規制する規則が新たな波として訪れても不思議ではない。

また、テクノロジー業界が知恵を絞り、プライバシーを保護しつつデータを上手に生かせるようなイノベーションを生み出す必要もある。実際、AIを改良し、データを暗号化したまま利用することでプライバシー保護を強化する技術など、新しい方式がいくつか登場し始めている。だが、これはほんの入り口にすぎない。

第三に、シュレムスとマクタガートの活躍は、世界の民主主義国家が持つ強みと可能性を物語っている。今の時代を象徴する強力なテクノロジーを管理していた規則が、一介の法律専攻学生や不動産業者によってひっくり返されてしまったのだ。独裁的な政府の指導者がこんな状況を目にしたら、さぞかし警戒するだろう。

だが、全体としてはましな状況になったと見ることもできる。シュレムスもマクタガートも、自分がおかしいと思った状況を正すため、既存の司法制度や住民発議の制度を使ったのである。人々のニーズの変化を見極め、混乱に拍車をかけるのではなく、混乱を抑えるうえで必要なら新たな法律を生み出すという民主主義社会の力を見事に示したのが二人の成功物語だ。むろん、民主主義社会がきちんと機能するなら、という条件は付く。

統合に向かおうとする世界経済の性格やヨーロッパのプライバシー保護規則の広範な影響力を考えると、中国のような国々までプライバシー保護対策の強化を迫られるようになる。別の言い方をすれば、ヨーロッパは、民主主義発祥の地、プライバシー保護の揺籃の地にとどまらない。プライバシーの将来が懸かった世界で、一番の期待の星といっても過言ではないのである。

第9章

深刻化するデジタルデバイド

ブロードバンド空白地帯をなくせ

ワシントン州リパブリックの大通りにあるノッティ・パイン・レストラン&ラウンジに足を踏み入れると、西部開拓時代のにわか景気に沸いた町にタイムスリップしたかのような光景が広がる。杉板張りのファサードは、炭鉱の町や林業の町が次々に誕生した時代を偲ばせる。だが、ドアにかけられた「オートバイ・ライダーさん歓迎」の明るい黄色の札を見ると、二一世紀の小さな町にいるのだという現実に引き戻される。

われわれは朝からレンタカーを借り、牧場や農場が続く曲がりくねった道を迷いながら走っていた。周囲には美しい景色が広がっていて、遠回りも苦ではなかった。約束の時間に遅れるわけにはいかないのだが、ワシントン州北東部の外れとあって、GPSもまともに機能しないことを実感した。結局、スマートフォンの地図は当てにならないと悟り、紙の地図を広げて国道二〇号線をたどり、フェリー郡を目指した［アメリカの郡は、各州の下にある最大の行政区画］。目的地の町では、地元の人々がわれわれの到着を待っていた。

フェリー郡は州内で常に最悪の失業率に喘いでいて、農閑期である冬季は失業率が一六％に達する。この日われわれが出発した場所は、同じ州内でもマイクロソフトやアマゾン、スターバックス、コストコ、ボーイングの本社があるキング郡だった。キング郡の失業率は四％を大きく下回る水準に改善され、成長率は全国平均の二倍を誇るなど、ワシントン州の屋台骨を担っている。このキング郡からカスケード山脈を挟んで反対側に位置しているのがフェリー郡だ。キング郡が享受している二一世紀の好景気の恩恵を山脈の向こう側にも波及させるにはどうすればいいのか。その可能性を地元民と話し合うのが今回の目的だった。

さて先ほどのレストラン、ノッティ・パインでは、朝食が終日オーダーできる。スクランブルエッグにベーコン、メープルシロップたっぷりのパンケーキというボリュームのあるセットがわずか五・九五ドル。長距離ドライブの後で、この食事はうれしい限りだったが、心温まるもてなしにさらに心を奪われた。

一九世紀末、探鉱のためにこの辺りに集まってきた山師らの間でユーレカ・ガルチと呼ばれていた小さな町は、後にリパブリックと名前が変わった。ワシントン州北東部の松林が広がるワウコンダとシャーマンという二つの峠に挟まれた谷間の町だ。シャーマン峠という名前は、南北戦争で名を上げたウィリアム・テカムセ・シャーマン将軍にちなんでいる。シャーマンは一八八三年にこの峠を越えたという。風光明媚でアウトドア好きには夢のような場所だ。

かつてこの町は、大きな金鉱脈で知られていた。当然、探鉱者や伐採業者が集まれば、それを支援する金融や運輸などのサービス業も次々に町に集まってくる。しかし鉱山が閉山したいま、町は将来の活路を見出そうと必死だ。

今回の会議の開催が決まった際、元樵夫で現在は町長を務めるエルバート・クーンツからは、昼食会には「一番上等なスウェットの上下」を着て出席すると楽しい予告があった。それだけに、彼がきちんとアイロンのかかったスラックス姿で現れたときは少々がっかりしてしまった。エルバートは知識も豊富なうえ、当意即妙の話上手だった。だが、フェリー郡の高速ブロードバンドの敷設状況について質問すると、笑顔が消え、あきれたような表情を見せた。

「この辺りにブロードバンドなんて使っている人間はまずいませんよ。ずいぶん前に（敷設の）約束がありましたが、それっきり音沙汰なしですから」

だが、FCC（連邦通信委員会）のデータによれば、フェリー郡の全住民がブロードバンド回線を利用可能となっている。

シャーマン峠に光ファイバー回線が通ったおかげで、一〇〇〇人ほどが暮らす小さな町の中心部はブロードバンドがそれなりに使えるようになった。だが、中心部から離れた世帯に恩恵がないことは明らかだった。「要するに森の中に住んでいることが問題なんです。町の中心から出たらそれまでっていうことですよ」とエルバート。

町側の参加者は町長の話にうなずき、それぞれにブロードバンドをめぐる身の上話を打ち明けていくうちに雰囲気が変わってきた。不安定な衛星回線サービスにすがった人もいたし、ノートパソコンのソフトウエアを更新するためだけにわざわざ町の中心部にあるＷＩＦＩを使いに来る人もいた。５Ｇサービスで状況が変わるはずと期待を抱く声もあった。だが、参加者に共通していたのは、フェリー郡の大部分に安定した高速ブロードバンド回線がないという不満だった。

「そんなことはＦＣＣに言えよ」と誰かが鼻で笑った。

実際、マイクロソフトはＦＣＣに陳情することにした。

数カ月後、ワシントンＤＣに飛んだ。あいにくの雨模様のなか、ＦＣＣ本部に向かった。受け付けを済ませ、セキュリティチェックを終えると、アジット・パイ委員長の執務室に通された。

「ようこそ。さっそくお話を伺いましょうか」

委員長が笑顔で迎えてくれた。

執務室の書棚や窓辺には家族の写真が並び、窓の外には雨の街並みが見える。インドで医師として活躍していた両親がアメリカに移住し、その二年後に生まれてカンザス州で育ったのが、パイ委員長だ。

私は、フェリー郡を訪問してわかった現地の状況を委員長に話した。ＦＣＣが作製している全米地図によれば、フェリー郡は住民全員がブロードバンド回線利用可能となっている。確かに「全員」

と書かれていた。

委員長の名誉のために言っておくが、ＦＣＣはブロードバンドをすべてのアメリカ人に届けることに力を注いでいる。だが、達成するには莫大なコストがかかり、気が遠くなるような難題だ。私はこの不備のある地図を指しながら、「もちろん、この問題をつくったのはあなたではありませんが、この問題を解消した委員長として名を残すかもしれませんよ」と伝えた。国家的な優先課題として扱ってもらう必要があったからだ。


リパブリックの町長が指摘していたように、フェリー郡に関する連邦政府のデータの大部分は間違っていた。いや、フェリー郡だけではない。もっといえば、アメリカの農山村部全体にいえることだ。フェリー郡の各地に暮らす住民の誰もがこの事実に気付いている。こんな状態で政府に対する信頼が醸成されるとは到底思えない。当の住民にしてみれば、不正確なデータは「少々不便」で済まされるものではない。ブロードバンド設備に対する国の予算配分にも関わる問題なのだ。政府が整備済みと信じ込んでいる地域に、新たに予算がつくわけがない。それだけではなく毎年夏になると西部地域で多発する大規模な山火事の際、使えるはずの回線が実は存在しないとなれば、消防隊などの重要な活動にも支障をきたすことになる。

エルバート町長は訴える。

「ここは西部の荒野ですからね。大きな保安官事務所もなければ、大きな消防署もない。ないないづくしですよ。火事になったら地元有志の消防団に頼るしかない」

ひとたび山火事が広がれば、本職ではない消防団員の命まで危険にさらすことになる。

二〇一六年、フェリー郡北部で火の回りが速い山火事が発生した。八月の激しい熱風で電線が切れ、乾燥した草に燃え移って炎が風に煽られて一気に広がったのだ。燃えさかる炎は五時間もしないうちに一〇平方キロに及ぶ範囲を焼きつくし、なおも広がりを見せていた。[1] 被災した地域は最も深刻なレベル三の避難指示が出されていた。つまり「今すぐ避難せよ」という命令だ。

携帯電話インフラの整備状況はムラがあり、ブロードバンド回線も未整備とあって、司令室と火災現場の間の重要情報のやり取りは不可能で、火災が広がっている方向や被災者の避難要請といった最新情報が当局に届かなかった。現場の消防隊、森林局、警察の間で重要情報を共有する唯一の手段は、USBメモリだった。現場でデータを保存して、小型トラックの運転手に託し、四〇分かけてリパブリックの中心部まで運んでもらう。これを受け取った当局者がブロードバンド回線や無線回線を使ってデータを関係者に送るといったありさまだった。

風速九メートルの風が火災の勢いでわずか一分後には台風並みの風速二二メートルの強風に変わることもあり、「危険そのもの」とエルバートは言う。

インターネットがダイヤルアップ接続だった時代を彷彿させるこんな生活はフェリー郡に限った話ではなく、あらゆる州にこういう地域が存在する。FCCがまとめた二〇一八年のブロードバンド報告書によれば、二四〇〇万以上の国民（このうち一九〇〇万人が農山村部）が高速ブロードバンドの固定回線を使えずにいる。[2] このブロードバンド難民の数は、ニューヨーク州の人口のざっと二倍に相当する。

農山村部でブロードバンドが使えないのは、料金の問題ではない。契約したくてもサービスが存在しないのだ。だから多くの人々がいまだに電話線を使うダイヤルアップ方式に頼らざるを得ない。一般的なオンラインサービスは、そこそこのスピードでダウンロードやアップロードができることを前提としているのだが、こういった地域ではそれもままならない。[3] 都市部では一〇年も前から普及している高速回線が農山村部のかなりの部分で使えないのだ。[4]

考えただけでゾッとするが、アメリカでブロードバンドが使えない国民の数が、FCCの把握している数字よりもはるかに多いことを示す有力な証拠もある。当社がデータを分析した結果、FCCの算定に使われた手法に問題があることが判明した。FCCでは、ある地域のサービスプロバイダーが「特別なリソースの投入なしに」ブロードバンドサービスの提供が可能と報告した場合には、ブロードバンド利用可能と判定していたのである。[5] だが、そのように回答したプロバイダーの多くは、実際にはサービスを提供していない。地元のレストランが「その気になれば無料でランチを提供できます」と言っていたからといって、本当に無料ということにはならないのと同じだ。[6]

実際、他のデータを基にすれば、まったく違う地図が出来上がる。たとえば、シンクタンクのピュー研究所は二〇〇〇年以降、定期的に調査を実施してインターネットの利用状況を追跡調査しているが、最新の調査結果によれば、アメリカ人の三五%は自宅でブロードバンドを使っていない。

これはおよそ一億一三〇〇万人に相当する。[7] ＦＣＣが独自に提供しているデータでさえ、アメリカの全世帯の四六％がブロードバンドの高速インターネットの契約ができずにいると報告しているのだ。[8]

ブロードバンドが利用可能であることと、実際に利用していることは別物だが、あまりに乖離している場合、どちらかの数字が間違っていると考えるべきだろう。そこで、われわれは公共機関が提供しているデータと自社データを基に、もっと掘り下げた調査を実施するようマイクロソフト社内のデータサイエンスチームに依頼した。その調査によると、ＦＣＣの推定よりもピュー研究所の数字の方がはるかに的を射ていることがわかった。[9] もっといえば、アメリカでブロードバンドの整備状況を徹底的に正確に推計したデータは、現時点でどこにも存在しないという、否定の余地のない結論にたどり着く。

そんなに重要なことかと思われるかもしれないが、それが大いに重要なのだ。

ブロードバンドは二一世紀の電力網のようなものである。仕事や生活、教育の基盤となるものだ。医療の未来は遠隔医療になる。教育の未来はオンライン教育になる。農業の未来は精密農業（農地・農作物の精密データを駆使して農作物の収量・品質の向上を図る農業管理手法）になる。

コンピュータネットワークの一番端っこにあるＰＣやスマートフォンなどの小型で高性能な端末機器がそこらじゅうにあふれ、手元の機器だけで今よりも多くのデータが処理されるようになるとしても、クラウドへの高速アクセスは依然として必要だ。そこで求められるのがブロードバンド回線である。

二一世紀の今日、ブロードバンドなき農山村地域が今なお厳然として存在する。しかも、その事実がありとあらゆる経済指標に表れている。世界中の大学や研究機関がすでに指摘してきたことだが、マイクロソフトのデータサイエンスチームでも確認できたことがある。それは、ブロードバンド整備率が最も低い郡が頻繁にアメリカ最悪の失業率を記録している点だ。ブロードバンドの整備状況と経済成長に強い相関が見られるのである。[10]

実際、事業拠点や雇用の拡大について企業経営者と話していると、決まってこのブロードバンド整備状況が話題に上る。ブロードバンド未整備の地域に事業拠点を開設してくれと要望するのは、砂漠のど真ん中に店を出してくれと頼むようなものだ。高速データアクセスに依存する世の中では、ブロードバンドなき地域は〝通信砂漠〟なのである。雇用の伸びが期待できなければ、地域社会のあらゆる面に影響が及ぶ。

二〇一六年一一月のアメリカ大統領選が終わると、選挙運動中は賑やかだった農山村部も、選挙終了後は急に忘れ去られた土地のように静まり返っていた。当初は意外な感じがしたのだが、今考えれば意外でも何でもなかったのだ。こうした地域の人々にとって、都市部から郊外へと入る境界でアメリカの経済的繁栄の波に急ブレーキがかかる。

歴史的にフェリー郡のような農山村地域の郡の票が、ホワイトハウスにポピュリスト政治家を送り込む後押しとなった。今回のわれわれの出張のスタート地点となったキング郡はシアトルを抱える都市部で、ドナルド・トランプに投じた票はわずか二二％にとどまった。

一方、フェリー郡でヒラリー・クリントンが獲得した票はわずか三〇％にすぎなかった。[11] 国政に関していえば、両郡は対極の位置にあった。今回、一日のうちにこの二つの異質な土地で過ごしてみて、分断国家を肌で実感できた。

農山村地域に明るい未来をもたらす条件は何か。その答えを考えるうえで、今回の出来事は、部分的ながらも取り組むべき方向を示している。

農村問題研究所は、ほぼ直感的にこの問題を感じ取っていた。同研究所はアイオワ州とネブラスカ州の三カ所に事務所を構え、この国の政治について歯に衣着せぬ物言いで提言している。

「はっきりいって、見てのとおりの田舎です。われわれは小規模家族経営の農家や牧場、新興企業のオーナー、農村地域社会の声を代弁しています」[12]

後になってわかったのだが、この農村問題研究所は、ブロードバンド導入の採算性に関する詳細データと数字を持っていた。二〇一八年に同研究所が公開した「繁栄への道」と題したレポートによれば、ブロードバンド回線ユーザー一〇〇〇人が新規に加入するたびに八〇人の雇用が創出される。[13] また、家庭向けブロードバンド回線の速度が四メガビット／秒（Ｍｂｐｓ）上がるたびに、年間世帯収入は二一〇〇ドル増加するという。さらに、求職者は、従来の職探しの方法よりもオンラインで探した方が二五％早く職にありつけると結論付けている。[14]

現在のアメリカ農山村部のブロードバンド整備がお寒い状況にあるのは、いくつか理由がある。何よりもブロードバンドのインターネット回線の敷設コストがかかりすぎる点が挙げられる。業界の推定によれば、従来のブロードバンドといえば光ファイバーケーブルの敷設が標準中の標準だが、その敷設には一マイル（一・六キロ）当たり三万ドル（三〇〇万円以上）かかる。[15] 国内の人里離れた地域でブロードバンドを十分に整備するには、何十億ドルもの費用がかかり、民間企業にとってはそうやすやすと投資する気にならないのである。[16] 毎年、FCCは移動通信基金や従来の制度を通じて無線通信事業者に資金を拠出しているものの、ユニバーサルサービス制度や従来制度を通じて固定回線事業者に拠出している額の方が八倍も大きいのだ。[17]

だが、これは第二の問題にもつながっている。光ファイバーケーブルに取って代わる方式の開発が最近まで遅々として進まず、足並みもそろっていなかった。4G LTEなどの移動通信技術によって、スマートフォンなどモバイル機器でブロードバンドに近い速度が得られるようになったが、これはどちらかといえば人口密度の高い地域に適している。むしろ過疎地には衛星通信を利用したブロードバンドの方が向いているが、伝送遅延が大きくなりやすく、十分な通信帯域が確保できず、データ通信コストが高くなる。

第三に、規制面に不確実性があることも、農山村部でのブロードバンド整備を阻む原因になっている。たとえば、ネットワーク設備への接続に当たって通信事業者が線路敷設権（回線敷設・保守の際、自社が所有しない土地などを使用する権利）を行使しようとすると、国、州、自治体ごとにややこしい許認可規則に突き当たることが多く、これが時間とコストを押し上げる要因になる。[18]

第四に、農山村部はブロードバンド需要が小さいというイメージが民間投資意欲を削いでいる。一マイル当たり三万ドルのコストがかかる光ファイバーがなければ収益は見込めないということなら、なるほどそのイメージは間違っていない。だが重要なポイントを見逃している。農山村部の需要は架空のものではなく実際に存在している。より低コストの方式でこのニーズに対応することもできるはずだ。

ここで改めて歴史を振り返ってみよう。テクノロジーを俯瞰することにより、未来への重要なヒントが得られるからだ。

歴史を見ると、ケーブルテレビや電力、固定電話などの有線系技術は、ラジオやテレビ、携帯電話といった無線系技術に比べ、農山村部の奥深くまで普及するのに、はるかに時間がかかっている。固定電話回線が九〇%の普及率に到達するまでに四〇年を要したが、携帯電話はわずか一〇年で同じ普及率を達成している。その証拠に、ブロードバンド格差という言葉はあっても、ラジオ格差とかテレビ格差の解消といった言葉は聞いたことがない。ラジオやテレビなどの無線を利用した機器は、あっという間に受け入れられたし、電源を入れて周波数やチャンネルを合わせるだけで、すぐに使える道具だ。[19] つまり、ブロードバンドを光ファイバーケーブルから無線に転換できるなら、ブロードバンドのエリア拡大、高速化、低コスト化を図ることが可能だ。しかも、アメリカだけでなく、世界中で応用できる。

ここ一〇年ほどで、ブロードバンド格差の解消に向け、新たな無線技術が登場しつつある。これは、テレビ用ホワイトスペースと呼ばれ、テレビ放送の周波数帯の中で放送波の干渉を回避するために実際には利用されていない部分を通信に使うアイデアだ。テレビ放送用に使われている周波数帯は遠くまで届くメリットがある。ケーブルテレビを利用しない家庭に育った人なら、屋根の上に取り付けた大きなテレビアンテナに見覚えがあるだろう。あるいは、テレビの上に置いたウサギの耳のような室内アンテナを動かしてテレビの映りを調整した経験があるかもしれない。こうしたＶＨＦやＵＨＦと呼ばれる地上波は、山の陰に回り込み、森林や住宅の壁を突き抜けて遠くまで飛ぶ特性がある。現在、ＶＨＦ帯とＵＨＦ帯の多くのチャンネルが未使用になっていて、他の目的に転用可能だ。また、新たに開発されたデータベース技術やアンテナ、端末を駆使し、テレビ用ホワイトスペースの周波数を使う電波塔に光ファイバーケーブルを引き込み、塔から一五キロ以上離れた町や村、家庭、農場でも無線でカバーできる。

偶然にも私はテレビ用ホワイトスペース技術のアフリカ初のデモンストレーションでスイッチを押す役を担った。二〇一一年ケニアのナイロビで開かれた国連のある会議でのことだ。テレビ用ホワイトスペースの電波にインターネットの通信信号を乗せ、一・六キロ離れた地点間でＸｂｏｘを使ったブロードバンドの高速通信を披露したのである。この技術の可能性を早い段階で評価してくれたのが、ケニア政府関係者だった。そこで引き続きケニアのほか、数カ国の政府と共同で開発に取り組んだ。

二〇一五年、再びケニアの赤道直下にある小さな農村を訪れた。この村で電気が使えるのは人口の一二%にとどまっていた。だが、あるベンチャー企業と手を組み、テレビ用ホワイトスペースを使ってブロードバンド回線を整備した。地元の教師らと話したところ、生徒の成績が上がったことや就職先が決まった村民のことが話題に上り、一年前なら想像もできなかった状況になっているという。

二〇一七年には、アメリカの農山村地域を含め、テレビ用ホワイトスペース技術を大規模に展開する準備が整ったと判断した。計画立案から数カ月後の七月、ワシントンDCのウィラードインターコンチネンタルホテルで「マイクロソフト・ルーラル・エアバンド・イニシアティブ」という構想を発表した。

われわれは発表の場で、二〇二二年七月四日までの五年以内に農山村部向けブロードバンドのカバーエリアを拡大し、利用者を新たに二〇〇万人増やすと公約した。マイクロソフトは通信事業に参入するつもりはないが、通信事業者と提携し、テレビ用ホワイトスペースの周波数帯を使った新型無線機器など、さまざまな無線技術を組み合わせて対応する方針を打ち出した。また、五年間の事業で得られる収益はもれなくカバーエリア拡大に再投資することも公約した。政府に対しては、農山村部向けブロードバンドの整備促進を訴え、一二カ月以内に一二の州で計一二件のプロジェクトを立ち上げることも併せて発表した。これがうまくいけば、プロジェクトのさらなる拡充も想定していた。
会場にホワイトハウスからほど近いウィラードホテルを選定したのには、わけがある。場所柄、連邦議会議員の注意を喚起する狙いもあったが、実は一九一六年三月七日に、まさにこの場で起こった出来事に敬意を表す意味もあったからだ。その日、アレクサンダー・グラハム・ベル、アメリカ電話電信会社（AT&T）の経営幹部、そして各界著名人らがこの高級ホテルに集まり、米国地理学協会主催の豪勢な晩餐会が開かれた。ベルが発明した電話が四〇周年を迎えたことを祝う宴だった。だが、AT&Tの経営幹部は、単に過去を振り返る祝宴で終わらせるつもりはなかった。この場を利用して、大胆な未来像を語ってみせる計画だったのだ。[20]
当時のAT&Tの社長、セオドア・ヴェイルは、人里離れた地も含め全米の隅から隅まで長距離電話を普及させるというビジョンをぶち上げる気だった。アメリカが国家として意気込んで飛びつく大義だった。この晩餐会が開かれるまでは、商用電話サービスは、大都市間を結ぶ回線やごく少数の小規模電話交換局宛てに限られるというのが一般のイメージだった。
「やがて誰もが、どこからでも、すぐその場で世界中の相手と話ができるようになると言ったら、言いすぎでしょうか」
ヴェイルは会場に語りかけた。[21]
現代に生きる人々は、それが夢物語でなかったことを知っている。そしてこの国は見事にそれを実現してみせた。かつてのこの国には、こういった課題を克服してきた歴史があり、人々は何度でも困難を克服できると自信を持っていた。

われわれは、ブロードバンド利用者を二〇〇万人上乗せするというエアバンド計画を掲げつつも、実はそれよりもはるかに大きなゴールをはっきりと描いていた。テクノロジーを生かして、政府の干渉を受けない自由企業の力を発揮し、市場原理を通じて、農山村部の誰もがブロードバンド格差から迅速に抜け出せるようにしたいと考えたのである。当然、資金の一部は、チップメーカーや端末機器メーカーによるハードウエア面のイノベーション促進に使う必要がある。高速の通信信号を家庭やオフィス、農場へと届け、そこでＷｉ‐Ｆｉ信号に変換する仕組みが欠かせないからだ。また、こうした機器を通信事業者が調達する際に、本来なら大手事業者しか享受できない大口購入ディスカウントが受けられるように、小規模通信事業者が集まって共同調達のコンソーシアムを結成することも重要である。

こういう活動を通じてマイクロソフトが学んだのは、政府よりも目的を絞り込んでフットワークよく動けば自分たちが思う以上に素早く結果を出せるということだ。エアバンド計画の発表から一七カ月間で、一六の州と業務提携を締結した。この提携でブロードバンドのカバーエリアが拡大すれば、ブロードバンド難民だった一〇〇万人を新たにユーザーとして迎え入れることになる。想定を上回る進展だったこともあり、われわれは二〇一八年末の時点で、二〇二二年までのカバーエリアを二〇〇万人から三〇〇万人へと上方修正するという踏み込んだ目標を掲げた。また、追加措置を講じることにより、この方式ならさらなる拡大も可能と手応えを感じた。

業界ではマイクロソフトの発表がやっかみ半分で見られていたとしても不思議ではない。農山村地域のラジオ局のトーク番組や地元新聞の社説が支援を表明してくれたし、知事や連邦議会の議員からは地元の自治体もリストに加えてくれと要望する電話が殺到したからだ。

この戦略を実現する鍵は、状況に合わせて適切な接続方式を選定できるかどうかにかかっている。ブロードバンド難民となっている農山村部の八〇%程度、とりわけ人口密度が一平方マイル（二・六平方キロ）当たり二〜二〇〇人のエリアは、最終的にテレビ用ホワイトスペースなどの加入者系無線アクセス方式に落ち着くと当社は見ている。だが、別のエリアでは、ケーブルや衛星といった他の方式が必要なケースもある。こうしたハイブリッド型なら、光ファイバーだけの場合と比べて、初期投資や運用コストを八〇%程度は確実に削減できるだろう。現行のＬＴＥによる加入者系無線アクセスと比較してもコストは約五〇%減になる。

エアバンド計画で、通信事業者との提携事業の収益をすべて再投資に回すという当社の方針を聞いて、いぶかしく思う人々もいるだろう。企業がこのように資金を使うのはどういうことか。すでに指摘していることだが、クラウドに接続する人々が増えるほど、マイクロソフトを含むテクノロジー業界全体が潤う。しかも、ひとたびクラウドに接続してくれるようになれば、われわれも農山村地域で利用してもらえそうなアプリケーションを新規開発することになる。

すでにおもしろいアプリケーションが登場しているが、その一つがファームビーツ（FarmBeats）である。テレビ用ホワイトスペースを使って農場に設置されている小型センサーに接続して精密農法に取り組めば、農業生産性の向上と環境負荷の削減につながる。世の中に役立つ新たな方法が見つかれば、当社としては農山村部での経済成長を後押しする投資もやぶさかではないのだ。

しかし、いくら市場原理が働くとしても、ブロードバンド格差の解消に当たっては、公共部門に重要な役割を果たしてもらわねばならない。第一に、今後も必要なテレビ用ホワイトスペースが確実に使い続けられるよう、規制面の不確実性を排除してもらう必要がある。テレビ放送用周波数帯の一部はオークション方式で移動通信事業者に免許が付与されているが、どの地域でもテレビ用ホワイトスペース技術に少なくとも二つの未使用チャンネル、とりわけ農山村部向けはさらに多くのチャンネルを免許不要で供する措置が求められる。幸いにも、この点に関してはすでに取り組みが進んでいる。

第二に、高コストの光ファイバーケーブルの敷設にばかり公的資金を使うのではなく、新しい技術に重きを置いた公的資金の投入も必要である。通信事業者の設備投資に匹敵する額が政府からも拠出されれば、最低のコストで最大の効果が見込める。これこそ、目下の取り組みを加速し、民間企業の力だけではブロードバンド整備が追い付かない地域での普及を後押しすることになる。

第三に、ブロードバンド格差に光を当て、国を挙げて格差解消に取り組む必要がある。電力の場合と同じように、ブロードバンド格差で国が分断されるようなことになれば、全体として国家の分断はますます深刻化するからだ。

実際、アメリカは都市部にとどまらず、全国あまねく電力網を整備した実績があり、その取り組みには学ぶべき点がいくつもある。一九三五年、当時のフランクリン・D・ルーズベルト大統領は、農山村部の農民が置かれた窮状に心を痛め、電力網の全国整備を誓った。農山村部を置き去りにして、この国が新しいテクノロジーの時代へと進むことはできないと考えたからだ。

フランクリン・ルーズベルト大統領は、大恐慌でボロボロになったアメリカ経済を浮上させようとニューディール政策を打ち出し、その一環として農村電化局（REA）を設置する大統領令に署名した。同局は農村ごとの地域電力協同組合の設立を後押しし、電力網から各世帯まで引き込むラストマイルの工事費用をこの協同組合が肩代わりする仕組みを提唱した。すでに肥料や農機具を協同組合を通じて購入していた農家にとって、おなじみの仕組みだ。REAの低金利融資で地域電力網を建設し、その後、各地の協同組合が所有と管理に当たった。

これは政府主導のプログラムだったが、国の隅々まで電力網を整備しようとする人々がいないことには話にならない。そこで、当時アメリカを変えようと情熱を燃やした人々は、ともかく真っ先にアイオワ州に向かった。大統領選予備選の幕開けとなる重要な州だから、という今日的な理由からではない。農業の盛んなこの州で電気という新しいテクノロジーの有望性をアピールするためだった。

八〇年以上も前に電力がなくて苦労していたアイオワ州ジョーンズ郡の農民らは、きっと今回われわれがノッティ・パイン・レストランで出会った住民らと同じ苦痛を味わっていたはずだ。

一九三八年夏、州東部のアナモサという小さな町で、夜を照らすきらびやかな大テントに人々はおぼろげながら希望の光を見た。何やら華やかなイベントが開かれるとの噂を聞きつけ、初日の晩にアイオワの農山村部に暮らす人々が楽しみを求めて集まってきた。農民たちにとって、一日の疲れを癒やすことはもちろん、一〇年近くに及ぶ経済的な苦境をしばし忘れることができるひとときでもあった。

そのイベントは、REA主催の〝電化サーカス〟の巡回公演だった。とはいえピエロも曲芸もなければ、芸達者な動物たちもいない。電化の素晴らしさを農山村に暮らす人々に啓発する活動として、REAが考案したイベントだ。それでも観客は大いに沸いたことから、いつのまにか「電化サーカス」と呼ばれるようになっていたのだ。大テントの中には、ランプや料理用レンジ、冷蔵庫、ヒナの保育箱、搾乳機など〝現代の奇跡〟がずらりと並び、REAの初代マスコットガール、ルイザン・ママーが司会役として電化の魅力をアピールするという寸法だった。[22]

ルイザンがスイッチを倒したり、ノブを回したりするだけで、部屋が明るく照らされ、服が洗濯されて、きれいにプレスされる。そうかと思えば、今度は音楽がかかり、ゴミはどんどん吸引されて、食材は冷蔵される。当時、電気を使わない食事の準備は重労働そのものだった。そんな時代に、マスコットガールはキッチンで何の苦労もなく料理をつくってみせた。ウェスティングハウス社の料理用レンジで、彼女がビーフシチューやら七面鳥のローストやらフルーツダンプリング（フルーツ入り茹で団子）やらを手早くつくり出す様子に観衆は度肝を抜かれた。そして最後に会場から二人の男性を舞台に上げて料理対決でショーは幕を閉じた。[23]

ルイザンがREAのマスコットガールになった当時、アメリカで電気を使っていた人々の割合は都市部で九〇％だったのに対し、農山村部では一〇％にとどまっていた。[24] これほどの格差は他の西側諸国で見られないものだった。たとえばフランスの農村では、住宅・納屋・畜舎の電化率は九五％近くに達していた。[25]

一方、アメリカの場合、今日の大手通信企業と同様に、民間の電力会社が主要高速道路沿いの町を電力供給エリアとしていた。農村を中心とする過疎地域は含まれていなかった。アメリカの広大な農山村部にまで送電線を延長したとしても、そのコストを回収するのは難しいと判断していたからだ。たとえこうした農山村部に送電線がつながったとしても、大恐慌でとりわけ深刻な打撃を受けた農家に毎月の電気料金を払えるわけがないと電力会社は見ていたのである。

電気が使えないために、農家は現代の利便性や快適性を享受できなかっただけでなく、アメリカの景気回復からも締め出されてしまった。アメリカの新しい経済の恩恵にあずかろうと思えば、民間電力会社に法外な費用を払って送電線を自宅まで延長してもらうほかなかった。ペンシルベニア州の田園風景が広がるデリータウンシップに住むジョン・アール・ジョージは、自宅まで三三五メートルほど送電線を延長してもらうだけで四七一ドルかかるとペンシルベニア電力会社から説明されたという。一九三九年当時の四七一ドルといえば、ペンシルベニア農村部の平均年収に匹敵する額だ。[26]

最終的に、ＲＥＡは全米で四一七の協同組合を支援し、合わせて二八万八〇〇〇世帯への電力供給を実現した。[27] また、電気という新たなテクノロジーを活用してもらうため、農山村住民への啓発活動として始まった電化サーカスの全米巡回公演は、四年に渡って開催された。この電化サーカスの最初の開催地となったのが、アイオワ州のマクオキータバレー農村電力協同組合だった。[28] 公演も四年目に入ると、農山村部から一万人の観客を動員するまでになっていた。[29]

一九三〇年代末までに農山村部の世帯の四分の一が電化を果たした。[30] 前出のペンシルベニア州のジョン・アール・ジョージは、結局、五ドルの加入料でサウスウエストセントラル農村電力協同組合の組合員となった。最初の請求書は三・四〇ドルだった。[31] フランクリン・ルーズベルト大統領が亡くなった一九四五年には、アメリカの農山村部の農家一〇軒のうち九軒が電力供給を受けるまでになっていた。[32] 官民の提携、不屈の精神、そしてちょっとした工夫のおかげで、アメリカは一〇年間で農山村の電力格差を八〇％も解消することに成功した。しかも、景気回復に手間取り、第二次世界大戦もあった時代に、である。

マスコットガールのルイザンにとって、最新のテクノロジーを農村に導入することは、単なる経済的な必然性にとどまらず、社会的な大義もあると感じていた。水道も電気も通っていないイリノイ州の田舎で育ったルイザンは、農家の過酷な労働環境を身をもって理解していた。電気がないために農家は生活が苦しかっただけでなく、命までも危険にさらされていた。歳を重ねて八〇代に突入していたルイザンは、あるインタビューで次のように当時を振り返った。

「田舎の家庭ならほぼ例外なく同じ認識だったと思いますが、農村の家事の過酷さは何とか軽減してほしかったですね。何をするにせよ手作業の重労働を強いられ、子だくさんでもあったので、女性は今よりもはるかに短命でした[33]」

何よりも、ルイザンの言葉は、新しいテクノロジーの普及を単に経済的なニーズとしてではなく、社会的大義として捉える必要があることを再認識させてくれた。

さて、われわれが訪問したワシントン州フェリー郡を去るころには、新たな知識を大量に得ていた。そして何よりも、われわれに何か意味のあることはできるだろうか、という思いでいっぱいになっていた。

村に暮らす人々との別れ際に、口先だけの約束をいくつも並べ立てることだけはしたくなかったのだ。実際、過去にいろいろな人々が空手形を切っていったようだ。マイクロソフトのエアバンド計画は、町長のエルバートをはじめ、フェリー郡の住民に二一世紀のテクノロジーを届ける役割を果たすはずだ。当社のエアバンド計画責任者のポール・ガーネットにゴーサインを出し、しかるべきパートナーを見つけるよう命じた。その努力が実り、デクラレーション・ネットワークス・グループと共同で、フェリー郡東部と、その隣のスティーブンス郡の住民四万七〇〇〇人にテレビ用ホワイトスペースなど無線技術を生かしたブロードバンドサービスを三年後までに提供することで合意し、年末までに発表にこぎ付けることができた。これはまだ始まりにすぎないが、空手形ではない本物の第一歩だ。

　われわれが初めてフェリー郡を訪れてから約一年後の二〇一九年夏、デクラレーション・ネットワークスなどのパートナーとの共同事業の進捗状況を確認するため、再びリパブリックを訪ねた。さすがにもう道に迷うことはなかった。

　その晩、町のメインストリートにあるリパブリック・ブリューイング・カンパニーという地ビールレストランに立ち寄った。この町の社交場のような店だ。店の前には巨大なガレージのドアがある。天気のいい日はドアを開け放ち、歩道までテーブルが並ぶ。

　店は何人かが共同で経営しているようだが、前年に訪れたときは女性のオーナーがバーを取り仕切っていた。われわれがマイクロソフトの人間だと知って彼女は驚いていた。彼女と話しているうちにマイクロソフトにとっての今後のチャンスと課題が見えてきた。

「五年後までにこの地域でインターネット接続ができるようになったら、きっと今とはまるで違う状況になっているでしょうね」

　そういって彼女はしばし思いにふけった。

「ここには優秀な人たちがたくさんいるんです。そういう人たちがインターネットを使えるようになったら、想像もしなかったような生き方ができるって気付くんじゃないかしら」

　それから何カ月にも渡って、われわれは毎朝、目を覚ますと、真っ先にこの挑戦が頭に浮かんだ。これから何年にも渡って、この国全体で取り組んでゆくべき挑戦でもある。

第10章

テクノロジーと人材

コンピュータサイエンスの教師が足りない

テクノロジーと聞くと、ほとんどの人々は世に出回っている何らかの形ある製品を思い浮かべる。確かにテクノロジー業界が世に送り出す製品が耳目を集め、仕事や暮らしのあり方に影響を与えている。ヒット商品がすぐに懐かしの商品になってしまうほど目まぐるしい時代にあっては、テクノロジー企業の成否は、次も優れた製品を生み出せるかどうかにかかっている。そして新製品の成否はそれを生み出す人間にかかっている。つまり、テクノロジーとは基本的に人間のビジネスなのだ。「第四次産業革命」は、デジタルトランスフォーメーションが核となる。ある意味であらゆる企業がテクノロジー企業になるということだ。それは政府機関だろうが非営利団体だろうが同じである。その結果、経済のあらゆる場面でテクノロジーを支える人間が重要になってくる。

人が確保できなければ、甚大な影響から逃れられない。企業がデジタル時代に成功を収めるためには、自社で育てるにせよ、中途採用するにせよ、世界に通用する人材を確保する必要がある。地域社会は住民に新しい技術スキルを浸透させる必要がある。国家にとっては世界に通用する人材を招くことができる移民政策が重要だ。そして雇用主は多様化する顧客や消費者を踏まえ、これに対応できる労働力を育まなければならない。そのためには、これまで以上に多様な人材を集めるだけでなく、従業員が絶えず学び合えるような企業文化や業務プロセスが必要になる。やがてテクノロジーは都市部の成長を加速する。すると成長に伴って厄介な課題も生じてくる。その場合、個々の組織だけでなく、地域全体として対処する力が求められる。

こうした課題に対応するにあたって、テクノロジー企業は地域社会や国の協力を必要としている。一方でテクノロジー企業には、もっと自力で対処する機会と責任がある。だが、これは気が遠くなるような難題である。いくつもの要素を同時に動かしていかなければ解決できず、まるでルービックキューブだ。

では、どうしたらテクノロジーを支える人間的側面は改善できるのか。

マイクロソフトは、社内ソフトウエア開発者向けのサイエンスフェア「テックフェスト」を毎年開催しているが、二〇一八年のフェアは、実にいい学びの機会になった。このイベントは、基礎研究に特化した世界最大級の研究機関、マイクロソフトリサーチ（ＭＳＲ）がマイクロソフトカンファレンスセンターを会場に実施している。

テクノロジーを生み出す人材という意味では、ここに集う面々は精鋭中の精鋭ばかりで、ただの開発者のお祭りとはわけが違う。最先端のテクノロジーの世界を真っ先に垣間見ることのできる重要な場だ。

MSRには、一二〇〇人を超える博士号取得者が在籍し、このうちコンピュータサイエンスの学位を持つ研究者は八〇〇人に上る。ちなみに、有力大学のコンピュータサイエンス系学部の場合、六〇〜一〇〇人の博士号取得者を教授陣や博士研究員（いわゆるポスドク）として採用していることを考えれば、その規模がわかるだろう。また、質の面でもMSRは、上位大学に匹敵するレベルにある。世界トップクラスの大学のコンピュータサイエンス学部が一〇倍の規模になった組織を想像していただきたい。何十年も前にAT&Tが築き上げたベル研究所の現代版ともいえる。[1]

MSRの毎年恒例のテックフェストは、見本市に似ているが、参加者は基本的にマイクロソフト従業員に限定されている。MSR所属の研究チームごとにブースを設置し、ここで最新の成果を披露する。社内のさまざまな部門のエンジニアを招いて最先端テクノロジーに触れてもらい、できる限り迅速に製品に採用してもらうことが狙いだ。

この年のテックフェストで前評判の高かった必見リストのトップに挙げられていたのが「プライベートAI」である。暗号化されたデータをそのまま使ってAIアルゴリズムをトレーニングする新たな手法で、高度なプライバシー保護を実現する最新の成果だ。このプライベートAIを開発したチームは、自慢の展示の前でわれわれの質問に熱心に答えてくれた。同チームは結束力が強く、メンバー同士も互いに気心が知れた仲だった。だが、技術説明が終わった後で、もう一つ注目すべき点があることに気付いた。メンバーは全部で八人なのだが、国籍は七つという国際チームで、アメリカが二人、フィンランド、イスラエル、アルメニア、インド、イラン、中国が一人ずつという構成だった。その八人全員が現在はシアトルに暮らし、レドモンド本社で一緒に働いていた。

このチームは、何か非常に大きなものを象徴しているように思えた。彼らはテクノロジーの最重要課題の一つに取り組んでいたわけだが、そのためには世界トップクラスの人材が欠かせない。そんな顔ぶれのチームにするには、アメリカの移民制度がなければ実現しないのである。

移民制度はアメリカのテクノロジー業界で長らく難しい課題となっている。ある面で移民制度はアメリカがテクノロジーで世界をリードするために欠かせないものだ。世界の超一流人材がアメリカの有力大学で研究に従事し、アメリカのハイテク拠点に定住しているからこそ情報技術の分野でアメリカがグローバルリーダーの座を獲得できているのである。

かつてアメリカ西海岸の経済がまだ農業中心で、「シリコン」といってもケイ素しか思い付かなかったような時代に、移民がイノベーションで重要な役割を果たしていた。大恐慌のどん底にあったころ、ドイツからアルベルト・アインシュタインを移民として受け入れたからこそ、フランクリン・ルーズベルト大統領は、マンハッタン計画の必要性に目を向けることができたのだ。[2] 第二次世界大戦後、ドイツのロケット研究者に移民の機会を与えたからこそ、人類初の月面着陸に成功したのだ。国内有力大学の基礎研究への連邦政府の助成、アイゼンハワー大統領による公立学校での理数教育の支援によって、アメリカは研究、教育、移民の体制を確立し、これがその後の何十年にも渡って、経済と知の分野で世界をリードすることになったのである。[3]

やがて他の国々もこの仕組みを研究し、模倣するようになった。ところが、当のアメリカは、成功した要因がこの仕組みにあったことを徐々に忘れてしまった。しかも、この仕組みをさまざまな角度から支えてきた政治的支援も崩壊し始めた。

テクノロジー業界は、二一世紀に入ってすぐに移民制度への対応をめぐる不協和音にさらされることになった。共和党は高度な技能を持つ移民労働者を認めるものの、幅広く移民を受け入れる制度改革には消極的だった。一方、民主党は、幅広く移民を受け入れる制度改革抜きには、高度な技能を持つ移民労働者も認めるつもりがない。両党の指導層と何年も意見交換を続けているが、必ずといっていいほど何も決まらない不満足な結果に終わっていた。二〇一六年の大統領選後、この状況は悪化の一途をたどった。

二〇一六年一二月、サティアとニューヨークに飛んだ。当選したばかりのトランプ次期大統領がトランプタワーでテクノロジー業界のリーダーらと顔合わせをすることになったからだ。われわれは、タイミングを見計らって移民制度の話を持ち出すつもりでいた。面会の最初の方でサティアは、自分自身の人生でも移民制度が重要な役割を果たしていて、今もその重要性は変わっていないと語った。

他の出席者は誰一人としてこの話題に触れようとしなかったが、トランプ氏が寛大にもこの話題について意見はないかと集まったメンバーに水を向けた。ここぞと思い、現状の問題点を切り出した。するとトランプ氏は、何も不安に思う必要はないとしたうえで、「出て行ってもらう必要があるのは、悪い人間だけだ。優秀な人々はとどまっていいし、引き続き受け入れていく」と明言したのである。むろん異論はなかった。だが、その言葉の真意は誰にもわからなかった。

このとき次期ホワイトハウスのスタッフとも、移民や教育の問題について話す機会があった。その場ではある程度の手応えを感じた。だが、トランプ大統領の就任から一カ月後の二〇一七年二月、その希望も消え失せてしまった。新大統領がイスラム国家七カ国の国民のアメリカ入国を全面的に禁止する大統領令に署名したからだ。

この措置に対するテクノロジー業界の反応は言うまでもない。われわれは従業員を預かっている身だ。従業員とその家族が危険にさらされた以上、何としてもこの危機的状況から彼らを守り通すつもりだった。

この大統領令に対して、数時間も経たないうちにワシントン州のボブ・ファーガソン検事総長が提訴を決めた。マイクロソフトも大統領令とどう戦っていくか模索していたのだが、早い段階から積極的に動いていたのが、思慮深さで定評あるアマゾンの顧問弁護士、デイビッド・ザポルスキーだった。[4] 私は、次の日曜日の午後に電話会議を開き、アップル、アマゾン、フェイスブック、グーグルとともに、弁論趣意書でテクノロジー業界として幅広く支援する方針を打ち出した。

入国禁止措置をきっかけに緊張感が高まったが、われわれは問題が沈静化し、妥協の余地が生まれることを望んでいた。二〇一七年六月にサティアとともにホワイトハウスに向かった。テクノロジー企業の経営幹部を招いた別の集まりに出席するためだった。実は一連の会合を計画していたのは、元マイクロソフトCFOのクリス・リデルだった。リデルは、マイクロソフトを離れた後、大統領上級顧問ジャレッド・クシュナーの下で行政改革の陣頭指揮に当たっていた。私は幅広いテーマをざっくばらんに話し合う分科会に参加し、広く移民を受け入れる包括的な制度の可能性を検討した。ホワイトハウスのスタッフの間には明らかに賛否両論があったものの、われわれはまだ期待が持てると感じていた。

だが、九月に入ると、ホワイトハウスが移民制度に関して再びルビコン川を渡ろうとしていることがわかった。アメリカには、幼少期に親と不法入国した若者の強制送還を猶予する制度「DACA」があるのだが、その廃止を大統領が検討していたのだ。この制度でアメリカに暮らす若者は「ドリーマー」と呼ばれ、その数は八〇万人以上に及ぶ。マイクロソフトの従業員にもいる。DACAが廃止されれば、このような若者の行き場が完全になくなる。そこでわれわれは、国境警備の強化は進めつつも、DACAなど主要移民措置は維持するよう政府に譲歩を求めたのである。

だが、その努力も失敗に終わった。決定が発表される直前にホワイトハウスでスタッフと話したが、以前にも増して状況が悪化していることに気付いた。マイクロソフトでもDACA制度に基づいて雇っている従業員がいる。会社として彼らを守る方策はあるのか、当社のCFOのエイミー・

フッドとアイデアを出し合い、ある計画を思い付いた。サティアからもゴーサインが出た。大統領がDACA廃止の決定を発表した時点で、当社の準備は整っていた。マイクロソフトは、この決定で影響を受ける従業員を法的に擁護する方針を打ち出した企業第一号となった。私は公共ラジオネットワークNPRの取材に対して、DACA制度に基づく当社従業員を連邦政府が強制送還するつもりであれば、「まず当社を通してもらう必要がある」と明言した。[5] その後、プリンストン大学と同大の学生がDACA廃止は違憲だとして提訴することがわかり、当社もこの訴訟に加わった。[6]

DACA廃止が決定された結果、移民制度をめぐる他の議論も影響を受けることになった。和解に向けた話し合いの案が浮上しては消えた。このような状況は一〇年も前から変わっていなかった。ジョージ・W・ブッシュ大統領は、当時暗礁に乗り上げていた移民制度の問題を打開しようと二期目に包括的な改革法案を出そうとしたが失敗している。オバマ大統領も二期目に入ってから改革に乗り出し、二〇一三年には包括的移民改革法案が上院を通過したが、結局は手詰まりになってしまった。

今回は議論がますます紛糾した。民主、共和両党は、それぞれの政治的信条にこだわるばかりで、自党の立場を頑なにアピールするだけだった。結局、何らかの結論が出る可能性（そもそも、そんなものがあったかどうかもわからないが）だけが遠のいたのである。

似たような状況は、政治の世界以外でも見られる。ビジネスの世界でも規制の世界でも、一つの争点をめぐって主導権争いが始まる。そういう争いは単に勝者と敗者がはっきりするだけで、閉塞状態を長引かせ、何の成果も生まない。

実は、あえて問題を広げることで答えが見つかることもある。私が交渉の際に必ず使うシンプルな手がある。一つの争点に絞り込まないことだ。なぜなら、合意間近の他の項目がいくつかあったとしても、重要な争点が一つだけなら、どちらか一方しか勝者になれないからだ。そうではなく、議論の幅を広げ、いくつかの争点を交渉の場に持ち出すのである。譲り合いの精神を発揮し、歩み寄りを重ねれば、最終的に誰もが勝利を収められるシナリオを描くことも可能だ。当社は、これまで政府や他社との間で難しい独禁法や知的財産権をめぐる争いをくぐり抜けてきたが、そこで威力を発揮したのが今挙げたような対応姿勢だったのだ。

こうした経験もあって、当社は移民問題への対応でも同じ姿勢で臨むことが大切と確信していた。要するに、アメリカの新たなテクノロジーを生み出す仕事を優秀な移民に担ってもらう一方、それ以上に多くの雇用を生み出してアメリカ国民に分配するという、現実的で公平なバランス感覚が必要だったのである

それは、原則主義の政治と現実主義の政治の両方が求められる問題だった。われわれは、移民制度について十分な時間を費やして検討した。その結果、移民によってアメリカ国民の機会が奪われるのではないかという脅威を解消することこそ、政治に求められる最大の課題と判断した。これは、アメリカに限らず、当社の進出先である他の国々でも同様の傾向が見られた。移民の拡大は、輸入品が増えることと同じで、国民にしてみれば自分の仕事が奪われる原因と映りかねない。だが、移

民の場合は単にモノが入ってくるだけでなく、他国の人や習慣が流入することから、自国の文化が乱されると見られやすく、政治的な議論を呼ぶことが多いのだ。

二〇一〇年、マイクロソフトは、アメリカのための「国家人材戦略」を提言した。[7] 問題の範囲を拡大し、移民の促進を目指すと同時に、アメリカ人にもっと多くの機会がもたらされるような方法を考えたのである。ビザや永住権の追加発給枠に上限を設ける一方、移民手続き手数料を値上げした。この手数料収入の増加分を資金源に、国内での新規雇用に必要な教育・訓練の拡充に回す仕組みだった。

当然ながら、細部を詰めるべきことは山積していた。二〇一三年、上院の議員グループがこの提案を検討してくれることになった。オリン・ハッチ（共和党）とエイミー・クロブシャー（民主党）の両上院議員が超党派の活動の旗振り役となり、移民制度改革法案を提出した。[8] 英語の頭文字でIが二つ含まれていることから、「アイ・スクエアド［Iの二乗の意］法」とも呼ばれる同法案は、当社が提案した基本方式を土台にしており、有力国からの移民に対する永住権発行数の危機的な不足に対処するとともに、長らく手付かずになっていた改革も盛り込まれた。

法案の大部分は包括的な移民法案として採用され、二〇一三年に上院で可決されたものの、下院で棚上げとなってしまった。二〇一六年にトランプタワーに赴き、移民制度について話し合ったときに、私は再びこの方式を持ち出した。テクノロジー企業のほとんどの経営幹部は支持を表明してくれたが、トランプ次期大統領のスタッフの間では明らかに賛否が分かれていた。

アイ・スクエアド法の目玉は、資金集めの仕組みが盛り込まれた点だ。この資金は重要な目的に振り向けられる。経済がAIやテクノロジーへの依存を深めるなか、人々が少しでもいい仕事にありつけるようスキルを磨いてもらう必要がある。そのための環境づくりはどの国にとっても避けて通れない課題で、そこに使われる資金となるのである。テクノロジー企業にとっても、直接影響のある雇用問題として、真正面から取り組むべき重要課題である。当社は、一九九〇年代に独禁法訴訟で苦しんだ教訓を生かしてこの問題に積極的に関与することにしたのだ。

ここでマイクロソフトにとってターニングポイントとなった二〇〇三年の一月初めのことを振り返ってみよう。当時、独禁法違反に問われていたマイクロソフトが米国連邦控訴裁判所で敗訴したのを受けて、当社が知る限り最大規模の集団訴訟が起こされていたのだが、社内の訴訟担当チームが原告団との和解で基本合意に達したのである。

この集団訴訟はカリフォルニア州の全消費者を代表して起こされたものだった。和解額は一一億ドルという、マイクロソフトの歴史の中でも最大の金額となった。私は、当時CEOだったスティーブ・バルマーにメールで和解に応じたいと伝え、固唾を飲んで反応を待った。

同じ日の午前中にスティーブがじきじきにやってきて、和解案について話し合った。何しろ金額が尋常ではないのだから当然だ。集団訴訟を起こした原告弁護団が和解の一部として自分たちの利益を確保しようとするのは致し方ない。そう伝えると、スティーブも経営者らしくすんなり理解してくれた。だが、何かほかにすっきりしない点があるようで、思案顔で室内を行ったり来たりしていた。やがてデスクに腰をかけ、足を組んだ。こんな姿のスティーブは、今まで見たことがなかった。そして私の目をじっと見ながら、「これだけの金額を出す以上、本当に顔の見える人々に確かな恩恵がもたらされるようにしてもらいたい」と言った。私はその思いを受け止めた。

最終的な和解の条件はスティーブの言葉どおりになった。マイクロソフトが教育機関にバウチャー（金券）を送り、これで新しいコンピュータ製品を購入してもらえるようにしたのだ。マイクロソフト製品に限らず、競合他社のソフトウエアやハードウエア、サービスにも使えるようにした。この方式は、後にアメリカ国内で当社が踏襲するモデルとなり、最終的には当社がアメリカ全土の教育機関に提供したバウチャーの総額は三〇億ドル以上に達した。

だが、時間の経過とともに、この和解によってマイクロソフトだけでなくアメリカ全体が気付いたことがある。何十億ドルもの費用をかけたものの、教育現場でITをめぐる最大の課題は、教室に置くコンピュータを増やすことではなかったのだ。ITを使いこなすスキルを教師に身に付けてもらうことが先だったのだ。そして、教師のスキル習得を阻む最大の壁がこの後に待ち構えているとは思ってもみなかった。

実は教師自身、コンピュータサイエンスを学ぶ機会が欠如していたのである。何しろ当時の教師の多くが高校生や大学生だったころには、コンピュータサイエンスはまだ揺籃期の新しい分野だった。つまり教師側がコンピュータサイエンスの心得もないまま、次代を担う生徒たちに、プログラミングやコンピュータサイエンスの授業を教えられるわけがなかったのである。

今やコンピュータサイエンスは、二一世紀になくてはならない重要分野になっており、それを裏付けるように、あらゆる仕事でデジタル化が進んでいる。二〇一七年にブルッキングス研究所が実施した調査[9]によれば、デジタルコンテンツとの関わりが大きい職業ほど賃金も高いことがわかっている。[10]ワシントン大学のエド・ラゾウスカ教授は、コンピュータサイエンスが「あらゆるものの中核」になっていて、「ソフトウエアの世界にとどまらず、たとえば生物学の世界でも中核になっている」と説明する。[11]

ところが、コンピュータサイエンスを教えられる教師は、深刻な不足状態にある。アメリカの高校では、どの科目でも成績優秀者は上級クラスの履修ができる飛び級が認められているが、コンピュータサイエンスに飛び級制度を用意している学校は二〇％に満たない。[12]二〇一七年にコンピュータサイエンスで飛び級を利用した生徒の数は、ヨーロッパ史なども含む他の一五科目を下回っていた。教師がコンピュータサイエンスを指導したいと思っても、教師養成コースには高額の費用がかかることも課題だ。[13]

この問題に関して政府の腰は重いが、社会貢献活動の動きは早かった。なかでも特筆すべきは、ケビン・ワンという人物だ。コンピュータサイエンスと教育学の二つの学位を持ち、高校教員を経てソフトウエアエンジニアに転身した。マイクロソフト勤務が三年目に入ったころ、地元シアトルの高校がケビンの経歴を知り、ボランティアとしてコンピュータサイエンスの授業を依頼できないかという問い合わせが舞い込んだ。その後、ほかの地元校からも授業に来てほしいという要請が相次いだ。

日中はマイクロソフトでの仕事があるケビンが五つの学校をかけ持ちで教えることは不可能だったが、協力してもらえそうなソフトウエア開発者なら同僚にいる。彼らが学校側の数学教師らとコンビを組んで教えたらどうだろう？　マイクロソフトのボランティアにはコンピュータサイエンスの知識があり、数学の教師は生徒や授業を取りまとめるスキルがある。そして数学教師自身、チームを組んで教えているうちに、自らもコンピュータサイエンスを教えられるだけの知識が身に付く。新たな教師養成方式の誕生である。

このアイデアを基に、マイクロソフトの社会貢献活動を担うマイクロソフト・フィランソロピーズが新たなプログラム「ＴＥＡＬＳ（学校現場でのテクノロジー教育・リテラシー）」を立ち上げた。当社が教育分野で掲げる使命の基盤となるものだ。このプログラムの下、アメリカの二七州と特別区ワシントンＤＣ、カナダのブリティッシュコロンビア州の高校約五〇〇校を対象に、マイクロソフトから年間一四五〇人、他の企業や組織から五〇〇人がコンピュータサイエンス指導者としてボランティア登録している。

ケビン・ワンに続く二人目の助っ人も現れた。ハディ・パートビだ。ケビンもすごかったが、ハディの影響力はさらに大きかった。ハディはこれまで西海岸各地で数々のテクノロジー企業の起業や出資を手がけてきた人物だ。両親はイラン人で、イラン革命の際に国を捨てアメリカへの移民を果たした。そして生まれたのがハディだった。ハディのビジネスは順調だったが、父親は「いつになったら息子はもっと重要なことを成し遂げてくれるのだろうか」と口癖のように案じていたという。やがてハディが「もっと重要なこと」に乗り出した。自腹を切って「Code.org」という新しい団体を立ち上げたのだ。これが後にコンピュータサイエンス教育を一変させることになる。[14]

Code.orgは、従来の非営利団体のイメージを覆すほどの活動範囲を誇る。若い世代にプログラミングの手ほどきをするためにハディが考案したのが、毎年開催する「コードの時間」という催しだ。子供たちがオンラインで一時間の講習を受けた後、実際に自分でプログラミングに挑戦する。ハディはバイラル（口コミ）マーケティングの腕を生かして参加者を増やし、これまでに世界中から億単位の数の生徒が参加している。[15] マイクロソフトはCode.org最大の出資者となり、アメリカ各地での教師養成・支援体制の拡充を応援している。

とはいえ、さまざまな境遇にある生徒を少しでも多くカバーするにはさらなる支援が必要だ。すべての生徒がコンピュータサイエンスを学ぶべきだというのなら、その機会を用意しなければならない。つまり、すべての高校にコンピュータサイエンスの授業を導入する必要がある。もっと早い段階からの導入も検討すべきだ。教師も大幅に補充しなくてはならず、政府の助成も不可欠だろう。

長年のロビー活動の末、二〇一六年に連邦政府の態度が大きく変わった。一月にオバマ大統領が、政府として四〇億ドルを拠出し、アメリカの教育機関にコンピュータサイエンスを導入する大胆な計画を発表したのだ。この計画には意気込みが感じられたが、新たな支出に議会は首を縦に振らなかった。[16]

翌年、もっと大きな成果を残したのがイヴァンカ・トランプだ。父親がホワイトハウスにやってくる前から、学校でのコンピュータサイエンス導入に対する政府資金の拠出に関心を示していた。この計画を支持するようトランプ大統領を説得する一方、公金を出させるには、主要テクノロジー企業からそれなりの資金提供を確保することも重要だと考えていた。イヴァンカは、テクノロジー業界が五年間で三億ドルの拠出を約束してくれれば、同じ期間に連邦予算から総額一〇億ドルを確保する意向を表明した。

毎度のことだが、誰が先に手を挙げるかが問題になった。ホワイトハウスでは、五年で五〇〇〇万ドルの拠出を受け入れて旗振り役になってくれる企業を求めていた。オバマ政権時からマイクロソフトは長期に渡って関与し、資金も支援し、先頭に立って呼びかけてきたことを考えると、やはりわれわれが手を挙げないわけにはいかなかった。当社が受け入れを表明すると、他社も追随し、二〇一七年九月、マイクロソフト・フィランソロピーズの責任者メアリー・スナップがデトロイトでイヴァンカとともに発表に臨んだ。

アメリカの学校教育でコンピュータサイエンスを学んでおくことは、変わりゆく経済のなかで若者たちがチャンスをつかむ前提になる。だが、学校教育だけですべてが整うわけではない。現在、非営利団体や州政府は、地域の学校教育の強化、コミュニティカレッジへの投資、生涯学習の拡充、人生ステージの変化に応じて転職・キャリアパス変更が必要な個人のための画期的なプログラムを整えている。全米各地の団体が海外視察に赴き、スイスの徒弟制度やシンガポールの生涯学習助成制度がアメリカで有効かどうか検討している。これは国家的な課題であり、ワシントンＤＣでの膠着状態をよそに、国内各地で新しい動きが見られる。

また、テクノロジー業界は、学習・求職を支援するツールへの投資にも力を入れている。たとえばマイクロソフト傘下のリンクトインによる取り組みなどだ。リンクトインが開発したのはエコノミックグラフだ。[17] 地域別、国別に企業が創出する雇用の種類や、必要なスキルを把握するためのツールである。世界で六億人以上の会員データを基に、自治体などの企画担当者が教育・訓練プログラムの策定に役立てられる。コロラド州、オーストラリア、世界銀行などをはじめ、政府や非営利団体でも利用が広がっている。[18]

リンクトインのデータからもわかるように、コンピュータやデータサイエンス関連のスキルは、これから求職する人々にとってますます重要になる。リンクトインには、オンライン学習サービスであるリンクトイン・ラーニングがあるのだが、ここで大学を卒業したてのユーザーが習得を求めるスキルの上位には、データ可視化、データモデリング、プログラミング言語、ウェブ解析が並び、はからずもコンピュータ系の強さが浮き彫りになった。[19] マイクロソフトの営業責任者であるジャンフィリップ・クルトワとジャドソン・アルソフがそろって指摘しているように、新しいテクノロジーに対応するためには、当社従業員だけでなく取引先の従業員も対象にしたスキル開発プログラムへの投資の強化がますます重要になってきている。そこで、当社は、ＡＩなどのスキルを世界中の顧客に提供するプログラムづくりに着手することになった。
スキル開発のプログラムづくりを進めるうちに新たな教訓と課題が見えてきた。その一つは、高校のコンピュータサイエンスの授業から大学の学位や他の高等教育機関に至るまで、誰もが無理なく新しいスキルを習得できるようにすることだ。これは、テクノロジー業界や政府がこれまでにない提携関係を確立して取り組むべき課題である。

マイクロソフトは、ワシントン州でこうした取り組みに直接関わっている。同州では、州議会が定めたワシントン州オポチュニティ・スカラシップ（機会創出奨学金）制度があり、公的資金と民間資金を組み合わせて、医療分野かＳＴＥＭ（科学・技術・工学・数学）分野の大学学位を目指す地元学生を支援している。[20] 二〇一一年以降、この官民の連携で約二億ドルを拠出し、年にざっと五〇〇〇人の大学生に奨学金を支給している。学生一人当たり年最大二万二五〇〇ドルを受け取っていることになる。この奨学金制度で大学進学の機会が広がっており、実際、受給者の三分の二近くは、家族のなかで初めての大学進学を果たしている。また、受給者の大部分が女性と有色人種である。[21]
マイクロソフトやボーイングなど民間の出資者にとってはうれしいニュースだが、さらに励みになるのはこの制度が多様な運営方法を取り入れ、それが新たな成果をもたらしているという点だ。
エグゼクティブ・ディレクターのナリア・サンタ・ルシアは五年前にこのプログラムに参加して

から、学生へのメンター紹介のほか、インターン先や就職先候補となる企業との橋渡しに注力してきた。この結果、地域の企業にとっても個人にとっても新たな役割が生まれ、学生の卒業率が大きく向上したばかりか、高賃金の職に就く可能性も高まった。最近、この奨学制度の利用者の追跡調査結果が発表された。卒業からわずか五年後の所得中央値は、大学入学当時の家族全員の所得を足し合わせた世帯所得を約五〇%も上回っていた。一般的な三〇歳のアメリカ人の収入と、その両親が三〇歳だった当時の収入を比べた場合、子供の方が稼ぎがいい確率は、「四年前の八六%から五一%に悪化」している。その現状と比べれば、同奨学金制度の効果は歴然だ。[22]

マイクロソフトは、この成功に触発されて、若者の新たなスキル習得や高等教育への進学機会を広げるべく、さらに大きな地域貢献活動に取り組むことにした。二〇一九年に入ってすぐ地元州政府の首脳から、ワシントン大学のアナ・マリ・コース学長とともに新しい教育基金の創設に協力してもらえないかと打診された。大卒生の採用などの形で高等教育の恩恵を受けている企業を対象に増税し、その分を原資に回すのだという。

なかなか興味深い構想だが、達成への道のりは平坦ではなかった。四年制大学で学ぶ若者だけでなく、専門学校やコミュニティカレッジに在籍する学生も支援対象に含めたい。また、資金が確実に拠出されているかどうか評価する第三者委員会も設置し、さらに不景気になっても基金が目的外に転用されないように保護する規定も盛り込みたかった。

こうした要望は比較的対処しやすいのだが、所定の条件に合致する企業に対して、追加の税負担を求めるのは気が重かった。マイクロソフトがこの計画の後ろ盾になっていることの意味を財務と政治の両面から当社CFOエイミー・フッドと一緒に改めて検討してみた。地元企業に追加税負担を求めるだけでは当社への不信感が高まりかねない。ならば、州内の二大テクノロジー企業であるマイクロソフトとアマゾンが他社よりも高い税率で負担する制度を提示すべきだろうという結論になった。

この方針で提案したところ、州議会でもそのとおりに可決された。地元紙シアトル・タイムズの投稿欄で世論に訴える活動を開始し、[23] サービスに対する州の事業税・営業税の追加負担を求めた。「スキルの高い人材を最も多く雇用しているのは、テクノロジー業界の巨大企業。そんな企業に、少しだけ協力を求めよう」と訴えたのである。[24] 当初はこの提案が原因で他社との摩擦も生じたが、[25] 州議会では一社につき年間七〇〇万ドルを上限に付加税を課す方向で譲歩を引き出すことができた。それからわずか六週間後、州議会では、高等教育を対象に、およそ年二億五〇〇〇万ドルの収入を見込む基金が創設されることになり、これと併せて新予算案が承認された。

ワシントン州で採択された労働者教育投資法は、「コミュニティカレッジや公立教育機関に通学する低所得・中所得の学生を対象とした学費の無償化または減額、資金難のコミュニティカレッジへの新たな財政援助、二〇二〇年初頭に向けた学資援助待機学生の解消」を州が約束したことから、地元でも全国的にも歓迎された。[26]

テンプル大学のある教授は、ここ数年で施行された法律のなかで「最も進歩的な高等教育助成の州法」だと評価した。[27] テクノロジー業界が地域社会に貢献することに慣れて、ほんのわずかでも多めに地域社会に資金を提供すれば、プラスの効果が確実にもたらされることが証明されたのである。

残念ながら、この手の進展は、砂漠の中の小さなオアシスのようなものだ。アメリカ全体で見れば、テクノロジーのスキルを生かす機会が広く均等に与えられているとは、とても言い難い。ブロードバンド格差のように、スキル格差は一部の人々に比較にならないほど大きな打撃を与える。アメリカを苦しめるあらゆる格差を余計に悪化させている要因でもある。

現在、コンピュータサイエンスを学んでいる学生を見れば、その差は一目瞭然だ。テクノロジーの世界で女性は極端に少ない。二〇一八年にコンピュータサイエンスの飛び級試験を受けた学生のうち、女子はわずか二八%にとどまった。[28] 同様に、人種・民族的マイノリティグループ出身学生にも同様の傾向が見られる。全国でマイノリティの学生は四三%を占めているにもかかわらず、[29] 飛び級試験の受験者に占める割合は二一%にすぎない。また、アメリカでは農山村地域の経済機会が少ないことが問題視されているが、二〇一八年にコンピュータサイエンスの飛び級試験を受けた学生のうち、こうした地域出身の学生はわずか一〇%だった。[30]

つまり、コンピュータサイエンスの飛び級をかなえて高いスキルを身に付けた学生は、全米平均と比較して、男子が多く、白人が多く、裕福な家庭の出身者が多く、都市部出身者が多いことになる。この問題の背景には、いろいろな要因があるとはいえ、テクノロジー業界はそれなりの責任を果たさなければならない。

テクノロジー分野は、女性や少数民族がキャリアを築くうえで、常に苦労を伴う世界だった。科学・技術の世界には、ノーベル物理学賞と同化学賞を受賞した唯一の研究者であるマリ・キュリー（キュリー夫人）や、世界に自動車の可能性をアピールしたベルタ・ベンツ（自動車の発明者カール・ベンツの妻）をはじめ、以前から著名な女性開拓者らが存在する。[31] 確かに、その貢献は高く評価されたものの、女性というよりも、あくまでも個人としての貢献と見られるにとどまった。実際、テクノロジーの世界では、広く女性の機会を認めたり、創出したりする動きが依然として鈍い。ほとんどのテクノロジー企業では、相変わらず女性は労働力全体の三〇％に満たず、まして技術職になると、この割合はさらに小さくなる。同様に、テクノロジー企業でのアフリカ系アメリカ人、ヒスパニック（ラテンアメリカ）系が占める割合は、アメリカ国民の人口構成から考えれば、現状の倍に増えても不思議ではない。

幸い、ここ数年、変化の兆しが見えてきた。テクノロジー業界全体の動きとして、各社が人材採用の多様化を推進し、職場で誰もが公平・平等に扱われる社風の醸成を目指す新たな制度を打ち出しているのだ。新たな変化の背景には、他の多くの業界ではずいぶん前から導入されている基本的なビジネス慣行が、遅ればせながらテクノロジー業界にも広がり始めたことが挙げられる。

たとえば、幹部役員が公正な人材採用の方針について口先だけでなく、本当に多様性推進が目に見える成果を出しているかどうかで報酬が決まるといった慣行である。また、歴史的に黒人向けで現在は多くの優秀なヒスパニック学生が在籍する大学を対象に、有能で多様な人材の発掘を目指し、リクルーターを多く配置し、訪問回数を二倍に増やす努力も見られるようになった。

ロケット工学やコンピュータサイエンスのように小難しい話をしているのではない。他業界では半ば常識といってもいい話である。テクノロジー業界もようやく腰を上げ始めたわけだ。ただ、あらゆる従業員に差別なく参画・活躍の機会が与えられるインクルージョンについてはまだまだ成果より課題の方が多い。

人間の問題についてより広い視野で考えるためにも、テクノロジー企業はもっと外に目を向けるべきだ。なぜなら、テクノロジー企業は、自分たちに急成長を遂げさせてくれた地域社会で深刻な問題を引き起こしているからだ。

急成長のテクノロジー企業は、高賃金の雇用を地域社会にもたらす。それを歓迎しない地域はないだろう。なるほど、アマゾンの第二本社（通称「HQ2」）の誘致合戦がすべてを物語っている。進出の引き換えとして減税などの優遇措置を要求するアマゾンに対して、さまざまな市が先を競うように誘致に名乗りを上げた。

だが、成長には痛みを伴う。贅沢な悩みという見方もあるが、問題である以上は解決しなければならない。実際、多くの地域で状況は悪化している。

成長の痛みが最初に現れるのは、高速道路だ。渋滞が増え、通勤時間が長くなり、テクノロジー企業は従業員用に通勤バスの運行を始める。シリコンバレーの平日午後の高速道路はさながら駐車場のようだ。大渋滞の高速道路のストレスは氷山の一角にすぎない。ほかにも交通機関から学校まで、地域の社会インフラのあらゆる部分から、成長に伴う痛みの悲鳴が聞こえてくる。

過去数年でこの問題はますます深刻化している。雇用が増えても、住宅供給が追い付いていない。経済の基本指標にはっきり表れている。高賃金の職を求めて人々が流入しても、住宅建設が追い付かなければ、住宅価格は上昇する。そのあおりで低所得・中所得の人々は街から出て行かざるを得なくなる。その地域の教師や看護師、緊急時に現場に駆け付ける救急・消防隊員、テクノロジー企業のサポート窓口スタッフといった人々までもが、街の中心部から遠く離れたエリアで家を探すほかなく、毎日、長距離通勤を余儀なくされるようになる。

二〇一八年六月にシアトルでサティアとこの問題について話し合った。長年、地元企業の経営者には、地域全体の基盤となる教育と交通に目を向けるよう呼びかけてきた。

シアトルには、当社も立ち上げに協力した地元市民・企業団体「チャレンジ・シアトル」がある。ここのCEOを務めているのが、クリスティン・グレゴワール元ワシントン州知事だ。ある日、そのチャレンジ・シアトルの活動の一環で朝食会が開かれ、サティアと私のほか、地元経営者一〇人が参加した。その日のテーマは、将来に向けて団体が取り組むべき課題だった。

この朝食会で、少々ショッキングな話を耳にした。地域社会が必ずしも良い方向に変化していないと参加者全員が異口同音に指摘したのである。シアトルは、住宅事情が最悪のサンフランシスコや北カリフォルニアと違って、それなりにうまく回っているものと長らく自慢の種にしていた。だが、どうやらそれは過去の話だと悟った。

そもそも、シアトルでは、アマゾンやマイクロソフトなどの企業が依然として成長を続けていて、そこに追随するように、シリコンバレーに本社を置く企業八〇社以上がソフトウエア関連の出先機関をシアトルに置いている。自然の美しさにちなんでエメラルドシティの別名を持つシアトルは、クラウド関連の企業の増加でいまやクラウドシティといってもいいくらいだ。実際、調べてみると、二〇一一年から二〇一八年までの間に住宅価格（中央値）は九六％も急騰した一方、世帯所得（中央値）の伸び率はわずか三四％にとどまっている。[32]

シアトルのダウンタウンではその前からすでに問題の悪化がひしひしと感じられた。住宅問題がなかなか解消しないどころか、むしろ悪化の一途をたどっている。シアトル市議会は、問題を解消する資金源として、企業が一人雇用するごとに一定額の税金を課す一種の人頭税法案を打ち出し、年七五〇〇万ドルの税収を見込んだ。[33]

地元企業からは激しい不満の声が上がり、アマゾンはシアトルで進めていたタワー型オフィスビルの建設計画を白紙に戻し、法案が撤回されなければ雇用創出を先送りするという強硬策を市議会にチラつかせて再考を迫った。[34] マイクロソフトは、シアトルの新税制をめぐる駆け引きに関わってはいないが、複雑な思いで事態を見守っていた。雇用への課税には当社も納得できない思いだったが、地元企業として単に市議会の案を批判するだけでなく、何か行動する必要があるとも感じていた。何らかの現実的な代案を示す必要があったのだ。シアトルの市長と市議会はすったもんだの末に、例の人頭税法案を取り下げたが、実効性のある代案は何ら見えてこないままだった。[35]

例の朝食会でサティアが住宅問題を取り上げたところ、すぐに他のメンバーもこれに応じた。私はその少し前の土曜日の朝、州内でシアトルに次ぐ規模のベルビュー市の警察署長スティーブ・マイレットと会っていた。当社従業員の一部から寄せられていた不安について、署長に聞いてもらいたいと思っていたからだ。

従業員の話を総合すると、どうやら地域内で地元警察の対応も含めて、ときに人種差別的な対応を受けて不快な思いをしているとのことだった。署長は親身になって耳を傾けてくれた。その後、署長から思わぬ事実を聞かされた。ベルビュー市警の若手職員にとって、自分たちがパトロールしている地域に家を買うことなど夢のまた夢だという。高すぎて買えないのだ。署長でさえ、片道一時間の通勤を甘んじて受け入れているという。それを聞いてピンときた。この地域を担当する警察官が住みたくても住めないような街では、地域社会と警察の強い絆を育むことは容易ではない。

この話をチャレンジ・シアトルの朝食会で紹介し、マイクロソフト社内でも新たなプロジェクトのアイデアを出すよう部下に指示したことも伝えた。朝食会を終えてサティアとともに会場を出る段になっても、歩きながら他のメンバーと住宅問題について話していた。エレベーターにたどり着いたころには、住宅問題を優先課題にしようと決めていた。

レドモンドの本社に戻って、すぐにデータサイエンスチームに問題を詳しく分析するよう指示した。同チームはオンライン不動産データベース運営会社のジロウに協力を仰いで実際の不動産データを入手し、かつてない規模のデータセットを用意した。すると、驚愕の結果が現れた。われわれはもちろん、地元の人々もあっと驚くような内容だったのである。単に住宅不足というだけでなく、広範囲で手の届く住宅が急速に失われている危機的状況だったのだ。この地域の雇用は二一％増加した一方、住宅建設数の伸びは一三％と後れを取っていた。[36] シアトル以外の小さな市では、低所得者向けと中所得者向けの住宅はともに建設が停滞していて、雇用と住宅建設数の伸びの差がさらに大きくなっていた。低所得・中所得世帯の人々は、いやが上にも勤務先からはるかに離れた町や郊外に押し出される。毎日片道九〇分以上の通勤時間を耐え忍んでいる人々の割合を見ると、この地域は全米最悪のレベルだった。[37]

低所得者・中所得者向け住宅の供給を増やすには、何らかの対策を講じなければならない。何カ月かかけて地域の人々や団体の話を聞き、アメリカや世界各地で何か貢献できることがあるのか検討した。サティアの後ろ盾もあって、CFOのエイミー・フッドと私は社内で大きめのプロジェクトがあればスポンサーを引き受けるつもりでいた。また、エイミーは自ら率いる財務チームに代案づくりを命じていた。

マイクロソフトは、他の大手テクノロジー企業と同じく、財務基盤が安定していて、こういうプロジェクトがあれば、すぐに回すことのできる流動資産もあり、大変恵まれた環境にあった。二〇一九年一月、エイミーと私は、マイクロソフトが問題解決に向け、融資、投資、寄付を組み合わせ、合計五億ドルを拠出すると発表した。[38]

この取り組みを通じて特に重要な気付きが二つあった。第一に、住宅に関する問題はカネだけでは解決できないということだ。世界各地でこの問題を調査しているうちに、行き詰まりを打破するには、資本の積み増しもさることながら、公共政策面の措置も組み合わせることが唯一実効性ある方法だとわかった。

われわれの資金拠出と並んで重要だったのは、低所得者・中所得者向け住宅供給の増加に向けて、地元九自治体の首長がそろって政策の見直しを発表したことだった。発表に先駆けて、チャレンジ・シアトルのクリスティン・グレゴワールCEOは、関係自治体首長とともに、公有地の寄付、区域割り要件の調整、新規住宅建設を加速する他の対策など具体的な提案を作成していた。厄介な問題だけに、こうした措置に踏み切るには、政治的にかなり勇気ある決断が必要だった[39]。

何にもまして、資金を出す以上、これが地域の団結を促進する活動の呼び水になってほしいというのがマイクロソフトの願いだった[40]。

第二の気付きは、われわれの取り組みに対する反応だ。地元だけでなく、アメリカ全体、さらには世界的にも、この問題は悩みの種だったことがわかったのである。二〇一六年の大統領選の結果には、多くの農山村部に広がる不安が色濃く表れていた。テクノロジーを原動力にした繁栄の時代にあって、こうした地域は置き去りにされようとしていたからだ。だが、その後、その不安は形を変えて都市部にも広がっていた。ピカピカの新築タワービルにはテクノロジー企業の社員が吸い込まれていく一方、それとは無縁の人々は日陰になった通りを行き交うだけで、もはや地域に手の届く住宅はない。

これが原因で不満が鬱積するのも無理はなく、アメリカ政治に新たな面が加わることになった。ほどなくしてニューヨークシティでまさしく不満が噴き出した。助成金や課税優遇措置と引き換えにアマゾン社屋の誘致に成功したものの、一部の地元議員はそのような結果を出してしまったことに市民以上に自責の念に駆られていた。シアトルで同社が成長したのと引き換えに住宅事情が悪化したことを考えると、その思いは察するに余りある。

安価な住宅供給の問題は、テクノロジー業界に関わる人材の問題と複雑に絡み合っている。健全な経営を目指すのなら、従業員の多様化を推進し、繁栄する地域社会の一員になることが大切だ。テクノロジー企業が進出先地域に何らかの見返りを期待することを否定するつもりはないが、もっと大きな問題に目を向けるべき段階に入っている。成功とは、規模と同時に責任も大きくなることだからだ。テクノロジー業界は、地元の支援策として、自分たちにもっとできることはないかと問うべきなのだ。むろん、優秀な人材は、地元だけでなく、世界中から集めることができる。だが、地元の人々が活躍できる機会を増やすために、われわれに貢献できることはまだまだあるはずだ。

こうした課題一つひとつに取り組んでいかなければならない。マイクロソフトで新規プロジェクトに乗り出すときに、「大きなことをやってのけるからこそ、一等賞に値するのだ。普通のことなら二等賞でいい」とハッパをかけるようにしている。

何もしない人間に成功が転がり込むことなど、まずないのだ。

第11章

AIと倫理
現代の「ロボット工学三原則」

二〇一七年一月、私は世界経済フォーラムが開催するダボス会議に出席するため、スイスに向かった。各界の指導者が一堂に会し、世界情勢について話し合う毎年恒例のイベントである。その年の話題をさらったのはAIだった。私はウィスコンシン州北東部出身なので、雪には慣れっこだ。夕食後、雪と氷に覆われたダボスの目抜き通りを三キロも歩いてみた。辺りは、アルプスの小さな町というよりもラスベガスの大通りといった雰囲気が漂っていた。本来、スキー客の多い町だが、このときばかりは、銀行やテクノロジー企業の華やかなロゴやしゃれた看板がそこかしこにあふれていた。何しろダボス会議開催中は、マイクロソフトを含め各社がそれぞれのAI戦略を企業や政府、オピニオンリーダーに売り込むことになる。AIが目新しいものであること、そしてテクノロジー企業には潤沢なマーケティング予算があることがよくわかった。

それまでＡＩの有効性を話し合う場にはいくつも参加してみたが、ＡＩの正体や仕組みについて、誰一人としてじっくりと説明してくれない。ここに来るような人間ならＡＩは知っていて当然と考えられていたのだろう。だが、ダボスで個人的にいろいろな人と話していると、どうも様子が違うのだ。もっとも、あえて会場で手を挙げて「基礎から教えてください」とは言い出しにくいという気持ちもわかる。会場でみんなが話していることが理解できないなどと、認めるわけにはいかないのだろう（実際には半分くらいの出席者が似たような状況だったはずだ）。

こんなふうにＡＩを取り巻く曖昧模糊とした状態が広く漂っていたのだが、もう一つ気付いたことがある。この新しいテクノロジーに規制をかける必要性については、誰も話したがらないのだ。以前、ＩＴ企業とその他の業界の経営者交流イベント「テコノミー」の主宰者デイビッド・カークパトリックがホストを務めるＡＩ関連のウェブキャストに出演した際、ＡＩに対して政府が規制をかけると思うかと尋ねられた。五年もすれば新たなＡＩ規制案が議論されているのではないかと答えた。ＩＢＭの幹部は「将来のことはわかりません。正確な方針を打ち出すかどうかもわかりません。そういうこと（規制）になって弊害が出ることを心配しています」と述べた。[1]

ダボスでの一週間は、テクノロジー業界で旬のテーマが話題を集めた（必ずしも好ましいテーマばかりではなかったが）。この業界に限らないのかもしれないが、ひとたびイノベーションが生まれると、その正体や仕組みを人々にきちんと理解してもらうことなく、一気に突っ走る傾向がある。おまけに、新しいテクノロジーはいいことずくめという、なかば宗教がかった信念までセットになっている。それに、昔からシリコンバレーには、規制当局が先進のテクノロジーに付いてこられるわけがないという思い込みもあった。

テクノロジー理想主義者の言っていることには、基本的に悪気はないのだろうが、現実味もないのだ。最良といわれるテクノロジーでさえ意図せぬ結果を招くこともあるし、たとえ恩恵があるにせよ、それが均等に行き渡ることなどまずない。そのうち新しいテクノロジーが悪用されるおそれもあり、そうした事態は避けようがない。

一七〇〇年代、ベンジャミン・フランクリンがアメリカで郵便制度を整備すると、すぐに郵便詐欺を考案する悪い輩が現れた。一八〇〇年代に電信・電話が登場すると、今度はこうした通信技術を詐欺に悪用する犯罪者が出てきた。そして二〇世紀にはインターネットが誕生し、ご存じのとおり、新手の詐欺が次々に生まれていることは言うまでもない。

テクノロジー業界の名誉のために付け加えておくと、常に先を見通すことは容易ではない。だからこそ、過去にしっかり学び、教訓を胸に明日に備えることが望ましいのだが、そのような時間が取れる人はほぼ皆無で、そういうメリットを認める人さえほとんどいないのは業界の大問題であり、恥でもある。

ダボスでのＡＩ旋風から一年もしないうちに、ＡＩをめぐって社会でさまざまな疑問が噴き出した。それまでテクノロジー関連で社会が不安を覚えたテーマには、プライバシーやセキュリティがあるが、今度はＡＩが人々を不安に陥れ、世の中で議論の的になりつつあった。
ちょうどコンピュータが学習能力や意思決定能力を持ち始めた時期で、徐々に人間の介在なしにこうした能力を発揮するようになっていた。だが、コンピュータが意思決定をどうやって下すというのか。人間の最も優れた部分が反映されるのだろうか。あるいはそこまでおおげさな話ではないのか。いずれにしても、ＡＩを社会のために生かそうというのであれば、厳格な倫理規範を適用すべきとの考え方が顕著になっていた。

今日のＡＩに至るまでには、長い仕込みの期間があった。一九五六年にダートマス大学の研究チームが、学習するコンピュータの開発について研究しており、これをＡＩの学術的議論の誕生とする説もある。
実は、その数年前に、アメリカの作家、アイザック・アシモフが、ＳＦ小説短編集『われはロボット』に収録されている『堂々めぐり』のなかで、有名な「ロボット工学三原則」を掲げている。[2]
ＡＩに基づいて自律的に意思決定を下すロボットに対し、人間がこうしたロボットを誘導する倫理規定をつくろうとするＳＦ作品だ。しかし二〇〇四年のウィル・スミス主演映画『アイ，ロボット』で衝撃的に描かれているように、そのような考え方は手詰まりになる。
ＡＩは、一九五〇年代後期以降、開発が進んだり止まったりしていたが、特に記憶に新しいのが一九八〇年代半ばの「エキスパートシステム」をきっかけとしたＡＩブームだ。当時は誇大宣伝や投資が相次ぎ、ベンチャー企業が続々と生まれ、マスコミでも大きく扱われたが、下火になってしまった。[3]「ロボット工学三原則」から六〇余年後の二〇一七年、再び到来したＡＩブームの背景は何だったのか。今回は単なる一過性のブームではない。それどころか、長い時間をかけて醸成された実に大きなトレンドと課題を背景に火がついたのだった。意外なことにテクノロジー業界で、ＡＩの定義について広く取り決められたものは存在しない。専門家がそれぞれに自分の見方を熱心に披露しているのが実態だ。

二〇一六年、ＡＩをめぐる新たな問題が持ち上がっていたこともあり、マイクロソフトのデイブ・ハイナーを訪ねた。デイブは当社のＡＩ分野の基礎研究責任者を務めるエリック・ホロヴィッツの同僚だった。彼にＡＩの定義を求めると、非常に有益なヒントをくれた。「ＡＩは、与えられたデータ内の一定のパターンを認識する方法により、経験から学習し、判断を下すコンピュータシステムである」というものだった。これは今も私がＡＩを考えるうえで大変役立っている。

エリックの方はＡＩをもう少し広義に解釈して「ＡＩは思考や知的行為のベースにある計算のメカニズムである」と定義している。多くの場合、ＡＩが機能するためには基になるデータが必要だが、それだけでなく、ゲームの展開、自然言語の理解などの経験も学習の対象になる。コンピュータがデータや経験から学習し、意思決定を下す能力（まさしくＡＩの本質）は、技術的に見ると、「人間的知覚」と「人間的認知」という二つの基本的な能力をお手本としている。

人間は、世の中で起こっていることを視覚や聴覚で感じ取っているが、これと同じようにコンピュータが「感知」する能力を人間的知覚という。一八三〇年代にカメラが発明されて以来、ある意味で、機械は「目」を持った。

だが、写真に何が写っているのか理解するためには、人間が手を貸さねばならなかった。同様に、トーマス・エジソンが一八七七年に蓄音機を発明して以来、ある意味で機械は「耳」を持ったことになるのだが、人間と同じように正確に理解し、記録することはできなかった。

コンピュータサイエンスの研究者にとって、視覚認識と音声認識は長らく見果てぬ夢とされてきた。一九九五年、ビル・ゲイツがマイクロソフトリサーチを設立した際、その責任者を務めたネイサン・ミアボルドが最初に掲げたゴールの一つが、視覚認識と音声認識の分野で世界一流の頭脳を迎え入れることだった。今でも覚えているが、一九九〇年代にマイクロソフトの基礎研究チームは、コンピュータがまもなく人間並みに音声を理解できるようになるだろうという楽観的な予測を立てていた。

マイクロソフトの研究チームに限らず、学術界やテクノロジー業界の専門家もそう考えていた。だが、蓋を開けてみれば、専門家の予測に反して、音声認識の質はなかなか上がらなかった。視覚認識にせよ、音声認識にせよ、どちらもゴールは、世の中を知覚する能力をコンピュータに身に付けさせることにあった。しかも、人間に匹敵する精度が条件だ。とはいえ、一〇〇%の精度である必要はない。人間だって間違いを犯すし、他人が話しかけてきた内容を聞き分ける能力も完璧ではない。専門家によれば、人間が音声を理解する精度は約九六%だという。そして聞き落とした部分は、われわれの脳が瞬時に補ってくれるため、人間がその修復工程を意識することはないのだ。[4]
二〇〇〇年を迎えるころ、コンピュータの視覚認識と音声認識の精度は九〇%に達していたが、そこから一〇年間、足踏み状態に陥る。二〇一〇年を過ぎた辺りから再び進化が始まった。一〇〇年後の人類が二一世紀の歴史を振り返ったとき、二〇一〇～二〇二〇年の一〇年間をＡＩが軌道に乗った時期と呼ぶことになるだろう。

ＡＩというロケットの発射台を担ったのが、最近の三つの技術進歩である。第一に、膨大な計算量をこなせる水準にまでコンピュータ処理能力が高まったことである。第二に、クラウドコンピューティングのおかげで、大量のハードウエアを手元にそろえる莫大な設備投資なしに、個人や組織がコンピュータの膨大な処理能力と記憶容量を利用可能になったことだ。第三に、デジタルデータが爆発的に増加した結果、ＡＩ利用システムのトレーニングに使える膨大なデータセットが整備されたことである。こうした要因がそろわなければ、ＡＩの発展がこれほどまでに加速したかどうか疑わしい。

だが、さらにもう一つ、第四の要因が必要だった。これはコンピュータサイエンティストやデータサイエンティストが実効性あるＡＩを開発するうえで、なくてはならない条件でもある。それは、先にＡＩに不可欠な二つの基本能力として「知覚」と並んで挙げた「認知」である。言い換えれば、コンピュータが推論して学習する能力である。

〝考えるコンピュータ〟を実現するには、技術的にどのような方法が最適なのか。この問いをめぐって何十年もの間、活発な議論が続いていた。その一つが、いわゆる「エキスパートシステム」だった。一九七〇年代末から一九八〇年代にかけて特に人気を博したエキスパートシステムは、大量の事実の収集と、コンピュータが論理推論を重ねて意思決定を下すためのルールを必要とした。

ある研究者が指摘しているように、ルールに基づく方式では複雑極まりない現実世界の問題に対応するような規模にまで拡張できないとして、次のように述べている。

「込み入った領域では、ルールの数も膨大になるうえ、新たな事実を手作業で追加するたびに、既存ルールに対する例外や既存ルールとの干渉に常に目配りすることは現実的ではない」[5]

人間はルールに沿って推論するのではなく、経験を基にパターンを認識することで人間らしく生きている。[6]結果論になるが、膨大な細かいルールに基づいたシステムの考え方が肌に合うのは、弁護士くらいではないか。

一九八〇年代以降、別の方式の方が優れていることが判明する。この方式はパターン認識、予測、推論に統計的手法を使うもので、実質的には、データから学習したアルゴリズムでシステムを構築する。この一〇年間でコンピュータサイエンスやデータサイエンスが飛躍的に進歩した結果、いわゆるディープラーニングという手法が幅広く利用されるようになった。

またその背後にはニューラルネットワークの存在がある。人間の脳は、ニューロンと呼ばれる神経細胞があり、それぞれのニューロンからは、しっぽのような軸索が延びていて、その先端にあるシナプスから別のニューロンに信号を渡していく仕組みだ。このように多数のニューロンがつながり合ったネットワークを形成しているため、身のまわりにあるいろいろなパターンを識別できるのである。[7]これを参考に、コンピュータで再現したニューラルネットワークでは、数学的な処理をする基本単位のニューロンが存在し、ニューロン同士は人工的に相互接続されている。この結果、AIシステムは推論が可能になる。[8]

つまり、ディープラーニング方式では、膨大な関連データを与えてコンピュータを特訓し、何層にも重ねた人工ニューロンを使ってパターンが認識できるようになるのだ。このプロセスは数学的モデルとデータを駆使するだけに、進化させるには前述したようにコンピュータやデータという他の要素の発展が不可欠なのである。また、多層的なニューラルネットワークのトレーニング（学習させる作業）の手法でも飛躍的な進歩が必要だったが、[9]これも一〇年ほど前に実を結び始めている。[10]

こうした変化が出そろって、AIを使ったシステムは目を見張るほどの急激な進歩を遂げることになった。二〇一六年、マイクロソフトリサーチの視覚認識システムを手がけるチームは、イメージネット（ImageNet）と呼ばれる画像ライブラリーにある大量の物体の写真についての識別能力が、テーマを絞れば、人間並みの能力に到達したと発表した。続いて音声認識でも「スイッチボード」というデータセットを使った特定の課題で、九四・一％の精度を達成した。[11]つまり、コンピュータは、人間と同じように世の中を知覚し始めたのである。同じ現象は言語翻訳の分野にも見られた。翻訳ではニュアンスや俗語も含め、言葉の意味を理解する能力がコンピュータに求められる。

AIを搭載したコンピュータが自力ですべて考え、超人並みの速度で推論するようになったら世界を乗っ取られるのでは、といった記事が出るたびに、人々は不安を抱くようになった。テクノロジー専門家がスーパーインテリジェンス（超知能）と呼ぶものの誕生と、AIの能力が人類を凌駕する「シンギュラリティ（技術的特異点）」の到来を予期させるというわけだ。[12]

二〇一六年に、この不安についてデイブ・ハイナーは、この問題が注目を集めすぎて、もっと重要な喫緊の課題が置き去りにされていると指摘した。

「（機械による乗っ取りは）もちろんSFじみた話だし、こういう議論が中心になると、AIによって引き起こされようとしている目の前の問題がうやむやになる」というのだ。

その年、ホワイトハウス主催の会議で、次のような差し迫った課題が協議された。アメリカの非営利報道機関『プロパブリカ』による「機械の偏見」と題した記事に関するものだ。[13]記事の副題は「未来の犯罪者を予測するソフトウエアが全米に普及　黒人に対して偏見を持つソフトウエア」だった。現に、さまざまな現場で予測作業にAIが使われ始めていたのだが、こういったシステムは、有色人種など特定集団に対して偏見があるのではないかという疑念が高まっていた。[14]

プロパブリカが二〇一六年に報じたこの偏見は、確かに存在した。現実世界にある二つの偏りが反映されていたからだ。AIを一般の人々の公正な期待に沿って振る舞わせるためには、これら二つの偏りを正す必要があった。

第一の偏りは、利用されているデータセットそのものにあった。たとえば、人間の顔写真が入っている顔認識用データセットには、白人男性の写真が豊富に登録されているため、白人男性の顔は高い精度で予測できる。だが、女性や有色人種の顔写真のデータセットの規模が小さめなら、こうした集団の認識で誤り率は高くなりやすい。

実は、これは、博士課程の学生による「ジェンダー・シェーズ」と題したプロジェクトの調査で判明した[15]。調査を実施したのは、マサチューセッツ工科大学（MIT）のジョイ・ブオーラムウィニ（ローズ奨学金でオックスフォード大学留学経験があり、詩人でもある）と、スタンフォード大学のティムニット・ゲブルーの両研究者だ。AIの偏見について一般の人々に理解を深めてもらうため、性別や人種の違いによる顔認識精度を比較する研究に乗り出した。たとえば、アフリカの黒人政治家と北欧の白人政治家では、顔認識による性別判定の誤り率は黒人政治家の方が高いことがわかった。ブオーラムウィニ自身、アフリカ系アメリカ人女性であるが、実際に男性と識別されるシステムに何度か遭遇していた。

ブオーラムウィニとゲブルーの研究のおかげで、AIの偏見の原因となった、現実世界での第二の偏りも明らかになった。開発チームの編成だ。世界に通用するテクノロジーを開発するには、まず多様性あふれる世界を反映した顔ぶれのチームにしなければ、つまずいてしまうのだ。この二人の研究者が気付いたように、今後、さまざまな研究者やエンジニアのグループが偏見問題にもっと目を向け、これまで以上に真剣に考えるようになるだろう。この問題は、研究者やエンジニア自身にも個人的に降りかかってくる可能性があるからだ。

ＡＩによって、コンピュータは経験から学習して、意思決定を下す能力を身に付けるわけだが、では、コンピュータにはどのような経験をしてもらうべきなのか。また、どのような意思決定であれば、人間は安心できるのだろうか。

二〇一五年末、マイクロソフトのエリック・ホロヴィッツがコンピュータサイエンス関係の仲間内でこの問題を提起した。ホロヴィッツは、シンギュラリティが破滅的大惨事をもたらすリスクについて、ある学会誌に連名で寄稿した。そのなかで、ほとんどのコンピュータサイエンティストがそんなことはあり得ないと考えていると言い、それよりも、もっと深刻に受け止めねばならないさまざまな問題に目を向けるべきだと指摘した。[16]

翌年、その後を継いで警鐘を鳴らしたのが、サティアである。オンラインメディアの「スレート」に寄稿し、「このテクノロジー（ＡＩ）を開発している個人や組織がどういう価値観に染まっているのか議論すべきだ」と訴えた。[17] そのうえで、プライバシー、透明性、責任を含め、まず取り入れるべき基本的価値観を提示した。

二〇一七年末ごろには、マイクロソフトは、ＡＩ全体の倫理観を本格的に確立することから議論しなければならないと判断した。決して簡単な話ではない。人間の聖域とされてきた意思決定能力をコンピュータが持つに至り、人間にとっての倫理的な問題のほぼすべてが、コンピュータにも当てはまるようになった。だが、人間の倫理的な問題には哲学者らによる気の遠くなるように長い論争を通しても普遍的な答えは出ていない。コンピュータに仕込む必要があるからといって、誰もが納得する答えが一朝一夕に出てくるわけがない。

二〇一八年には、マイクロソフトやグーグルといったＡＩの最前線に立つ企業がこの新たな課題に真正面から取り組み始めた。われわれは、学術界など各方面の専門家も交え、ＡＩ開発の指針となる倫理規範が必要であることを確認した。マイクロソフトは、最終的にこの分野に特化した六原則からなる倫理規範を定めた。

第一の原則は、偏見問題を意識して、「公平性」を守ることを掲げた。続いて、すでに一般的にもコンセンサスが得られている「信頼性と安全性」、そして強力な「プライバシーとセキュリティ」をそれぞれ第二、第三の原則に設定した。こうした考え方は、技術革新を背景に、法律や規制の後押しもあって発展を遂げている。鉄道や自動車の分野では製造物責任などの法律を背景に、信頼性・安全性規格が生まれた。同様に、プライバシーとセキュリティの原則は、通信・情報技術の革命に対応して登場した。ＡＩも同様の課題を抱えているが、こうした法律面の考え方を土台に発展させられるはずだ。

第四の原則は、二〇一四年にサティアがＣＥＯに就任して以来、当社従業員が重視している「インクルージョン（包括・包含）」である。たとえば、障害者のニーズに応え、誰もが置き去りにされることなく活用できるテクノロジーの開発である。マイクロソフトが注力するインクルーシブテクノロジーはＡＩも対象とする。コンピュータに視覚が備わったのであれば、目の不自由な人々のために何ができるのかを想像してみる。聴覚が備わったコンピュータは、耳の不自由な人々にとって何を意味するのかを考えてみる。こういう機会を追求していくうえで、まったく新しい機器を発明したり、売り出したりする必要はない。すでに街では人々がスマートフォン片手に歩き回っている。そこには「目」になるカメラもあれば、「耳」になるマイクも搭載されている。インクルージョンという原則を据えたことによって、こうした分野でのＡＩの進化の道筋が姿を現し始めている。

ここまでに挙げた四つの原則はどれも重要だが、実はこの四原則の前提として、もっと大きな原則が二つあることに気付いた。言い換えれば、この二つが成立しなければ、そこに立脚する四原則も成り立たないのである。その一つが「透明性」である。ＡＩシステムが何らかの判断を導き出す仕組みについて、情報を公開し、社会に理解してもらうのである。そうでなければ、一般の人々がどうやってＡＩに信頼を寄せられるだろうか。また、マイクロソフトが最初の四原則をしっかり守っていると主張したところで、ＡＩの内部の仕組みがブラックボックスになっていたら、将来、規制当局はどうやってマイクロソフトの取り組みを評価するというのか。

開発者がＡＩに使用したアルゴリズムを公開すればいいという声もあるが、当社が下した結論は違う。そんなことをしても、ほとんどの場合、何の説明にもならないどころか、重要な企業秘密を漏らすことになってテクノロジー業界での競争力を落としかねない。実はマイクロソフトはすでに「パートナーシップ・オン・ＡＩ」という団体で、学術界や他のテクノロジー企業と共同で効果的な方法を研究している。目下、重点を置いているのは、意思決定に使われる基本要素の解説など、

AIというものをよりわかりやすく説明できるようにすることである。

さてAIの第六の原則は、ここまでに紹介した五つの原則の根底をなす「結果責任」である。人間に対してコンピュータは最後まで責任を取る覚悟があるのか。機械がもたらす結果について、設計者はすべての人に対して責任を負う覚悟があるのか。そういう未来を築くことができるだろうか。今の世代が答えを出さねばならない問題だ。

この六つめの原則を守るには、人間が常に関わっている必要がある。AI搭載のシステムが暴走しないように、必ず人間による評価や判断、介入を加えなければならない。言い換えれば、AIが下した判断が人々の権利に深刻な影響を及ぼすような場合、人間によるしっかりとした評価や監督が必要なのである。そのためには、AIによる意思決定内容をきちんと評価できる人材がいなければならない。

それだけではない。幅広いガバナンスの手続きが不可欠だというのが、われわれの結論だ。AIの開発や利用に関わる組織は、例外なく新たなポリシー、プロセス、トレーニングプログラム、コンプライアンス制度、AIシステムの開発・導入についてチェック・助言ができる人材を確保する必要がある。

二〇一八年一月にマイクロソフトがAIの倫理規範を発表したところ、すぐに大きな反響があった。[18] 顧客からは、当社のAIテクノロジーだけでなく、倫理問題に対する当社の考え方や取り組みについても説明会の開催を求める声が寄せられた。もっともな話だ。当社の総合的な戦略は「AI

の民主化」（すべての人々にＡＩを）である。つまり、ＡＩというテクノロジーを支えている視覚認識・音声認識のツールや機械学習といった構成要素を誰もが利用できるように門戸を開き、顧客自身がカスタマイズして自分のＡＩサービスを創り出せるようにすることなのだ。ＡＩが広く普及するのであれば、ＡＩの倫理規範を確立する取り組みもまた同じように磨かれ、広く共有されなければならない。

ＡＩが広く普及すれば、それに応じて新たな規制が登場してもおかしくない。社会常識としての倫理観に委ねればいいのでは、と思われるかもしれないが、世の中にはまっとうでない人もいるのだ。あらゆるＡＩシステムが何らかの倫理基準に沿って確実に動くようにするには、義務化する以外に道はない。法令や規制で担保する必要がある。

前年のダボス会議で私は規制導入は五年ほど先になると予測していたが、実際にはもっと速いペースで進みそうなことは明らかだった。そのことを思い知らされたのは、二〇一八年四月、シンガポールでＡＩ問題担当の政府高官と会ったときのことだ。「この問題は待ったなしだ。この技術に後れを取るわけにはいかない。最初の規制案づくりに何年もかけてはいられない。数カ月以内に案を固めたい」と高官は断言していた。

いきおい、ＡＩの倫理問題は、総論からもっと具体的なテーマに変わる。どのテーマも論争に発展することは必至だ。これから五年、一〇年に渡って、いったいどのような論争になるのか、はっきりわからないが、すでに明るみに出ている問題から何らかのヒントが得られるはずだ。

そのような論争が初めて巻き起こったのは、二〇一八年だった。兵器に使われる可能性のあるＡＩをめぐっての論争だ。この論争は、ＳＦにでも出てきそうな「殺人ロボット」という表現で世の中に一気に広まった。映画『ターミネーター』のイメージも手伝って、世の人々もすんなり理解できたのだ。実際、この人気映画シリーズから自律型の兵器がいかに危険なものか思い知った人も多いだろう。

こういった議論を通してわかったのは、ＡＩにどのようなテクノロジーが関わっているのか、もう少し正確な理解や分類が必要だということである。これまで世界の軍首脳と意見を交わすなかで彼らが一様に恐れていたのは、自分が夜寝ている間に機械が勝手に戦争を起こしていて、朝目を覚ましたときにはすでに手遅れといった事態になることだった。戦争と平和に関わる意思決定は人間の聖域としてとっておく必要がある。

もっとも、世界の軍司令官たちが何から何まで意見が同じというわけではない。しっかり区別しておく必要がある。元アメリカ国防省高官で現在シンクタンク勤務のポール・シャーレは、著書『無人の兵団 ＡＩ、ロボット、自立型兵器と未来の戦争』（早川書房）で、現実味が増してきた問題を取り上げている。[19] すなわち、人間の最終判断なしにコンピュータが兵器を使用する権限は、どのタイミングで与えられるべきか。

たとえば地上にいるテロリストを特定する場合を考えてみよう。すでにコンピュータの視覚機能と顔認識機能を搭載したドローンの方が人間の能力を上回る精度に達していたとしても、司令官が要員を配置に就かせたり、常識を働かせて考えたりする必要がなくなるということにはならない。ましてすべてをドローン任せにすべきといった結論にもならないはずだ。

では、海上の小艦隊から数十発のミサイルが発射された場合はどうか。イージス戦闘システムのミサイル迎撃は、コンピュータによる判断で対応する。だが、シナリオを描くのは人間であり、それに応じて兵器システムの使用方法も変更することはできる。[20] つまり、基本的には人間が最初の発射決定を下すべきだが、いったん決定を下せば、その後、一つひとつの標的への迎撃に許可を与える時間はない。

自律型兵器への懸念ゆえに、テクノロジー企業はＡＩ系テクノロジーに関する軍との契約をすべて拒否すべきという意見もある。たとえばグーグルは、従業員の抗議を受けて、ペンタゴンとのＡＩ契約から撤退している。[21] マイクロソフトでも、一部の従業員が同様の懸念を示すなど、同じような問題を抱えていた。当社は長らくアメリカや他国の軍の仕事を手がけている。そんな関係もあって、数年前、アメリカ海軍の空母ニミッツがワシントン州シアトルのすぐ北にあるエバレットの母港に帰還した際、視察に訪れた。空母には四〇〇〇台を超えるコンピュータが搭載されていて、ウィンドウズ・サーバーのＯＳが動いている。ここから空母のさまざまな機能をコントロールしているのだ。

だが、多くの人々の目には、ＡＩシステムは、この手のプラットフォーム製品とは別のカテゴリーと映る。新しいテクノロジーは、これまでになかったような複雑な問題を引き起こすということを踏まえて、当社がアメリカ陸軍の兵士向けにＡＲ（拡張現実）の機能と「ホロレンズ」という機器の納入契約を検討する際にはマイクロソフトは何をすべきか徹底的に協議した。

グーグルとは対照的に、マイクロソフトは、アメリカ軍や他の同盟国政府に最良のテクノロジーを提供し続けることが大切だという結論に達した。むろん、同盟国については、民主的なプロセスや人権意識が信頼に足る政府に限られる。アメリカ軍やＮＡＴＯ軍の防衛体制はずいぶん前から最先端技術の利用を前提に成り立っている。マイクロソフトは非公式にも公式にも「当社はアメリカの強力な防衛体制を信じており、この国を守る人々には、マイクロソフトの技術を含め、アメリカ最高の技術が利用できる状況であってほしい」と明言している。[22]

同時に、マイクロソフトでは、アメリカや他国の軍事組織を相手に防衛関係の業務契約を結ぶことに不快感を覚える従業員がいることも事実である。そのなかにはアメリカ以外の国の国民もいれば、倫理観を異にする人々や平和主義の人々もいる。あるいはまた、仕事で自分のエネルギーを使うなら別の用途に捧げたいという声もある。いずれも尊重に値する意見であり、こうした従業員には別のプロジェクトを担当してもらうように配慮している。マイクロソフトの規模と技術の多様性を考えれば、こういった要望に応えやすい体制にあると思う。

だが、だからといって、ＡＩと兵器の結合が生み出す複雑な倫理問題を前にして、思考停止に陥ったり、傍観者を決め込んだりするわけにはいかない。当社の経営幹部で話し合った際、私は、兵器開発では倫理問題が常に重要だと主張した。ホローポイント弾（弾頭に空洞があり、命中後に炸裂して大きなダメージを与える弾丸）が考案され、やがてダイナマイトが戦場に出現するなど、一八〇〇年代から、倫理問題の大切さは変わっていない。

それを補うようにサティアが興味深いコメントを加えた。戦争を取り巻く倫理問題は古代ローマのキケロの著作にまで遡ることができるという。その晩、サティアからメールがあり、キケロのことは覚えていたのに、祖国インドの『マハーバーラタ』（ヒンドゥー教の聖典の一つで、古代インドの叙事詩。王家間の大戦争を描いている）をすっかり忘れてしまっていて、それを母親が知ったらさぞかしがっかりするだろうと反省の弁が綴られていた（ウィキペディアのリンクも一緒に教えてもらった）[23]。

このような話し合いを重ねた末、マイクロソフトは、積極的な企業市民として倫理問題には引き続きしっかりと向き合っていくことになった。また、政策上の課題についても、われわれの関与が貢献につながるはずと確信した[24]。政府の監視活動やサイバー兵器など、新しいテクノロジーに端を発する政策課題にここまで積極的に対応しているテクノロジー企業はほかにない。このことは従業員にも伝えている[25]。同じように、AIや軍事に関しても、責任ある政策や法律に対して、支持を表明していくことが最良の姿勢だと考えた。

とはいえ、もっと優れた考え方があるはずとの思いから、さらに学びを深め、さらに考え抜いた視点を打ち出していこうと決めた。そこで、まず当社の倫理規範六原則に立ち返ってみることにした。AIや兵器に当てはまる倫理上の課題が見えてくるからだ。特に問題になってくるのは、「信頼性と安全性」、「透明性」、そして何をおいても「結果責任」である。この三つが守れないようでは、いくら人間が制御できる形でＡＩを導入すると主張したところで、人々の信頼は得られない。

国家ぐるみのサイバー攻撃に対するセキュリティという観点から、マイクロソフトがいろいろな問題に対処してきたことはすでに述べたが、これがＡＩの倫理問題とも重要な共通点があることに気付いた。つまり、自律型致死兵器（殺人ロボット）など新たなテクノロジーに関して、すでに国内・国外に規則がいくつか存在していたのだ。

サイバー兵器関連のセキュリティ問題には、ほかにもさまざまな要素が絡んでくる。アントニオ・グテーレス国連事務総長は二〇一八年にいわゆる殺人ロボットの禁止を呼びかけた際、「人間の命を奪う裁量も権限も持つ機械が現れる可能性があるとしたら、道義的に不快感を覚える」と歯に衣着せぬ意見を述べていた[26]。だが、サイバー兵器の場合と同じように、世界の軍事大国は技術開発に制限をかける新たな国際ルールづくりに抵抗している[27]。

このため、潜在的な懸念がありそうなシナリオごとに議論を深めることで、行き詰まりを打開しようとしている。たとえば、国際人権ＮＧＯのヒューマン・ライツ・ウォッチは、「人間による意味のある制御なしに、標的の選定や交戦が可能な兵器システムは禁止する」[28]ことを各国政府に求めている。こうした国際的な提言は、さらに詳細を詰める必要はあるものの、特に「人間による意味のある制御」など具体的な条件に重点を置いていて、世界が対処すべきポイントを鋭く突いている。

もちろん、現行の倫理や人権保護の流れを変えないように取り組むことが大切だ。私はアメリカ軍が長年に渡って倫理的な意思決定に重点を置いていることに敬意を抱いている。実際、軍は、倫理観の退廃や取り返しのつかない失敗を招くことなく、体制を維持できている。実は上級将校から陸軍士官学校の学生に至るまで、さまざまな声を聞いてわかったのだが、士官学校では倫理学を履修しなければ卒業させてもらえない[29]。アメリカの多くの大学では、コンピュータサイエンス専攻の学生にそんな縛りはないのである。

他国の指導者らと協議していて、倫理観とは、人権や哲学など幅広い基盤に立脚するものだと痛感した。それだけに、世界の多様な文化にも目を向けるべきだし、そこから生まれるさまざまな法律・規制の考え方にも目を向けなければならないのだ。

どの情報技術にもいえることだが、ＡＩはその性質上、グローバルに使われる運命にある。ＡＩの開発者にしてみれば、どこでも同じように使えるようにしたいはずだが、法律や規制は国によって異なり、これが外交関係者にとっても技術者にとっても悩みの種となる。マイクロソフトもこのような国ごとの違いにことあるごとに悩まされている。最初に立ちはだかったのが知的所有権法の壁だった。続いて競争規則に行く手を阻まれ、最近ではプライバシー規制に苦しめられている。とはいえ最終的には哲学のレベルまで掘り下げなくてはならない倫理的問題への対処と比べれば、はるかにやさしいことだ。

ＡＩは従来のテクノロジーと比較にならないほど各国の規制や倫理的価値感の相違という問題を

はらんでいる。ＡＩがもたらす問題は、パーソナルアカウンタビリティの役割や公共部門の透明性、プライバシー、基本的公平性といった哲学的なテーマに近いものがある。人間の哲学的な問題に合意できずして、どうしてコンピュータの倫理について統一的な取り組みを打ち出せるというのだろうか。これは未来への難題である。

これからは、テクノロジーを生み出す者は、コンピュータサイエンスやデータサイエンスなどの分野の出身者にとどまらず、社会科学、自然科学、人文科学の世界からも登場する必要が高まるだろう。人類の叡智に基づいてＡＩが意思決定を下せるようにするとしたら、学際的な背景なしに開発は実現しない。今後の高等教育のあり方を考えるとき、コンピュータサイエンティストやデータサイエンティスト一人ひとりにリベラルアーツ（一般教養）を身に付けさせる必要がある。逆にリベラルアーツを専攻する学生もコンピュータサイエンスやデータサイエンスを避けて通れなくなるだろう。

また、コンピュータサイエンスやデータサイエンスの履修課程自体でも倫理学の比重を大きくする必要がある。その場合、集中講座の形を取るか、ほぼすべての課程の内容に盛り込むことになる。もしくは両方を組み合わせてもいい。

次代を担う学生たちは情熱を持ってこうした理念を受け入れてくれると思われる。二〇一八年初め、当社ＡＩ事業の大部分を統括するエグゼクティブ・バイスプレジデント、ハリー・シャム（ロボット工学博士）と私はある発表をした。「大学医学部の学生は、医師の職業倫理を列挙した宣誓文

『ヒポクラテスの誓い』を頭に叩き込むことが伝統になっているが、プログラマーにもこのような矜持を期待できるだろうか」と世に問いかけたのである。われわれは、プログラマーがこのような誓いを立てることに意義があると考えている。[30]

数週間もすると、ワシントン大学のコンピュータサイエンスの教授が試しに例のヒポクラテスの誓いを改変してAI開発に携わる者に向けた新たな宣誓文をつくってみせた。[31] 私もハリーも、それぞれに講演や講義で世界各地の大学に赴くたびに、倫理こそ、若き世代が懸念を抱いているテーマだと気付いたのである。

むろん、AIの倫理規範についてグローバルに議論しようと思えば、もっと大きな場が必要だ。技術者や政府、NGO、教育者だけでなく、哲学者や世界のさまざまな地域の代表者もテーブルに着いてもらわねばならない。

グローバルな議論の必要性を主張しているうちに、われわれは、テクノロジーとは縁がないだろうと思い込んでいた場にたどり着いた。バチカンである。

二〇一九年二月、各国の国防相ら防衛関係者が集う毎年恒例のミュンヘン安全保障会議への出席を数日後に控え、われわれは途中でローマに滞在していた。実は同じころ、バチカンでは聖職者の倫理問題や教会での児童虐待問題に対処するための会合を一週間後に開催する予定だった。そこで、われわれはコンピュータの倫理についてバチカンの首脳と意見を交換することになっていた。異なる分野における人類の願いと課題が同時に浮き彫りになったわけだ。

バチカンを訪れると、白髪で陽気なビンチェンツォ・パリア大司教がにこやかに迎えてくれた。数々の著書もあるパリア大司教は、ＡＩに関わる課題を含め、バチカンのさまざまな倫理問題を担当している。実は、マイクロソフトとバチカンは、新しいテクノロジーと昔からの倫理問題にまたがる領域の研究者を対象に、優れた博士論文に賞を贈るスポンサーを共同で務めている。

意見交換となった午後は、科学・技術と哲学・宗教との衝突の歴史を思い出さずにはいられなかった。バチカンではパリア大司教の案内でシスティーナ礼拝堂から回廊を通ってバチカン図書館へ向かった。グーテンベルクが一四五〇年代に自ら発明した活版印刷機で印刷した聖書があり、そのページを実際にめくってみた。これこそ、コミュニケーションのあり方に革命をもたらし、教会を含めたヨーロッパ社会の隅々まで影響を与えた技術進歩だったのだと改めて実感した。

続いて、この聖書の誕生から一五〇〇年後に書かれた書簡集が目に留まった。ガリレオ・ガリレイが教皇に宛てた書簡だ。内容は、天動説か地動説かをめぐるガリレオとローマ教会の論争に関わるものが中心だった。この書簡集が示すように、ガリレオは一六〇〇年代初めに自ら考案した望遠鏡を使い、太陽の表面に見える黒点の位置が変化することを突き止めた。それは、太陽が自転している証拠だった。このことは聖書の解釈をめぐる激しい論争に発展した。結局、ガリレオは、異端審問の後、自宅軟禁下に置かれたまま、この世を去っている。

グーテンベルクの聖書とガリレオの書簡集を見ると、科学・技術が信仰、宗教、哲学といかにつながり、いかに衝突してきたのかがわかる。印刷機や望遠鏡などの発明と同じく、ＡＩがこうした信仰、宗教、哲学の分野と何の軋轢も生まないわけがない。問題は、思慮深く、敬意を忘れることなく、包容力を持ってグローバルな議論を展開するにはどうすればいいかだ。

これは、フランシス教皇、パリア大司教との会談で取り上げたテーマの一つでもあった。多くの国々が次々に内向き志向に陥り、隣国や他国に背中を向け始めているなかでのテクノロジー開発も話題に上った。

本書の第七章で一九三〇年代にアルベルト・アインシュタインが技術の危険性について警鐘を鳴らしたことに触れたが、教皇によれば、アインシュタインは第二次世界大戦後、「第三次世界大戦が起こったら、どのような兵器が使われるのかわからないが、第四次世界大戦は石と棍棒で戦うことになるだろう」と語ったという。[32] これは、(第三次大戦に突入すれば)核兵器の使用は世界を終わらせてしまうという警告だ。

会談が終わった帰り際、フランシス教皇は右手で握手しながら左手で私の手首を握りしめ、「忘れてならないのは人間性です」と強く語りかけてくれた。

ＡＩの未来を考えるうえで、すべての人々にとって大切な助言である。

第12章

AIと顔認識
誤認、偏見、監視を防ぐには

二〇〇二年六月、スティーブン・スピルバーグ監督作品『マイノリティ・リポート』が封切られた。原作はSF作家のフィリップ・K・ディックによる一九五六年の有名な短編小説だ。舞台は西暦二〇五四年のワシントンDCで、犯罪ゼロの街になっていた。主演のトム・クルーズは犯罪予防局の刑事ジョン・アンダートンを演じる。犯罪予防局は警察組織のなかでも精鋭部隊で、殺人犯が犯行に及ぶ前に逮捕するのが仕事であり、三人の予知能力者による予言に基づいて犯人を逮捕する権限が与えられている。だが、ある日、アンダートン刑事は自ら率いる予防局から逃げ出すことになった。予知能力者がアンダートン刑事による殺人事件を予知したからだ。逃げるといっても、街中の誰もが、そしてあらゆるものが当局に監視されている。[1]

この映画が公開されてから一五年以上が過ぎた今、こんな捜査方法はあまりに現実離れした話に見える。単なる空想の世界かと胸をなでおろしたいところだが、そうでもないらしい。『マイノリティ・リポート』で描かれたある部分は、どうやら二〇五四年よりはるかに早く現実のものとなりそうなのだ。映画では、アンダートン刑事が逃亡中に衣料品店のGAPに立ち寄るシーンがある。来店客を認識すると、即座に店内のマルチメディア端末にこの客が気に入りそうな服が表示される。このように提案された商品に興味を示す客もいれば、鬱陶しいとか気味が悪いと感じる客もいるだろう。最近は、何らかのウェブサイトを閲覧してからSNSを使うと、まさに今見ていた内容に関わる広告が表示されて驚くことがあるが、これと同じようなことが実店舗でも起こりうるのだ。

スピルバーグは、『マイノリティ・リポート』を通じて、テクノロジーが役に立つこともあれば、凶器にもなる可能性を考えてほしいと言う。犯罪が発生する前にその芽を摘むことができたとしても、何かの間違いで人々の権利が侵害される可能性も否定できない。映画では、GAPの店舗に来店したアンダートン刑事を認識するテクノロジーは、彼の体内に埋め込まれたチップから情報を拾う仕組みだった。

二一世紀を迎えてからはや二〇年。今や現実のテクノロジーは、スピルバーグの想像力さえも超えて進歩を遂げ、そんなチップなどなくても同様のことができるようになっている。AIを駆使したカメラによるコンピュータビジョンに、クラウド上のデータを組み合わせた顔認識技術を使えば、先週だろうが一時間前だろうが前回来店したときのデータを基に、再来店した客の顔を識別することが可能なのだ。このような時代になったからこそ、テクノロジー業界や政府は、顔認識の規制のあり方を決める必要がある。顔認識は、特定の分野でＡＩに関わる倫理や人権の問題を具体的に議論する最初の対象だといえるだろう。

顔認識は、元々は、写真のカタログ化や検索といった単純な用途に使われていた技術だったが、あっという間により高度な用途にも適用されるようになった。最近では、iPhoneやウィンドウズのノートＰＣのロックを解除する際に、パスワードより顔認識の方が楽だと感じるユーザーが増えている。だが、問題はそこで終わらない。

人間は、生まれてからずっと人の顔を認識する能力を使っているわけだが、今やその能力にコンピュータが追い付いた。ほとんどの場合、顔認識能力の出発点は、自分の母親を認識することだろう。帰宅した親の顔を見て幼子が喜びを爆発させる姿を見ると、子育ての幸せを感じるものだ。思春期を迎えるころまで続くこの反応は、人間に生来備わっている顔認識能力のなせるわざである。だが、日常生活でも欠かせない能力のわりに、その仕組みについてじっくり考えることはまずない。

実は、人間の顔は、指紋と同じくらいそれぞれに固有の特徴がある。両目の間隔、鼻の大きさ、笑顔の形状、顎の輪郭などさまざまな要素がある。コンピュータは写真を基にこうした特徴を拾ってまとめ、一定の数式で表現する。ここまで来れば、あとはアルゴリズムで処理できる。

このテクノロジーを生活の充実に役立てようと世界中で活用が進んでいる。消費者の利便性向上に使われるケースもある。たとえばナショナル・オーストラリア銀行は、マイクロソフトの顔認識技術を使って、ATMでキャッシュカードなしに安全に現金を引き出すことができるシステムを開発中だ。顧客の顔認識で本人かどうか確認するので、あとは暗証番号を入力するだけで取引は完了する。[2]

ほかにも幅広い用途でメリットが期待できる。ワシントンDCにある国立ヒトゲノム研究所（NHGRI）では、医師が胸腺低形成（ディ・ジョージ症候群、別名22q11.2欠失症候群）と呼ばれる病気を診断する際に、顔認識機能を活用している。この病気はアフリカ系、アジア系、ラテンアメリカ系に発症しやすく、心臓や腎臓への影響など、深刻な問題を引き起こしかねない。だが、厄介なことに兆候は顔の表情にごくわずかに見られるだけだ。この表情の特徴をコンピュータの顔認識システムで見極めることができるため、医師の診断に役立っているのである。[3]

このように見てくると、顔認識は実際に社会に貢献する重要な役割を担った二一世紀の新しいツールであるといえる。

しかし、多くのツールと同様に、顔認識も凶器になりうる。どこかの政府が平和集会参加者の特定に顔認識技術を使っても不思議ではないし、そういう手を使えば、表現の自由や集会の自由を抑え込む圧力になりうる。民主主義国の社会であっても、警察が顔認識技術がどこまで信頼できるか調査もせずに、被疑者を特定する際、こういうツールに過度に依存することは十分ありうる。どのような技術とて、絶対に完璧ということはないのだ。

このような理由から、顔認識は政治的、社会的な問題と無縁ではない。われわれが問われているのは、社会でＡＩにどのような役割を担わせたいのかということだ。

二〇一八年の六月、まだ先のことと思われていた状況が突然訪れた。当時アメリカで最も激しい議論の的になっていた政策にも関わる話だ。その年の六月、「フリーソフトの何でも屋」を自称するバージニア州のある男性がツイッター上で、マイクロソフトが年初にマーケティング用ブログに投稿した記事を取り上げ、当社とアメリカ移民・関税執行局（ＩＣＥ）との間の契約について連続でツイートしていた。[4] 政治問題に強い関心を持っている人物のようだった。

実際のところ、社内では半年も前のブログ記事は忘れ去られていたが、そこには、マイクロソフトがＩＣＥ向けに提供するテクノロジーは、高度なセキュリティ基準をクリアして導入が決まったもので、この意義ある業務契約によってＩＣＥに顔認識技術を導入する道が開けたという内容の一文もあった。[5]

実は同じ六月、トランプ政権がアメリカ・メキシコ国境での移民親子の引き離しを決定したことがきっかけで大きな批判を浴びていた。こうなると、半年前に当社がブログに投稿した記事はずいぶん違った意味を帯びてくる。何しろ契約相手のＩＣＥは移民関連の当局だ。「顔認識技術」という言葉もまた違った意味を持つことになる。事実、ＩＣＥなどの移民当局が顔認識技術のようなものを導入するのではないかという懸念が世の中に広がっていた。そのため、ＩＣＥとの契約に関するツイッター記事が出ると、「クラウドに接続したカメラで、街を行き交う人々の中から移民を見つけ出す目的に使われるのではないか」とか「顔認識はまだ完璧とはいえないリスクを抱えていて、誤認識による人違いで拘束されることもあるのではないか」といった疑問が噴出した。

シアトル時間で夕食を迎えるころには、インターネット上で当社の例のブログ記事に関する大量のツイートが駆け巡り、広報部門は対応に大わらわだった。エンジニアリングチームやマーケティングチームの一部の従業員は、「ブログ記事はずいぶん前の投稿であって、現時点では業務への影響はない」ので、例の投稿を削除してはどうかと言い出した。

だが、マイクロソフト広報責任者のフランク・ショーは「そんなことをしたら、火に油を注ぐだけだ」として、再三に渡って削除しないよう助言した。にもかかわらず、社内の誰かが我慢できずに、問題の投稿の一部を削ってしまった。当然のことながら事態は悪化し、メディアでも批判が相次いだ。翌朝には投稿を元の状態に戻した。

この件をきっかけに、当社とICEの契約内容について改めて精査することになった。

真相を確かめたところ、この契約は顔認識とはまったく関係ないことが判明した。また、幸いにもマイクロソフトは、国境での移民親子引き離し措置にも一切関わっていなかった。この契約の目的は、ICEがメール、カレンダー、メッセージング、文書管理の作業をクラウドに移行する支援業務だった。アメリカなど各国の政府機関をはじめ、さまざまな顧客を対象に引き受けているプロジェクトと大差のないものだったのだ。

ところが、また新たな火種がくすぶり出した。社内から、ICEとの例の契約を解除し、その他のICE向け業務もすべて停止すべきだとの声が上がったのだ。その年の夏は、政府によるテクノロジー利用について、こうした根強い意見があった。ある従業員グループは、ICE契約の停止を求める嘆願書を集め始めた。この問題は、当社に限らずテクノロジー業界全体を揺るがす問題になっていった。

クラウド型ソフトウエアを専門に手がけるセールスフォースでも、従業員による同様の運動が見られた。槍玉に挙がっていたのは税関・国境警備局との契約だった。やがてグーグルでも従業員の運動に火が付いた。アメリカ軍向けのAI開発プロジェクトの中止を要求したのだ。さらに、アマゾンでは、同社の顔認識サービス「レコグニション（Rekognition）」に従業員グループが懸念を示し、これに対してアメリカ自由人権協会（ACLU）が支援を表明した。[6]

テクノロジー業界にとっても、広く財界にとっても、この手の従業員による運動は経験のないものだった。過去一世紀にわたって特定の業界で労働組合が担ってきた役割と重なるかもしれないが、組合は主に組合員の賃金や労働環境に重点を置くものであり、二〇一八年夏にテクノロジー業界で拡大した従業員運動とは性格が異なる。この運動は、特定の社会問題について従業員に態度表明を呼びかけるものであり、従業員に直接的な利益はなく、間接的な利益さえない場合もあった。利益ではなく、重要と思われる社会的な価値観や立ち位置への賛同を経営陣に求めるものだったのだ。

従業員による行動主義に対して、反応はさまざまだった。当社と同じ地元シアトルに拠点を置くアマゾンの場合、経営陣が従業員と直接向き合ってこの手の問題を協議する気はなさそうだった。[7]この反応に、一部の従業員は問題を提起する気力をなくしたようだ。実際、従業員に対して、余計なことをせずに仕事に集中せよとのメッセージになったのかもしれない。

シリコンバレーに目を転じると、グーグルの経営陣はずいぶんと違う対応を見せ、ＡＩを軸とした軍との契約を撤回するなど、従業員の不満に即座に応えた。[8]これらの動きからわかるのは、答えは一つではないということだ。どの会社もそれぞれの社風や労使関係の理想像を手がかりに答えを出す必要があった。マイクロソフトも自社の社風を考え、両極端ではなく、その中間を目指すことに決めた。

それを如実に示す出来事を紹介しよう。何よりも重要なのは、従業員が経営陣に対して抱く期待の高まりだ。数カ月前に実施された信頼度調査「エデルマン・トラストバロメーター」でもこの傾向が表れていた。[9]エデルマンでは、二〇〇一年からこの調査を実施していて、企業などに対する信頼度の変化を通して、世界規模で世論を分析している。

二〇一八年初めに発表された同レポートによれば、多くの組織に対する信頼度は急落したものの、勤務先に対する信頼だけは例外だった。世界的には自分が働いている組織が「正しいことをしている」との回答は七二％に上り、アメリカに限定するとこの数字は七九％と、さらに高くなっている。[10]これに対して、自国の政府を信頼しているとの回答は、アメリカの場合、わずか三分の一にとどまった。

われわれが肌感覚で捉えていたとおりの結果だった。テクノロジー業界には、会社が旬の問題について何らかの判断を下したり、関わり方を決めたりするときに、積極的に関与したいと考える従業員が存在する。政府に対する信頼が低下しているときには、こうした従業員の考え方がますます強くなるのもうなずける。

こうした従業員の変化を受け、経営者は新しい方向性を強く意識するようになった。私が参加したシアトルで開かれた夕食会では、あるテクノロジー企業のCEOが、「基本的に自分の仕事にはしっかり向き合ってきたつもりだが、今、まったく違うものを押し付けられている。移民とか気候変動などの問題に取り組めと従業員から突き上げられているのだが、実際のところ、どう対応していいのやら」とこぼしていた。

それは決して珍しいことではない。当社でも一番若い世代の従業員の間に似たような現象が見られた。大学のキャンパスで学生たちが社会変革を叫び、大学当局に方針変更を迫るという風景は昔からある。ちょうど夏だったこともあって、マイクロソフトだけでもざっと三〇〇〇人のインターン学生が働いていたことになる。当然のことながら、ICEとの契約に対して強い関心を持っていた。たったひと夏、マイクロソフトで働くだけだとしても、会社の立ち位置に何らかの影響力を直接行使したいと思う学生もいた。

学生たちへの対応方法についてサティアと意見を交換した際、私はプリンストン大学の理事を務めた経験から次のような意見を述べた。

「テクノロジー企業の経営は大学経営に近い気がします。博士号の研究者を大量に抱えている点も大学に似ています。インターン学生や若手従業員も多く、考え方が大学の学生と相通ずるものがあるのです。誰もが自分の意見を聞いてもらいたいと思っています。政府機関の仕事をボイコットすべきという声は、いかがわしい行為のあった企業のへ株式投資を控えよと大学当局に迫るのと似ていますね」

大学理事を経験した際、いくつか重要な教訓を得た。善意で行動している学生は、必ずしも正しい答えを知っているわけではないが、ぶつけてくる疑問自体はまっとうだ。こうした疑問を上手に育めば、専門家にも経営幹部にも見出せなかった素晴らしい道が開けることがある。社内の各部門に対して常々言っていることだが、未完成のアイデアに対する最善の対応は、そのアイデアを潰すことではなく、きちんと完成させることだ。実際、マイクロソフトによる優れた構想のなかには、このようにして日の目を見たものもある。

また、当社の土台となっている社風はサティアが育んだものであり、成長志向と学び続ける姿勢が根底にある。つまり、現在が従業員の行動主義という新たな時代の夜明けなのであれば、今後、従業員と向き合い、彼らの懸念をしっかりと受け止め、熟慮を重ねた答えを出せるように対応していこうという考え方だ。

プリンストン大の理事経験から学んだことがもう一つある。実は大学には、こういう学生のニーズに応えられる健全なプロセスが構築されている。大学は誰もが意見を表明し、生産的な議論の場を生み出した。集団で物事をじっくり考え、難しい判断を下す練習を重ねることにより、感情を抑えて理性を広めてきたのが大学である。われわれもこの方向に進むことを決断し、前出のエリック・ホロヴィッツ、フランク・ショー、そして当社でＡＩ倫理問題を担当する法律顧問リッチ・サウアーが従業員参加型の円卓会議を連続開催することになった。

ただし、当社が社会問題について態度を表明することに意味がありそうな場合と、そうでない場合があることをはっきり説明しておくことが重要だった。会社の名前で手当たり次第に問題という問題に手を出していいわけではない。自社にとって何らかの重要な関わりがあることが前提だ。当社の顧客、顧客による当社のテクノロジーの利用、就労中の従業員、地域社会の一員としての従業員、当社の事業、株主・パートナーのニーズに影響がありそうな公的な問題が差し当たっての対象になる。こうして従業員と話し合うための有益な枠組みが出来上がった。

従業員の抱く疑問をきっかけに、当社としても、政府との関係や、顔認識など新しいテクノロジーがもたらす課題について熟慮を重ねるようになった。

一方で、法の支配に基づく民主主義社会において、政府機関に対するボイコットのような方法には抵抗を覚えた。要するに、原理原則の問題だ。われわれは選挙で選ばれた人間ではない。テクノロジー企業に政府の監視を託すのは奇妙なだけでなく非民主的だと思えた。原則としては、正当な手順で選出されたわけでもない民間企業に、正当に選出された政府のお目付け役を任せるのではなく、正当に選出された政府に企業の規制を任せる方が理にかなっている。サティアともこの点を何度も議論し、この原則が大事だという点で一致した。

現実的に見ても、さまざまな組織や個人が当社のテクノロジーに大きく依存している事実がある。そういう状況で、ある政府機関のやり方に異議を唱えるからといってテクノロジーの提供をストップしたら、混乱が一気に広がり、思わぬ結果を招くことは容易に想像できた。

このことが浮き彫りになったのは、二〇一八年八月のある金曜の朝のことだ。車で出勤するときにいつも聞いているニューヨーク・タイムズのポッドキャストサービス「ザ・デイリー」で、問題の核心を突く話を耳にした。その日取り上げていたのは、アメリカとメキシコの国境で移民の親子が引き離された件だった。連邦地裁が再会を命じていたにもかかわらず、期限を過ぎても政府が命令どおりに再会を実現させていないというのだ。すると、聞き覚えのある声の持ち主が登場した。保護者のいない移民の子供を法的に支援するボランティア団体「ＫＩＮＤ（Kids in Need of Defense）」の代表、ウェンディ・ヤングだ。声を聞いてすぐにピンときた。というのも、私は一〇年以上前からこの団体の理事を務めていたからだ。[11] ウェンディが説明するように、現政権は移民親子引き離し政策を予定どおり実施したものの、後に「どうやって再会させるのか何も考えていなかった」。[12]

ウェンディの話を何度か聞いていたので、移民家族がこうした状況にあることは承知していたが、ニューヨーク・タイムズのケイトリン・ディッカーソン記者とアニー・コリアル記者による解説レポートにはショックを受けた。人々が国境を越える際、税関・国境警備局の職員はコンピュータ上のドロップダウンメニューで登録作業をしていたという。担当者は、メニューに表示される「付き添い人のない未成年者」「単独の成人」「未成年者同伴の成人（つまり家族）」のいずれかを選んで登録する。ここまではいいのだが、その後、子供連れの場合は親から引き離す。すると、コンピュータシステムの設計上、担当者は最初の画面に戻って、当初入力した登録を変更しなければならない。たとえば、引き離された後の子供は「付き添い人のない未成年者」と分類し、親は「単独の成人」に分類する。この作業によって一緒に記録されていたはずの家族の関係を示すデータは消されてしまう。その結果、政府としても引き離された家族を再会させる際に手がかりとなる記録がなくなってしまったのである。

これは単なる移民や家族の問題ではなく、テクノロジーの問題でもあった。政府が使っていたのは構造型データベースと呼ばれる種類のもので、本来は一回完結のプロセスを想定しており、何度も更新するような用途には使われない。政府は、親子の引き離しに伴う新たな手順に合わせてデータベースを刷新することもなく、システムの構造を検討せずに見切り発車してしまったのである。

実は数カ月前に、私はウェンディと連れ立ってメキシコ国境から近い国境警備局指令センターを訪れていた。あの施設のシステムが時代遅れであること自体には驚かなかったが、基本的な技術インフラの不備がもたらす影響についてまったく何も考えていなかったことに愕然とした。

さて、ポッドキャストにショックを受けて職場にたどり着くと、金曜恒例の会議でサティアら経営幹部を前に、ニュースの内容を紹介した。テクノロジー企業として、賛同できない政策を打ち出した政府機関があれば、そこへのサービス提供を全面的に停止すべきではないのか、という声もあった。しかし、テクノロジーは人々の暮らしを支える大切なインフラになっていて、これを古いまま放置したり、本当にサービスを停止したりすれば、やがて意図せぬ結果や不測の事態を招くことだろう。サティアが社内の会議で何度となく指摘していたように、政府は、引き離された親子を再会させる手段としてメールを使っていたという。そんな状態で、当社が政府によるメール使用を拒否すれば、どうなってしまうだろうか。

そこで、アメリカの政府機関に対するボイコットは間違っていると判断した。だが、当社従業員の一部をはじめ、ボイコットなどの対応を求める人々から寄せられる疑問は、もっともなものもあった。なかでも顔認識技術をめぐる課題には慎重であるべきという指摘は傾聴に値する。

その点を熟慮した結果、われわれは、顔認識という新しいテクノロジーについて新しい法律や規制で管理すべきとの結論に達した。プライバシー保護に対する一般の人々のニーズに応え、偏りや差別のリスクに対処しながら、イノベーションを止めないためには、これが唯一の方法なのだ。

わざわざ企業側から自社製品への規制を政府に求めるのは、奇妙な話に聞こえるだろう。当社のジョン・トンプソン取締役会長によれば、競合の足を引っ張るためにマイクロソフトが政府に規制を要求したという、うがった見方がシリコンバレーの一部にあったという。この話を聞いて、私は気色ばんだ。まったくの誤解である。二〇一八年、アメリカの国立標準技術研究所（ＮＩＳＴ）は顔認識機能の試験を終え、当社のアルゴリズムはすべてのカテゴリーで首位あるいはそれに準じるレベルであることが証明された。[13] 当社以外に四四社がそれぞれの製品を試験に提出した一方、アマゾンなど多くの企業は試験を受けていない。

なぜマイクロソフトは規制に関心を持ったのか。それは、市場の行方について思うところがあったからだ。その数カ月前、当社のある営業チームが顔認識サービスを含むＡＩソリューションをある国の政府に販売しようとしていた。だが、その国には、司法の独立が確保されておらず、人権方面の実績も褒められたものではなかった。その政府が首都全体に当社サービスとカメラを組み合わせて配備する計画だった。人権を軽んじるような国の政府がこの技術を使えば、誰がどこにいようと追跡できるし、あらゆる場所ですべての人を追跡できる。当社は懸念を抱いた。

社内のＡＩ倫理委員会の助言を受け、この取引は見送りを決定した。世界中の自由と民主主義を監視する独立系の国際ＮＧＯ団体、フリーダム・ハウスが自由な国家と認定していない国には、汎用的な顔認識サービスの提供を控えるべきだというのが、同委員会の勧告だった。むろん、この政府と取引を進めていた現地営業チームは納得がいかなかったろう。この後、営業チーム責任者から熱のこもったメールが届いた。このサービスを提供することで暴力やテロ行為のリスクを抑えることができていたら、「子を持つ母として、またプロフェッショナルとして、わたしはもっと大きな安心感が得られたはず」と綴られていた。

彼女の言いたいことはわかる。今回に限らず、治安か人権かという長年に渡る葛藤は厳然としてあり、そこに折り合いをつけることは容易ではない。また、AIについて新たに倫理的判断を下す場合、多分に主観的要素が付いてまわる。もちろん、この責任者や他の関係者が指摘しているように、当社がサービス提供を断れば、競合他社に付け入る隙を与える。実際、このケースではマイクロソフトが契約のチャンスを逃しただけではない。われわれの心配をよそに、どこかの企業が有害な用途を承知で売り込む姿を指をくわえて見ているしかなかった。だが、さまざまな要素を比較検討した結果、顔認識という新しいテクノロジーの開発に関しては倫理的な基盤を整備していく必要があると判断したのである。その具体的方策は、特定用途への利用は拒否しつつ、公の場での幅広い議論を呼びかける以外になかった。

こうした一定の原則に沿った取り組みが必要と再確認できる出来事があった。カリフォルニア州の警察からの引き合いだ。警官が不審車などを停車させる際、車内の容疑者を撮影する機能を全警察車両とボディカメラ（警察官の身体に装着するカメラ）に搭載したいという依頼だった。その場で写真を撮影し、犯罪データベースに照会して、余罪があるかどうかを瞬時に確認するのが目的だった。妥当な理由だったが、そのような用途に導入するのであれば、顔認識技術はまだ完成の域に達していないと伝えた。少なくとも二〇一八年の時点で、この用途に使うとすれば、誤認識が多くなり、いわば濡れ衣を着せられる市民が増えることになる。特に有色人種や女性の場合、誤認識が依然として多かった。結局、われわれは、この取引を白紙に戻し、警察に対しては、この目的での顔認識の利用を見送るよう働きかけた［二〇二〇年六月一一日、マイクロソフトは適切な法律が整備されるまで、警察への顔認識技術の販売を見合わせると発表。アマゾン、ＩＢＭも同様の方針を表明している」。

こうした経験がきっかけで、顔認識に適用できる原則が誕生したのである。もっとも、当社がこのような方針を掲げても、国内外の競合他社が防止策や制限に無頓着であれば社会的なインパクトはなくなってしまう。顔認識技術に限らず、ＡＩ利用のテクノロジーは、扱うデータが増えるに従って品質も向上する。そういう特性ゆえ、テクノロジー企業は他社に先駆けて多くの取引を獲得しようとする。これがなりふり構わぬ顧客争奪戦にエスカレートしかねない。社会的責任を取るか、売り上げを取るかの板挟みになってしまうのである。

このように目的達成のために手段を選ばないような競争を防ぐ手立ては、責任という名の土台をしっかり固め、健全な市場競争を支えるほかない。この土台を固めるには、顔認識技術とそれを開発・利用する組織の管理を「法の支配」に委ねる必要がある。

そこでわれわれは、ほかのテクノロジーの規制がどのような経緯をたどって今に至っているのか調べてみることにした。バランスの取れた規制方針の下、消費者と供給側の双方にとって健全な原動力が生まれている市場は少なくない。

自動車業界は、二〇世紀には実に数十年に渡って規制を求める声に抵抗し続けたが、今日ではシートベルトやエアバッグの普及や燃費の向上に法律が大切な役割を果たしている。航空機の安全性や食品、医薬品でも同様だ。

もちろん、何らかの規制が必要という話とは別に、どのような規制が最も理にかなっているのか見極めなければならない。二〇一八年七月、マイクロソフトでは、規制のあり方について質問リストを作成し[14]、どのような解決策が考えられるか意見を求めることにした。当初は従業員やテクノロジーの専門家を交えた議論としてスタートしたが、この問題で積極的に活動していたACLU（アメリカ自由人権協会）など市民権擁護団体も加わるなど、議論は全国に広がり、やがて世界にも広がった。

とりわけ、フランス国民議会で出会った議員らの反応は印象的だった。ある議員は「こんな質問をしてくれるテクノロジー企業はほかにない。なぜおたくだけなのか」と話しかけてきた。確かに顔認識については、当社の見解は他社と一線を画していた。その背景には一九九〇年代に独禁法をめぐる訴訟で苦い経験をしたときの教訓がある。当時、マイクロソフトは、多くの企業や業界と同じように、規制など百害あって一利なしと訴えていた。独禁法訴訟の経験から得た多くの教訓の一つは、社会全体に大きな影響がある製品、有益な用途と有害な用途を併せ持つ製品の場合、規制不要論を振り回してもうまくいくとは限らないし、ひょっとしたら受け入れられない可能性もあるということだ。

ほとんどのテクノロジー企業は政府の介入に対して長年抵抗しているが、マイクロソフトはすでにさんざん政府とは戦ったこともあり、いまではより積極的でバランス感覚のある姿勢で規制に向き合う方針を打ち出すようになった。それもあって、われわれは二〇〇五年という早い段階ですでにプライバシー保護の連邦法制定を求めていたのである。
もっとも、詳細を詰める段になって政府と見解の相違が表面化したり、政府を巻き込めと主張したことに後悔したりする可能性もあることは覚悟していた。だが、われわれとしては、テクノロジー業界だけに物事の判断を丸投げするよりは、全体で取り組んだ方が、テクノロジーと社会の双方にメリットがあると確信していた。

ポイントは、詳細をどう詰めるかだ。ニターシャ・ティクはワイアード誌で、こうした動きの重要性を説いていた。二〇一八年末にかけてニターシャは「テクノロジー業界のスキャンダルが相次いだ忌まわしい一年が終わると、政府嫌いだったはずの経営幹部らまで法制化を受け入れると公言し始めた」[15]と指摘する。だが、彼女も承知しているとおり、われわれのゴールは、顔認識技術の規制に関して具体策を政府に提案する形で、「さらに前進」させることにあった。

一二月には、十分に理解も深まり、新たな法制化を提起するのに機が熟したと感じていた。質問リストに掲載した疑問点のすべてに回答が得られたわけではないが、テクノロジーの進化を止めることなく、公益も守るという意味で、この分野で最初の法案としては十分な答えが集まったと判断した。政府にはこのテクノロジーの動向をしっかり把握してもらうことが重要であり、公共部門全体で段階的に理解を深めてもらうべきだと考えたのだ。

実はこのやり方にはお手本が存在する。スタートアップ企業の経営やソフトウエア開発の世界で支持されている「MVP」（実用最小限の製品）という考え方がある。顧客に価値ありと感じてもらえる最小限の製品からビジネスを徐々に広げていく手法だ。われわれは、政府に顔認識技術について理解を深めてもらううえで、このMVPを流用してはどうかと考えた。

起業家で著述家でもあるエリック・リースの定義によれば、MVPは「チームとして、まず新製品の初期バージョンを投入し、顧客の好みなどについて検証による学び（将来についての推測ではなく、実際のデータ収集から得られる学び）を最大限に獲得する」ことを目指すものだ。[16]言い換えれば、思い付く限りの疑問点に完璧な答えが出そろうまで待っていてはいけないということである。重要な疑問点に対して確かな答えにたどり着いたと確信できるなら、それに沿って行動し、ともかく製品を市場に投入し、現実世界のフィードバックから学びを得る。このやり方は、企業経営だけでなく、テクノロジーを迅速に大きく進化させることもできる。

ただ、いくら迅速に動けといっても、最初のうちは特に注意深く、うまくいっているかどうか確認しながら進むことが肝要だ。今回のケースに当てはめれば、われわれの顔認識に対応する考え方はうまくいく自信があった。私はワシントンDCにあるブルッキングス研究所で新しい法案について説明し、[17]当社の案について詳細を公開した。[18]それから半年をかけてアメリカ各地はもちろん、国外でも八カ国の公的なイベントや議会の公聴会で働きかけた。

その段階での大きな問題としては、偏りのリスク、プライバシー、民主主義に基づく自由の保護という三つがあったが、当社ではいずれもこの法案で対処できると確信していた。健全に機能している市場であれば、偏りを低減する方向への進化が加速されるとも考えた。われわれの顧客に関していえば、誤認識が多くて差別につながるような顔認識サービスの契約に興味を示す顧客は皆無だった。だが、顧客に情報がなければ市場は機能しない。「コンシューマー・レポート」を発行する非営利消費者組織のコンシューマーズ・ユニオンといった団体が自動車の安全性などの情報を大衆に提供しているのと同じように、学術界などの団体が、いろいろな顔認識サービスの精度をテストして情報を提供できるはずだ。そうなれば、AIの偏りのメカニズムを指摘したマサチューセッツ工科大学（MIT）のジョイ・ブオーラムウィニのような研究者にとっては、企業への注意喚起になる研究にこれまで以上に邁進する追い風となる。問題は、市場に参入している企業が、自社製品をテストに差し出せるかどうかだ。だからこそ、この点をわれわれは規制を使って実現し、市場原理が働くようにしようと考えたのである。[19]

AIによる差別のリスクを抑えるためには、顔認識を利用する組織に対して従業員研修を義務付ける必要がある。また、顔認識を使って重要な判断を下す前に、まず認識結果を点検する手順を組み込んでもらわなければならない。つまり、顔認識による意思決定をコンピュータ任せにしないことが重要だ。[20] 特にわれわれが懸念を抱いていたのは、顔認識が設計されたときの意図とは違う形で使われた場合、偏りのリスクが悪化することだった。その点、あらかじめ研修を受けた人員がいれば、こうした問題には適切に対処できるはずだ。

だが、捜査当局が顔認識を使って、日常生活を送っている普通の人々を継続的に監視するようになったら、厄介な問題になる。

民主主義の前提としては、いつでも人々が内密に、あるいは公然と会って、互いに言葉を交わし、意見を戦わせることができなければならない。そのためには、人々の移動の自由が認められていて、絶えず政府の監視下に置かれないことが重要だ。

政府による顔認識技術の利用に関しては、治安を維持しつつ、今挙げたような懸念が持ち上がらない範囲で、充実した市民サービスの提供につなげている例は多数ある。[21]

だが、顔認識技術がそこらじゅうに設置されたカメラ、クラウド上のとてつもないコンピュータ処理能力や記憶装置と組み合わせて政府が利用するようになると、個人の継続的な監視につながりかねない。顔認識のような技術がこのように使われれば、想像を絶する規模での大量監視に道を開くことになる。

ジョージ・オーウェルの小説『1984』に描かれている未来の監視社会では、カメラとマイクで顔も話し声も、言葉の一字一句まで監視・記録されているため、政府の監視の目をくぐり抜けたければ、真っ暗闇の部屋に密かに入り、お互いの腕をトントンと叩くことで〝会話〟をするほかなかった……。

オーウェルがこの光景を描いたのは、およそ七〇年前のことである。われわれは、テクノロジーによってこのような未来が来ることを懸念していた。

われわれの見解としては、捜査当局が顔認識技術で特定個人を継続的に監視できるのは、監視を認める捜索令状などの裁判所命令が得られた場合、もしくは人命にかかわる差し迫った危険がある緊急事態の場合に限定すべきであって、そのような法律の制定が必要だった。

現在アメリカでは、携帯電話のGPS位置情報を基に個人の居場所を追跡するサービスが提供されていて、これに対応したルールが定められている。こうした位置情報サービスに匹敵する顔認識サービスにも、同様のルールが必要ということである。二〇一八年に連邦最高裁判所は、警察が捜索令状なしに、個人の携帯電話の基地局情報を含む記録を取得できないと判断した。携帯電話を持ってどこかに移動すると、そのエリアを担当する基地局は、圏内にその携帯電話が入ってきたと認識する。つまりはそのユーザーがこの基地局圏内にいることになる。つまり基地局情報の取得はユーザーの居場所を調べることと同じなのだ。[22]「顔は、携帯電話と同じ水準の保護が必要か」と問われれば、われわれは、「まったくもってそのとおり」と答える。[23]

顔認識の規制では、商取引の面でも消費者のプライバシー保護が必要なことは明白だ。今や、どの店でもカメラを取り付けてクラウドに接続すれば、リアルタイムに顔認識サービスが利用できる時代に突入している。ショッピングモールに足を踏み入れた瞬間から、どこを歩いても写真を撮られるだけでなく、コンピュータで認識されていても不思議ではない。ショッピングモールの所有者が、テナントとして入居している全店舗にこの情報を提供することも可能だ。このデータがあれば、各店舗のオーナーは、一人ひとりの客の前回の来店日時、そのときに見ていた商品、購入した商品などが手に取るようにわかる。このデータを他の店にも提供すれば、他の店では、この客が来店したらどのような商品を買うか予測できるのである。
われわれとしては、こうしたテクノロジーを全面的に禁止する規制を求めているのではない。その逆で、それぞれの店には責任を持ってテクノロジーを駆使して、消費者がショッピングを楽しめるようにしてほしいと考えており、そのために努力している。そのような顧客サービスであれば、多くの消費者に歓迎されるはずだ。だが、消費者は、顔認識がいつ使われているのかを知り、疑問があれば問い合わせ、顔認識を拒否する選択肢も選ぶ権利を持つべきだ。[24]
われわれは、法案づくりに当たって、顔認識を利用する組織に対して「わかりやすい表示」を出して消費者に知らせるよう義務付けることも要求した。[25] また、その表示を受けて、消費者がいつ、どのように情報を管理し、自分のデータの利用可否を決定できるのか定めた規則も必要だと指摘した。消費者の管理と同意の問題については、今後何年かかけて検討を重ね、しかるべき法的な措置を講じる必要がある。特に、アメリカではプライバシー法の整備がヨーロッパより遅れているからなおさらだ。
また、新たな法律の適用範囲も検討しておいた方がいい。ただし、あらゆる場所で法律の可決を働きかける必要はない。たとえば、有力な州や国家が企業に対して、公共機関ないし学術機関の顔認識サービス試験を義務付けた場合、試験結果を公開できれば、広く情報が共有される。この信念に従って、当社は二〇一九年初めにアメリカ各地の州議会の会期の始まりに合わせて新法案制定を検討するよう働きかけた。[26]

一方、消費者のプライバシー保護と民主的な自由の保護に関しては、あらゆる地域で新法の制定が必要だ。だが、世界各国の政府の見解が分かれるなか、そのような法制化は現実的とはいえない。そう考えれば、政府に対して行動を呼びかける直球勝負では不十分だ。たとえアメリカ政府がその気になったとしても、世界は広い。世界各国の政府がそろって人権保護第一で顔認識を利用するなどと人々が本気で信じてくれるわけがない。

政府に旗振り役を求めても、テクノロジー企業が倫理的責任を免れるわけではない。顔認識は、広く定着している社会的価値観と齟齬のない形で開発・利用すべきである。マイクロソフトが独自の法案と連動して六つの原則を発表したことはすでに述べた。これは当社の顔認識技術に適用されている。そのうえで、顔認識に対応したシステムやツールを開発している。[27] 他のテクノロジー企業や市民運動団体も同様の方針を打ち出している。

顔認識の問題は、ＡＩをめぐる倫理的な課題の一つにすぎず、今後、さまざまな課題が持ち上がってくるはずだ。手始めに、総合的な幅広い原則を打ち立てはしたが、その後は、ＡＩの具体的なテクノロジーや個別のシナリオに当てはめ、各原則の検証作業を進める必要がある。また、物議をかもすようなＡＩの用途が出現した場合も同様の対応が欠かせない。

課題は今後も次々に出てくるはずだ。顔認識に限らず、テクノロジーごとにどういう用途がありうるのかきめ細かく精査する必要がある。多くの場合、新たな規制と、テクノロジー企業が先手を打って実施する自主規制の組み合わせが求められる。また、国や文化の違いによって見解が大きく分かれるケースも多いはずだ。そこで、こうした課題に対して、常に各国が迅速に協力して動くことのできる体制づくりが必要だ。機械が人間の手に負えないような状況に陥らないためには、それ以外の道はない。

第13章

AIと労働者
大量失業の時代は来るのか

一九二二年一二月二〇日、ニューヨーク・ブルックリンの閑静な高級住宅街に馬車を引く馬蹄の音が響く。ここは地区の消防を担う第二〇五ポンプ車隊。ベテラン隊員が使い込んだ手綱に力を込め、凍えるような冬の朝の街に出動しようとしている。副署長のマーティン、通称「スモーキー・ジョー」が署の鐘を鳴らし、「どうどう」と大声を上げると、消防馬車隊がニューヨークの街に元気よく飛び出していく。

だが、その日の出動は消火活動のためではなかった。馬引き蒸気ポンプ車が向かった先は、ブルックリン区庁舎。ここで、エンジンを搭載した消防車にバトンタッチする日が来たのである。

第二〇五ポンプ車隊で馬引き蒸気ポンプ車・馬車の廃止が決まると、沿道に詰めかけたニューヨーク市民が最後の出動を見送り、別れを惜しんだ。市民や市の関係者、消防署員、そして第二〇五ポンプ車隊のマスコット犬ダルメシアンのジグスが花道をつくって第二〇五ポンプ車隊の「誠実な」馬たちに敬意を表した。

消防隊員が市役所に到着すると、事情を知らないジグスは、早くホースを消火栓につなげと消防隊を急かすかのように、心配そうにポンプ車の周囲をぐるぐると走り回る。[2] だが、隊員はいつもとは違って、馬に花飾りを付けた。同消防隊にとって最後のお勤めであり、ニューヨーク市消防局にとっては最後の消防馬の出動でもあった。

伝説の消防馬に別れを告げることは単なる儀式だったが、当時の日刊紙「ブルックリン・イーグル」が報じていたように、この馬からエンジンへという進化はニューヨークの文化に大きな影響を及ぼすことになる。「三世代もの間、少年たちにとって消防士は心躍らせる存在だったように、消防馬の活躍もまた少年たちの楽しみだった。ところが、ニューヨーク市から消防馬が消えた。おそらくは永遠に[3]」

消防馬は、五五年以上に渡って消防隊の一員として活躍しながらも、お役御免になった。変わりゆくテクノロジーとそれが雇用に及ぼす影響を象徴する話だ。消防馬自体、かつて消防ポンプを引いていた人間たちに取って代わったという経緯がある。それ以前は、大人も子供も地域の有志たちが消防ポンプを人力で引いていたが、一八三二年にコレラの流行でニューヨーク消防局の消防士にも被害が出たため、その穴を塞ぐために馬が動員されることになった。同記事によれば「火災現場までポンプ車を引く人員を十分に用意できなかった」のだそうだ。必要は発明の母ということわざどおり、多くの消防士が病床に伏したり、死の淵をさまよったりしている危機的状況のなか、ニューヨーク消防局は当時の金額で八六四ドルの高額を投じて馬を大量に調達した。[4]

もっとも、人力車が馬車に正式に取って代わられたのは、一八六〇年代になってからだった。しかも、その主役交代は決して円滑ではなかった。まず消防ポンプ車の引き手としての消防士のプライドが邪魔をした。一八八七年、当時最高齢の消防士として名を馳せたエイブラハム・パーディによれば、馬の導入が原因で消防局内にいろいろな軋轢が生まれ、我慢できずに職場を去る者もいたという。[5]

とはいえ、進化の波がすぐに訪れる。さっと装着できる馬の首輪など馬具の改良が続き、馬を手で引く仕事を担っていた人々の負担が軽減された。一八六九年にはしっかりと訓練を受けた馬と消防士の組み合わせで一分以内に消防署を出発できる体制が整った。[6]

ところが二〇世紀に入ると、今度はポンプ車の引き手を担ってきた馬がお払い箱になり、一〇〇年前の人間と同じ運命をたどることになった。馬に取って代わったのは、燃焼機関という名の機械だった。

むろん、経済全体でも大きな変化があった。ほぼ三世紀に渡って技術が進歩した結果、仕事のあり方は変化を続け、全体として生活水準が向上したことは明らかだ。だが、何ごとにも常に勝者と敗者があることは、否定しようのない事実である。こうした勝者や敗者は個人や世帯の場合もあれば、地域や州、場合によっては国ということもある。

そして今、世界はＡＩを前にして、同じような期待と不安を抱えている。機械が馬をお払い箱にしたように、コンピュータも人間をお払い箱にするのか。自分の仕事も奪われてしまうのか。

われわれは、行く先々で人々からこんな質問を受ける。ある嵐の日曜日、われわれはテキサス西部のメキシコ国境の街、エルパソに向かっていた。砂漠の高地にある空港に着陸寸前、横風を受けて滑走路に大きく弾むように激しい衝撃とともに着陸した。険しいフランクリン山脈に抱かれるように佇むエルパソは、ニューメキシコ州との州境に接するとともに、リオグランデ川を挟んでメキシコとの国境とも接し、いわば交差点のような街だ。飛行機の窓からはこの雄大な景色が眼下に広がっていた。

空港では手荒い歓迎を受けたが、街ではそんなことなどどうでもよくなるほど、心温まる歓迎を受けた。エルパソは英語とスペイン語が飛び交い、二つの文化が溶け合った活気あふれる街で、メキシコ側のシウダー・フアレス（フアレス市）まで国境をまたいで国際色豊かな巨大コミュニティが広がっている。

ここを訪れたのは、マイクロソフトのテック・スパークというプログラムの一環だ。二〇一七年に始まった同プログラムを通じて、アメリカ各地のいくつかの地域と提携関係を結んでいる。[7] 現地の企業や政府、非営利団体のリーダーらと手を組み、テクノロジーが大都市以外の地域社会に及ぼす影響を詳しく分析するのが目的だった。

ちなみに私の故郷の近くに拠点を置くアメフトチームのグリーンベイ・パッカーズ（ウィスコンシン州）とも、マイクロソフトは画期的なテクノロジーについて提携を結んでいる。テクノロジーは新たな課題をもたらすが、これまでとは違う方法できちんと制御できれば、明るい見通しが広がる。この点を学ぶ機会を全米で生み出すのが、このプログラムだ。[8]

州間高速道路一〇号線を走っていると、見慣れない巨大な建物がいくつもあることに気付いた。聞けば大型コールセンターだという。英語とスペイン語のバイリンガルが多い地の利を生かし、砂漠地帯に続々とコールセンターが誕生していて、今やエルパソ経済を支える急成長産業となっている。そこでは地元民が何千人も雇用され、北米から南米まで一〇億人近い市場をカバーしている。

だが、この地域を回ってみると、みな一様に表情は暗い。コールセンターの雇用の多くが一〇年後、いやひょっとするともっと早くに消滅してしまうかもしれないからだ。仕事を奪おうとしているのは、ＡＩである。

地域のリーダーらと会い、ＡＩが地元経済にどのような影響を及ぼすのか話しているうちに感じたのは、われわれが肝に銘じておくべきは、未来のことは誰にもわからないということだ。テクノロジー企業の経営者のような立場にあると、いかにも自信ありげに、しかも仰々しく一〇年後、二〇年後の世界をまるで見てきたように語ってみせる者が多い。そして人々は何の疑問も持たずに素直に耳を傾ける。都合のいいことに、そんな未来予想は一〇年も経てば誰も覚えていないのだ。仮にまったくのでまかせを語っていたとしても、軌道修正の時間はたっぷりあるから始末に悪い。

安直に未来は語るべきではないが、未来についての意味のある洞察は役に立つ。エルパソの人々に会ってＡＩが地域の雇用に与える影響について議論した際、こうした洞察を得るため、二つの領域について話した。

その一つは、ＡＩの得意分野・不得意分野をはっきり把握し、それが雇用や仕事に及ぼす影響を見極めることである。当たり前だが、ＡＩにうまく処理できる作業がある職種では、徐々に人間がＡＩに置き換えられていく。今やＡＩは音声認識や画像認識、言語翻訳をこなし、何らかのパターンを読み解いて新たな結論に到達する力を持つに至っている以上、こうした最近の進歩はしっかりと把握しておくことが大事だ。自分の仕事の大部分がＡＩ任せにできて、しかもＡＩなら迅速に処理できるとしたら、その職業はコンピュータに取って代わられる可能性が高い。

ＡＩにいち早く取って代わられる職業を強いて挙げるとすれば、ファストフード店のドライブスルー窓口で注文を受け付ける係だ。現在は人間が客の注文を聞き取って、コンピュータに入力している。だが、屋外マイクの性能向上に伴って、ＡＩは人間並みに話し言葉を聞き取って理解できるようになっている。このため、近い将来、機械に全面的に任される可能性がある。

そのうちドライブスルーに入って注文を伝えている相手がいつのまにか店員からコンピュータに替わっていることに気付くかもしれない。コンピュータは一〇〇％正確ではないかもしれないが、それは人間も同じである。だからこそ注文内容を確認し、間違いがあれば訂正する手順があるのだ。

エルパソでコールセンター産業の急成長ぶりを目にして、感嘆と心配が入り交じった思いを抱いたのもそのためだ。コールセンターでの顧客との電話のやり取りは、相手の要求を理解し、問題を解決することが大部分を占める。顧客サポートでの簡単なやり取りは、すでにコンピュータが処理し始めている。現に、顧客サポート窓口に電話をしてみればわかるが、むしろ人間のオペレーターにたどり着くのは至難の技のように感じる。コンピュータは電話を受けると、必要なメニュー項目の番号を客に入力させる。こうやって人間の話し言葉を単純な指示に置き換えているのである。今後もAIの改善が続くに従って、こうした作業はますます自動化が進むはずだ。

そういう意味では、ほかの分野でも存続が危ぶまれる仕事はある。たとえば車の運転の大部分は、フロントガラスの向こうの景色を認識し、情報として解析し、判断を下す作業の連続だ。こういった分野でコンピュータが進化すれば、車の運転という作業はAIに取って代わられる可能性がある。

二〇世紀半ばには、高層ビルのエレベーターに乗り込んで扉の開閉操作をするエレベーターガールがいた。懐かしい話だ。二一世紀半ばには、人間が運転するタクシーやウーバーを見かけたら、同じような思いを抱くことになるのだろうか。

人がコンピュータに取って代わられる現象は機械類の点検作業でも始まっている。マイクロソフトのレドモンド本社には三五〇〇本の消火器が配備されている。かつては毎月、消火器の圧力が規定の水準を満たしているかどうか、一本一本業者に点検してもらっていた。現在はすべての消火器に取り付けた小さなセンサーが社内のネットワークにつながっている。圧力が規定水準を下回ると、集中管理しているダッシュボードに警告が表示されるので、担当者が問題の消火器を交換するだけになった。安全性が高まった一方、コストは下がった。三五〇〇本の消火器の点検に毎月業者を雇うことはもうないのだ。

決まり切った作業や反復的な肉体労働を伴う仕事は、ずいぶん前から機械やオートメーションに取って代わられてきた。コンピュータの思考能力を考えると、今度は頭脳を使う仕事が奪われるのだろうか。ＡＩが人間の言語を翻訳する能力は急激に向上しており、人間の通訳という仕事はますます存続が危ぶまれるように思われる。

パラリーガル（弁護士業務の補佐）も同様だ。この仕事は、ずいぶん昔からテクノロジーを活用したサービスの影響を受けている。一五年前は、マイクロソフトでは社内の弁護士一人につき、平均一人のパラリーガルを採用していた。だが、社内ネットワーク上でセルフサービス型の業務補助機能が提供されるようになり、弁護士四人にパラリーガル一人で済むようになった。ＡＩを採用したシステムが機械学習でパターンを認識する能力が高まっていることを考えると、今後、パラリーガルが担っていた作業だけでなく、若手の弁護士による判例検索の作業もこうしたシステムに置き換わっていっても不思議ではない。

高度なスキルや手の込んだスキルだから仕事を奪われることはないとも言い切れない。ＡＩは高収入職、低収入職を問わずあらゆる仕事に影響を及ぼす。たとえば放射線専門医は、現在、アメリカでは平均年収四〇万ドル（約四四〇〇万円）を稼ぐ高給取りである。[9] 仕事の大部分はＣＴやＭＲＩ

の画像を見ながら異常がないか確認することだ。

だが、AIを搭載した装置に膨大な量の画像を読み込ませて、正常な画像と異常のある画像を識別するトレーニングを積ませれば、骨折、出血、がん性腫瘍の有無を判断できるようになる。[10]

AIによる雇用破壊は明らかに脅威だが、そんな状況でも明るい兆しはある。私自身、弁護士として駆け出しの時代に感じたことだが、新人時代の法務の仕事の大部分は退屈極まりない。一九八六年に大手法律事務所に入って初めて与えられた仕事は、一〇万ページを超える膨大な文書を読んで要約を作成することだった。その仕事を命じられたときのことは今もはっきりと覚えている。

もっとも、これは今日ではすでに自動化されている作業である。弁護士としてやりがいを感じるようになったのは、膨大な資料や判例の山をあさりながら答えを探す作業を通じてではなく、知恵を絞ってしかるべき質問を考えるようになってからだ。AIがこういう退屈な作業や雑用を引き受けてくれれば、もっとおもしろみのある案件に人間の思考や集中力を振り向けることができる。

人間は、時間をかけて注意力を駆使するような仕事を創り出すのが驚くほど上手だ。この何十年かの間に、自動車や計算機、ボイスメール、ワープロ、グラフィックデザイン用ソフトの出現を受けて、いくつもの仕事が姿を消したり、形を変えたりすることになったが、世の中にはまだ多くの仕事がある。言うまでもなく仕事はいろいろな作業の寄せ集めであり、自動化できる作業もあれば、自動化できないものもある。[11]

工業化と自動化の波が何度となく訪れたにもかかわらず、わたしたちがいつも時間に追われているのはいったいなぜなのだろう。数年前、当時マイクロソフトリサーチの責任者だったリック・ラシッドが、会議にとられる時間も人間も増える一方だと冗談半分に語っていた。時間を奪うのは会議に限ったことではない。同僚や友人とのコミュニケーションでもいろいろな手段を使い、かなりのエネルギーを費やしている。職場では、業務関連のメールを毎日平均して一二二通もやり取りしている。[12] 二〇一八年には、地球上で作成されているメールは、プライベート用と仕事用を合わせて二八一〇億通に上った。[13] だが、それは人々のコミュニケーションのほんの一部にすぎない。ショートメッセージやアプリ内のメッセージは一月に一四五〇億回も送信している。[14]

ここがポイントなのだが、何ごとも裏表がある。この状況を別の角度から眺めてみよう。AIには処理できそうもない作業は確実に存在する。その多くは、仲間とのコラボレーションなどの対人関係を含むソフトスキルに関するものだ。この能力は、組織の大小を問わず、今後も基礎的な能力であることに変わりない。リックが認めるように、そこには会議も必要になることが多い（できればしっかりと計画された会議であってほしいが）。

AIの苦手分野はほかにもある。看護師やカウンセラー、教師、セラピストには相手に感情移入する力、共感力が求められるが、この面でAIが人間を凌駕するのは難しい。こうした職業で、一部の作業にAIが使われる可能性は高いが、職業そのものをAIに置き換えることは難しそうだ。

新しいテクノロジーはどれもそうだが、AIは仕事を奪い、変容させるだけでなく、新しい産業や仕事を生み出す力もある。ただし、ＡＩによってどのような仕事が新たに生まれるのか見極めるとなると、ＡＩが従来の労働に及ぼす影響を分析するよりもはるかに難しい。とはいえ、ＡＩ自体を使う新たな仕事はすでに姿を現し始めている。

その一部を目の当たりにしたのは、世界の政治指導者らとＡＩについて意見交換をしているときのことだった。

二〇一七年春、マイクロソフトのイギリス子会社を訪れた際、テリーザ・メイ首相（当時）の訪問を受けた。私はそのとき、マイクロソフトＵＫのシンディ・ローズＣＥＯの隣に並んで立っていた。最新テクノロジーを体験してもらう場面で、若手社員が首相の頭にゴーグル型端末のホロレンズのヘッドセットを取り付けるのをひやひやしながら見守った。首相が元気に動き回りながらＡＲ（拡張現実）のデモを体験している姿にほっとしたものだ。

ちなみに、このときのデモは、高性能な機械の故障部分を特定する作業をＡＲで支援するという内容だった（ホロレンズの使い方をマスターするのは、ブレグジットの交渉戦略を練るよりもはるかに簡単であることも証明された）。

デモの後、メイ首相はヘッドセットを外し、若手社員にあなたの仕事は何かと尋ねた。すると彼は胸を張って「空想アドバイザーです。拡張現実のような新しいテクノロジーを使って業務にどのように活用できるのか、お客様に思い描いていただくお手伝いをしています」と答えていた。

するとメイ首相はこう答えた。「空想アドバイザー？　聞いたことがない仕事ですね」

そんな今まで聞いたこともないような名称の新しい仕事がこれから続々と登場するはずだ。今後、パーティに足を運べば、「顔認識スペシャリスト」とか「AR活用建築家」とか「IoTデータアナリスト」といった肩書の人たちに出会うようになるだろう。そろそろ辞書の改訂が必要だなと思うような瞬間がこれまで以上に増えるのではないだろうか。

こんな話をすると、今後誕生する新しい職業について正確な予測が欲しくなるが、悲しいかな、未来は過去と同様に混沌としている。誰にも予知することはできない。

このことを痛感したのは二〇一六年秋だった。サティアと一緒にドイツのアンゲラ・メルケル首相を訪問したときのことだ。ベルリンの首相官邸は、ガラスと光沢のあるスチールが印象的な建物で、一九世紀末からドイツの象徴となっている国会議事堂のすぐ近くに二〇〇一年に完成した。

戦後ドイツの首相（当時は西ドイツ首相）として名を馳せたコンラート・アデナウアーの肖像画が見下ろす官邸会議室で行われたメルケル首相との会談にはドイツ語と英語が堪能な通訳も付いた。この通訳がメルケル首相の外交手腕に勝るとも劣らない見事な腕前だったのである。首相は、われわれが話す片言のドイツ語とは比べ物にならないほど英語が堪能だが、会談のなかで非常に専門的な部分には通訳が入った。

サティアがAIそのものやAIの今後の行方について語り、言語の翻訳も可能という話題になった。近いうちにAIが人間の通訳に取って代わると説明するや、はっと我に返ったように突然口をつぐんだ。そしてサティアは同席している通訳の方を見て、「ごめんなさい」と詫びた。

通訳は動揺することもなく、「お気になさらず」と穏やかに返した。「二〇年前にもIBMの方が同じことを言っていましたが、いまだにこうやって通訳をしておりますので」。

このやり取りから、重要なポイントが見えてくる。AIに取って代わられそうな仕事を正確に予測することと、実際にコンピュータによる置き換えが始まる時期を推測することは、まったくの別物なのだ。

私はマイクロソフトに在籍して四半世紀になるが、その間、エンジニアリング部門の責任者がコンピュータの将来動向を見通す力に脱帽することがたびたびあった。だが、時期の予測に関してはかなりムラがある。一般的に人間は未来については変化が実際よりも早く到来するという楽観的な予測をしがちだ。しかしビル・ゲイツはこう言っている。「人間は、二年後の変化は過大評価し、一〇年後の変化は過小評価するものだ[15]」。

この傾向は昔からある。これからは自動車の時代だ、と最初に言われたのは一八八八年だった。その年、自動車を発明したメルセデス・ベンツ創業者にして発明家のカール・ベンツの妻、ベルタ・ベンツが自動車に乗って一〇〇キロほど離れた実家まで運転してみせ、自動車の可能性を報道陣にアピールした[16]。

ところが、それから一七年後の一九〇五年にニューヨークのブロードウェイで撮影された写真を見ると、通りは馬や路面電車があふれていて、自動車は一台も見当たらない。新しいテクノロジーが普及する水準まで成熟するには時間がかかるのだ。さらに一五年が経過した一九二〇年に同じ交差点で撮影された写真を見ると、自動車と路面電車がひしめき、馬は姿を消したことがわかる。

また、新しいテクノロジーの拡散が一定のペースで進むこともまれだ。当初は楽観的すぎる未来予想が実際の進歩を上回るため、開発者には途方もないほどの忍耐と粘り強さが求められる。やがてテクノロジーは、ある転換点に達する。つまり、技術開発のさまざまな成果がまずあって、これを上手に融合させられる優れた人物と出会うことで、これまでに体験したことのないような魅力あふれる製品が出現するのだ。

その典型的な例が、二〇〇七年にスティーブ・ジョブズが成功させたiPhoneである。携帯電話と携帯型個人情報端末（PDA）は、それぞれが一〇年ほどかけて進化を続けていた。だが、タッチ操作画面の技術的な進化と、すっきりとしたデザインですべてを統合するというジョブズのビジョンが出合い、あっという間に世界中でスマートフォンの爆発的な普及に火が付いた。

AIがこれと同じようになる部分もあれば、違う部分もあるだろう。コンピュータがドライブスルーで注文を取るといったAI活用シナリオの多くは、離陸寸前の段階に到達しているといえる。一方、自動運転車のように、一歩間違えば命に関わりかねない高度な用途の場合、はるかに長い時間が必要になっても不思議ではない。だから経済全体で一斉に移行が始まることはまずあり得ないし、一つのテクノロジーに限った場合でも移行のムラはあり、分野ごとに大波や小波が次々にやってくるはずだ。今後二〇年から三〇年は、テクノロジーや社会の変化はこのような特徴を見せるだろう。

また、こうした変化が積み重なって雇用や経済に及ぼす影響も考えなければならない。こういう将来を楽観すべきか、それとも悲観すべきなのか。歴史から何らかのヒントが得られるとすれば、やはり光と影の両方があることだ。

二〇一七年にマッキンゼー・グローバル・インスティテュート（ＭＧＩ）は自動車への移行に関する調査を発表した。それによれば、「自動車の登場によって一九一〇年から一九五〇年までにアメリカで新たに創出された雇用の正味増加数は六九〇万に上った」[17]。同じ四〇年間に馬から自動車に移行した結果、消滅した雇用もあるが、創出された雇用はその一〇倍に達したという。このようにして生まれた雇用は、自動車の保守や自動車を利用した輸送・配送といった新しい職業だった[18]。ここに着目すれば、楽観論が出てくるのも理解できそうだ。

だが逆の見方もある。大恐慌の真っ只中の一九三三年に発行されたアメリカ国勢調査局のレポートによると、馬から自動車への移行は、「目下の経済状況（不況）をもたらした主因の一つ」であり、その影響はこの国全体に及んでいるとしているのだ[19]。

なぜ評価がこうも違うのか。ある意味で両方とも間違っていない。そして長い目で見れば、何ごとも丸く収まるもので、四〇年を経てアメリカ経済は移行に成功し、自動車は戦後の経済成長とともに全盛期を迎えた。だが、車社会への移行からわずか二〇年しか経っていない段階では負の影響の方が大きかった。

二一世紀の現在から考えると、馬から自動車への移行ごときでそれほどの悪影響が生じるとはとても想像できない。だが、データ第一でやってきた国勢調査局が後世に残したこの歴史のひとこまは、ある意味で衝撃的だ。そして、ここに現代に生かせるヒントがあるはずだ。

一九三三年にこのデータを担当したのは、国勢調査局のゼルマー・ペティットという名の農業統計調査官だった。ペティットはジョージア州の果樹園で働いていたが、後に実地調査員として国勢調査局に転職する。大学では哲学を専攻後、農業分野と、今でいうビッグデータにまたがる領域の研究に携わった。一一五件の研究論文を執筆し[20]、最終的に農業国勢調査部門の責任者にまで上り詰めて退職している。[21]

ある日、ペティットは、アメリカの国勢調査員が数えていたのは住民数だけでないことに気付く。馬の数も数えていたのである。そこでペティットは、消防馬の姉妹編として「農業馬」と題したレポートを作成した。大恐慌に至る数々の出来事が大量の数値データとともに解説されている同レポートは、大恐慌の裏話として実に興味深い。

そこには自動車登場前のアメリカ経済がいかに「馬」を中心に発展してきたかが語られている。ある歴史家によれば、「一八七〇年にはアメリカのすべての家庭が直接、間接に馬の世話になっていた」[22]。全米で人口五人に一頭の割合で馬が存在したという。[23]馬は平均すると人間の一〇倍のカロリーを必要とする。[24]このため、多くの農家が栽培する作物は、馬の飼料用が圧倒的で、人間の食品用はごくわずかだった。

ペティットは、国勢調査局の膨大なデータを分析し、燃焼機関の採用後の変化を詳しく記述している。一九二〇年から一九三〇年にかけて乗用車、トラック、農機具がそろった結果、一九二〇年の国勢調査では一九八〇万頭だった国内の馬の頭数が一〇年で一三五〇万頭にまで急減した。[25]約三分の一の馬が消えたことになる。馬の頭数が落ち込むにつれて、主に干し草やオート麦、トウモロコシなどの飼料需要も減少した。

当然、農家にとって選ぶべき道は、馬の飼料よりも人間の口に合う作物の栽培に軸足を移すことだ。それが実際に起こったのである。ペティットが報告しているように、農家は馬の飼料の栽培に使われていた農地七万三〇〇〇平方メートルを綿花や小麦、タバコの栽培に転換した。[26]やがて市場にはこうした農産物があふれ、相場が押し下げられた。

相場の下落に伴って、農家の所得も減少した。その結果、この三種の農産物を出荷した農家の総収入は、一九一九年に四九億ドルだったのが、一九二九年には二六億ドルに半減し、ついには一九三二年に八億五七〇〇万ドルにまで落ち込んでしまった。[27]一九三〇年代前半に農家の収入減を招いた要因はほかにもあったが、間接的とはいえ馬の頭数減少による影響は著しいもので、数字にはっきりと表れていた。

ほどなくして農山村部では、農地を抵当に入れてローンを組んでいた家庭が返済に苦しむようになり、農村銀行が農地の差し押さえに乗り出した。だが、やがて農村銀行自体が資金調達先である大手銀行への返済に行き詰まるようになる。

さらに、ペティットの指摘によれば、都市部の雇用の多くは、包装、製造、農機具など農業を前提とした産業に依存していた。[28] こうしてそこに車社会が到来し、その影響は全米に波及していった。一九三三年までに馬だけでなく、アメリカの労働力の四分の一に相当する約一三〇〇万人の国民までもが失業の憂き目を見たのである。[29]

ほぼ一世紀前の馬をめぐる出来事を駆け足で見てきたが、では、AIが雇用に及ぼす影響を考えるに当たって、ここからどのような教訓が得られるだろうか。何よりもまず、急激な変化に備えなければならない。AI時代への移行が自動車への移行に匹敵する大混乱をもたらす理由はいくらでもある。使役馬の消滅による波及効果のエピソードは、間接的な経済的影響が予測困難だとしても、非常に重要な影響だったことを物語っている。

二〇世紀のときと同様に、テクノロジー分野だけでなく、政府や公共部門にもイノベーションが求められるようになることは間違いない。大恐慌がもたらした二つのイノベーションを例に挙げよう。一つめは、特定農産物について過剰生産にならないように農家に補助金を出す政策、二つめは、金融機関の健全性を確保するための預金保険と規制である。

新たな公共イノベーションが求められる分野をもれなく予測することは難しいが、このようなニーズが持ち上がることは想定しておく必要がある。つまり、最大の懸念はテクノロジーのイノベーションのペースが速すぎることではなく、政府の動きが遅すぎることだ。民主主義国家の政府は、政治的な手詰まりや分断の時代に、新たなニーズや危機に対応できるのだろうか。政治的な立場を問わず、この時代に何よりも大切な問題の一つである。

ペティットが記したストーリーから見て取れる重要なポイントがもう一つある。文化的価値観や社会的選択肢の広がりがテクノロジーの進化に及ぼす影響である。自動車が馬に取って代わることは、現代人から見れば、当たり前の展開のように思えるし、長期的な観点に立てば、その見方は基本的に間違っていない。

だが、「家畜労働力の置き換えは、世紀の変わり目にエネルギー消費のあり方について文化的な選択が起こった結果と見ることもできる」[30]と指摘されているように、具体的な開発成果の多くは決して当然の帰結だったわけではないのだ。

アメリカの進歩主義運動は、各都市での効率化、公衆衛生の改善、安全性向上を謳っていた。そしてその象徴と見られた自動車の急速な普及を後押しするとともに、馬車移動を拒否する動きにつながった。確かに馬は効率、衛生、安全のどれを取っても問題があったことは、都市生活者なら百も承知だった。

同様に考えれば、自動化やＡＩの利用が、テクノロジーと経済原理のみで進展すると決めてかかるのは誤りだろう。個人も企業も国家さえも、文化的な価値観に沿って物事の選択をする。この価値観は、個々の消費者の嗜好から、もっと大きな政治動向に至るまで、あらゆる面に表れるもので、これが新たな法律や規制につながる。このため、国や地域によって展開は異なるのだ。

この移行から得られる教訓がもう一つある。おそらくこれが一番期待の持てる話だろう。テクノロジーが大きく変わるとき、間接的にどういう悪影響が出るのか予測するのは不可能だが、逆にまったく新しい仕事が生まれるなど、思わぬ副産物が飛び出すことも少なくない。

そこで、ニューヨークに自動車がもたらした直接、間接の影響を考えてみよう。一九一七年にはすでにニューヨークシティはアメリカの自動車販売の中心地になっていた。ブルックリンで消防馬が最後の日を迎える五年も前の話である。ブロードウェイには、馬車や馬具を売る店がいくつもあったが、タイヤやバッテリーを売る自動車用品店に置き換わった。かつて「アメリカン馬取引所」があった場所にはベンツやフォード、ゼネラルモーターズの所有する高層ビルの社屋が建ち始めた。修理工場、駐車場、ガソリンスタンド、タクシー会社は、一種の強迫観念に駆られるかのように、新しいスキルを持った人材の獲得競争を繰り広げた。

こうした直接的な影響はいずれも驚くには当たらないだろう。注目すべきは、たとえ結果論だとしても、一見すると自動車とは関係ないような新産業も次々に台頭したことだ。

その好例が、この業界であっという間に実現した消費者信用である。一九二四年には、自動車の七五%が分割払いで購入されるまでになった。自動車分割ローン契約はまたたく間に全米の分割ローン契約のうち半分以上を占めるまでになった。やがて今と同じように、各家庭が所有する財産のなかで、自動車は住宅に次ぐ高額商品となった。自動車購入のためには資金を借り入れる必要が出てきた。ある経済史の研究者は「分割ローンと自動車は、それぞれが成功するうえで、互いになくてはならない存在だった」と説明する。[31]

ここで興味深い疑問が思い浮かぶ。金融の中心地でもあるニューヨークを初めて自動車が駆け抜けたとき、この世紀の発明品が金融業界に新たな雇用を生み出すなどと、いったい誰が予測しただろうか。そもそも燃焼機関と消費者信用という二つの点を直接結び付ける線は存在しなかったし、時間の経過とともに浮かび上がった関係だった。

しかも、この二つの点の間には、ヘンリー・フォードの組立ラインのような別の発明や業務プロセスが存在していて、それが少なからず二つの点を結び付ける促進剤になった。たとえばフォードの組立ラインのおかげで大量生産が実現した結果、自動車は安くなり、いろいろな人々の手に届くようになったからだ。

同様に、自動車は広告の世界も一変させた。時速五〇キロあるいはそれ以上のスピードで走る車から外を見ると、「瞬時に把握できる看板でなければ、まったく目に留まらない」ため、いつでもどこでもさっと認識できる企業ロゴマークの誕生につながった。[32] もっとも、初期の自動車購入者らが、広告業界の新規雇用創出に一役買うことになるとは夢にも思わなかっただろう。

これは、期待が持てるとともに、ある意味で考えさせられる状況だ。テクノロジーは生産性を高め、退屈な雑用から解放してくれるだけでなく、未来の世代には当たり前となる斬新な企業や職業を生み出す原動力となる。また、強い決意（と資金力）を持って、新しいスキルを磨いたり、起業というリスクに挑んだりする人々が報われる時代になる。

だが、自動車が経済効果をもたらした反面、消防馬という文化が失われたように、その過程で明らかに痛手を被り、大切なものを失う。テクノロジーの進展ペースを遅らせたい人々や悪影響を確実に回避したい人々は落胆するだろう。そこで、鍵となるのが適応力だ。個人的にも社会全体としても、適応力を重んじる風土を醸成することにより、新たなチャンスと課題のバランスを取ることが求められる。

とはいえ、これは目新しいことではない。最初の産業革命が始まったころから、人々は新しいテクノロジーに適応し、仕事への影響も受け入れてきた。長い歴史のなかで、実際にどのような適応力が求められてきたのか客観的な視点で考えてみると何らかの気付きがあるはずだ。われわれもこの視点がマイクロソフトの製品や将来にとって、どういう意味があるのか考えてみた。成功のためには常に四つのスキルが求められる。第一に、新しい問題や分野について学ぶスキル、第二に、新たな問題を分析・解決するスキル、第三に、ほかの人々と意見を交換し、情報を共有するスキル、そして第四に、チームの一員として効果的なコラボレーションを実現するスキルである。

ゴールの一つは、ＡＩを制御し、この四つの各スキルに関して人々の活動に役立つような新しいテクノロジーを生み出すことである。これが達成できれば、次に押し寄せる変化の波に立ち向かうだけでなく、それをプラスに生かす能力を人々に提供できるようになる。そう考えると、単なる希望的観測にとどまらず、人類の叡智によって未来のテクノロジーをいい方向に生かしていけると信じることもできるというものだ。

第14章　アメリカと中国

二極化するテクノロジーの世界

二〇一五年九月のひんやりとした晩、高級ホテルのウェスティン・シアトルで開催された贅沢な晩餐会に全米から政財界の名士が集まった。巨大な宴会場で最後の料理が片付けられ、七五〇人の出席者が一息ついていた。

そこに主賓が高級そうな黒のスーツに真紅のネクタイという出で立ちで演壇に立った。[1] 聴衆の注目を浴びながら、主賓は自身の若いころを振り返り、アメリカの歴史を語り、欧米のポップカルチャーにも触れた。貧しかった幼少期の生い立ちを紹介し、愛読書としてアーネスト・ヘミングウェイやマーク・トウェイン、ヘンリー・デイヴィッド・ソローの作品を挙げた。学生時代にはアレクサンダー・ハミルトンの論文集『ザ・フェデラリスト』も読んだという。ちなみに、この晩餐会のちょうど一カ月前に観たミュージカル『ハミルトン』がブロードウェイで初公演を迎えて好評を博したばかりだったこともあり、世の中ではこの論文集がちょっとした話題になっていた。[2]

陽気な内容で始まったスピーチの最後は、人々の生活を向上させたいという抱負を語って締めくくられた。主賓はその抱負を「ドリーム」と表現した。典型的なアメリカの政治家を彷彿させるスピーチだが、彼はアメリカ人ではなかった。主賓の名は、習近平。中国国家主席である。そして彼の言う「ドリーム」とは、「チャイニーズ・ドリーム」だったのだ。

ヘンリー・キッシンジャー元国務長官、ペニー・プリツカー米商務長官（当時）の近くに立った中国国家主席は、ありふれた地味な話題に続いて、アメリカ企業を狙った中国のサイバー窃盗の阻止を約束したほか、中国市場の「開放」政策を明言するなど、聴衆が待っていた見せ場をつくり、ディナー後のスピーチを盛り上げた。

晩餐会前の昼、習主席の乗った飛行機が世界最大の工場に隣接するプライベート滑走路に着陸した。そこは、ワシントン州シアトルから三五キロのエバレットにあるボーイングの飛行機組立工場である。世界最大の人口を抱え、第二位の経済大国である中国のトップに就任した習主席にとって初のアメリカ訪問だった。ニューヨーク、ワシントンDCを含む慌ただしい訪米日程で、最初の訪問地が「アジア地域への玄関口」を謳うシアトルだった。[3]この歴史的訪問は準備に数カ月を要した。

翌日、私は他のマイクロソフト経営幹部とともに当社のエグゼクティブブリーフィングセンター（EBC）の玄関に用意された赤絨毯の上で来賓の到着を待っていた。ネクタイが曲がっていないかチェックし、出迎えの列の並び順を何度も確認し、中国国家主席訪問団の到着を待っていたのだ。この日の本社訪問については細部に至るまで徹底的に話し合い、入念に計画を立てていた。

習主席訪米に先立つ二カ月間に中国政府は四回も先遣隊を送り込んでいる。中国側の準備担当者チームは訪米のたびに規模が倍増しているように見えた。私は最初の打ち合わせにだけ参加した。本番の一週間前のこと、最終準備会議を終えた私は、たまたま自分の執務室を出て下のホールに行った。そこで次々に社屋に入ってくる訪問客と握手しているうちに、気付いてみればあっという間に四〇人以上と握手していた。

習主席のアメリカ訪問ではテクノロジーが最優先課題になりそうなことは誰もがわかっていた。マイクロソフトを含むアメリカ企業は、中国の一層の市場開放を勝ち取れるかどうかが気がかりだった。二〇一五年の春も終わろうというころ、われわれは、アメリカの事業者と中国の消費者の双方にプラスとなるような公平な市場開放のあり方を中国政府高官に説明するため北京に飛んだ。ドアがゆっくりと開く手応えを感じた。ずいぶん長いこと、この件に取り組んできたが、初めて希望が持てた気がする。

だが、それから一カ月後の七月初旬、中国のハッカー集団がアメリカの連邦人事管理局（ＯＰＭ）に侵入し、二一〇〇万人以上の社会保障番号などの個人情報を盗み出したというニュースが飛び込んできた。[4] ハッカー集団は、国家機密情報取り扱い資格の認定を受けたアメリカ人全員の詳細が含まれたデータベースに侵入していた。この一件で中国のサイバー窃盗能力の高さ、ＯＰＭの甚だしいセキュリティの甘さが浮かび上がった。

折しも九月の習主席訪米に向けた調整の真っ最中の出来事だった。このことがあった翌週、ホワイトハウスは、特別チームを設置した。このハッキング行為がアメリカ政府の神経にさわったことは明らかだった。出席した政権高官はデータ窃盗に憤懣やるかたない様子だったが、同時にあっけないほど簡単にハッキングされたことに戸惑いを隠せないようだった。こういう複雑な心理状態ではまっとうな判断はまず期待できない。

八月下旬、ホワイトハウスの特別チームは、米中間の新たなサイバーセキュリティ協定の交渉入りまであと一歩という段階にあったが、依然として微妙な状況が続いていた。訪米準備が進むなか、ワシントンDC以外の地域から訪問を開始して、ホワイトハウス到着までの時間をなるべく確保し、明るい方向に弾みをつけておく方が適切と思われた。となれば、もう一つのワシントン、つまりワシントン州シアトルのマイクロソフトが引き受けるのが妥当という結論になった。

実はその九年前に、当時の胡錦濤中国国家主席がアメリカを公式に訪問した際にはシアトルを最初の訪問地に選んだ。その際、ビル・ゲイツとメリンダ夫人がホスト役として胡主席をワシントン湖畔の自宅に招き、手の込んだ晩餐をともにしている。両国政府はこの結果に満足しているように見えた。そこで、今回もマイクロソフト本社訪問を含む日程で、再びホスト役を申し出たのだ。そうすれば、サイバーセキュリティ協定の後押しにもつながるし、仮に協定がうまくいかなかったとしても外交上のクッション役になれると考えたからだ。

話を習主席の訪問当日に戻そう。その日の午後、われわれは長い車列の到着を待つ間、入念に検討した順序で出迎えの列をつくって並んでいた。まずサティアが習主席を歓迎し、続いてビル・ゲイツ、そして取締役会長のジョン・トンプソンという順序だ。さらに私、そして検索事業を統括する執行副社長で中国育ちでもある陸奇の順で出迎える。サティアが主席を案内し、歓迎の挨拶を円滑にこなす。また、ＡＩ事業統括のハリー・シャムがホロレンズのデモンストレーションを担当するという流れで、本番も滞りなく進んだ。

続いて大きな会場に移動し、ここで後にメディアが「最も記憶に残った瞬間」と報じることになる場面が展開された。しかもそれは、マイクロソフト訪問中あるいはシアトル訪問中だけでなく、公式訪問日程六日間全体で「最も記憶に残る瞬間」だったのである。[5]

報道陣向けの習主席の写真撮影の場で、アメリカと中国のテクノロジー企業二八社の経営幹部が一堂に会したのだ。習主席を囲んだのは、ティム・クック、ジェフ・ベゾス、ジニー・ロメッティ、マーク・ザッカーバーグをはじめ、アメリカでおなじみのテクノロジー企業のＣＥＯだ。前の晩餐会で習主席がサイバーセキュリティの措置を発表したからこそ実現した写真であり、訪米中のほかの写真がどれも色あせて見えるほどインパクトがあった。アメリカ以外の国家元首で、これだけの錚々たる顔ぶれを集めることができたのは習主席だけだった。習主席と彼が率いる中国という国家は、世界経済だけでなく、テクノロジーの世界でも中心的な位置を占めるに至ったことを象徴しているようだった。

技術超大国として中国の台頭は、ある意味で、テクノロジーの世界が二極化に向かっていることの表れでもある。中国とアメリカは、情報技術の消費国として二大超大国だ。同時に、こうした技術を世界各国に供給する二大超大国でもある。株式相場を注意深く観察すると世界の時価総額上位一〇社のうち、七社がテクノロジー企業であることがわかる。この七社のうち五社はアメリカ企業、残る二社は中国企業である。一〇年後、この上位集団に名を連ねる中国企業はますます増える見込みだ。

だが、アメリカと中国のテクノロジー関係は、今も昔も、ほかでは見られない独特なものである。かつて世界を舞台にしたＩＴ戦争がなかったわけではない。一九七〇年代のメインフレーム全盛期には、アメリカと日本が主導権争いを繰り広げた。だが、今回は、ずいぶんと様相が違う。中国はその巨大な国家規模を背景に、外国からの市場参入を制限し、国内事業者に利益をもたらすという、他国の政府には真似のできない方法を駆使しているからだ。その結果、グーグルやフェイスブックといった企業は、世界中に展開しているにもかかわらず、中国だけは空白地帯なのである。

他のアメリカ企業は中国に進出してはいるものの、世界各地の市場と同じようなレベルで成功を収めているのは、iPhoneを擁するアップルくらいだ。近年、アップルは、インテルの三倍の売り上げを叩き出している。なお、インテルは、中国に進出している米系テクノロジー企業としては、アップルに次ぐ第二位の座にある。[6]

利益で見ると、この構図はもっと鮮明だ。中国でアップルは、他のアメリカ系テクノロジー企業すべての利益を合わせても太刀打ちできないほどの利益を稼ぎ出している。これは立派な成果だが、アップルのグローバルな収益性に中国が大きく貢献していることを考えると、同社にとっては課題でもある。長期に渡って世界各国でウィンドウズやオフィスなどの製品を販売してきたマイクロソフトの立場から見ると、アップルのように収入源として、あるいは収益性の基盤として特定製品に大きく依存していれば、その分野での変化を狙うことは難しくなる。だからこそ、アップルの首脳はあれほど頻繁に北京詣でを繰り返しているのである。

さらに重要なことは、アップルの独り勝ち状態から浮かび上がる他社の弱点だ。アメリカのテクノロジー企業が世界の他の国々と違って中国で成功するのはなぜこれほどに難しいのか。この疑問は、かれこれ一〇年以上も前からテクノロジー業界で必ず話題に上る。中国への技術移転の可能性が絡む問題だけに、アメリカの政界では、自国のテクノロジー企業に本当に中国で成功してほしいのかどうか、政党を超えた議論になっている。

テクノロジーをめぐる米中関係は、世界でも、いや歴史的にも例を見ないほど複雑な様相を呈している。

競争が激化しているときには、互いを理解することがきわめて重要になる。昔から国際関係というものは、往々にして真の相互理解よりも、先入観で他国を捉えていることが多い。アメリカ企業がとりわけ中国で商売に苦労しているのには、いろいろな理由がある。そこで全体像を見ながら、理由を吟味することが大切だ。

一つはっきりしてきたのは、中国の消費者はアメリカやヨーロッパ、その他の地域の消費者とはＩＴに対するニーズや興味が往々にして異なるということだ。マイクロソフトを含め、アメリカのテクノロジー企業は、そもそもアメリカのユーザー向けに設計された製品を中国市場に投入することが多い。こうした製品は、ときとして中国人ユーザーのニーズに応え、好みに合うこともある。iPhoneやマイクロソフトのSurfaceといったハードウエア、マイクロソフト・オフィスのような業務効率化ソフトウエアはその好例だ。逆に、中国人ユーザーは、まったく新しい、従来とは異なる方式に興味を示すこともある。

実は、中国が巨大市場としてだけでなく、テクノロジーの人材面でも台頭する見通しを二〇年以上前に示していたのが、ビル・ゲイツである。一九九八年一一月、当社の基礎研究機関であるマイクロソフトリサーチアジア（ＭＳＲＡ）が北京に開設された。現在は、同国の最高学府として双璧をなす清華大学と北京大学からもほど近いところにある二棟のタワーに入居している。最初の二〇年間、ＭＳＲＡは、コンピュータサイエンスの基礎研究だけでなく、自然言語やナチュラルユーザーインターフェース（ＮＵＩ）、データ集約型コンピューティング、検索技術など幅広い分野でも先駆的な研究を展開していた。[7] 各分野で研究者が発表した学術論文は一五〇〇本を超え、世界のコンピュータサイエンスの進展に貢献した。ＭＳＲＡは、中国で急成長するテクノロジー人材基盤の象徴的存在となっている。

ＭＳＲＡは、基礎研究の範疇を超えて中国市場に特化した新製品の開発・実験に乗り出しており、アメリカ人の目から見ると、驚くべきものもある。たとえば、「小冰（シャオビン）」という女性を模したＳＮＳ型チャットボットだ。ＡＩの力でティーンエイジャーから二〇代前半のユーザーを相手に会話をこなす。[8]

小冰は、中国のＳＮＳニーズに見事に合致したようで、ユーザーは小冰と平均して一回に一五〜二〇分ほど、その日の出来事や悩み、希望、夢について、おしゃべりを楽しむ。おそらく一人っ子政策の社会できょうだいのいない若者たちのニーズを満たしたのではないだろうか。やがて小冰は、六億人を超えるユーザーを相手に会話を楽しむまでに成長し、ＡＩを駆使して詩作や作曲までこなすようになった。さらに、テレビに気象予報士として登場したり、テレビやラジオの番組の司会としてレギュラー出演したりするなど、ちょっとした有名人になった。[9]

気をよくしたわれわれは、二〇一六年春に小冰をアメリカにも導入したのだが、テクノロジーをめぐる嗜好の違いを思い知らされた。アメリカ版は「テイ」という名前を選んだ。ところが、このアメリカ版小冰のアメリカデビューは、最初から失態続きに陥る。

ちょうど休暇中だった私は、ついつい夕食中に携帯電話をチェックするという過ちを犯してしまった。ビバリーヒルズのある弁護士からメールが来ていた。嫌な予感がした。「当方はテイラー・スウィフトの代理人ですが、依頼を受けて貴殿にメールを差し上げました。『テイ』という名前をご存じかと思いますが、これは当方の依頼人の名前を連想させます」とある。だが、正直なところ、テイラー・スウィフトが「テイ」と呼ばれていることは知らなかった。とにかくメールの続きが気になる。

要は、「テイ」という名前のために、人気歌手のテイラー・スウィフトと当社のチャットボットの誤認につながり、紛らわしいというのがこの弁護士の言い分だった。しかも、この名前の使用は連邦法や州法にも違反するという。当社の商標担当の弁護士は異議を唱えていたものの、われわれとしては、テイラー・スウィフトに喧嘩を売る気もないし、まして不快感を与える気もさらさらない。その気になれば、チャットボットの名称などいくらでも候補はある。そこでさっそく代わりの名前を探すことになった。

するとさらに大きな問題が持ち上がった。テイも小冰と同様に会話中に相手から返ってくる言葉を基に、ユーザーへの受け答えを学ぶようになっていた。その仕組みを悪用し、アメリカのいたずら好きなグループが示し合わせて、テイに人種差別的発言をさせるようにトレーニングする活動を密かに実行していたのである。デビュー翌日には、この問題への対策のためにテイをいったん市場から引き上げざるを得なくなった。異文化コミュニケーションでの規範はもちろん、ＡＩをこうした脅威から守る措置を強化する必要性も感じた[10]。

テイの一件は、太平洋の両岸における文化的な慣行の違いがもたらした一例にすぎない。実際、中国のユーザーは、自国で自分たちのために開発されたものを好む。その結果として、アメリカで開発されたサービスは、中国でことごとく惨敗しているのだ。

電子商取引の分野では中国最大手アリババなどの中国系オンライン販売サービスがアマゾンに勝利し、メッセンジャー分野ではテンセント(騰訊)のウィーチャット(微信)がアメリカ系の各種サービスを圧倒し、検索分野はグーグルではなくバイドゥ(百度)が市場を押さえている。細部までしっかりと精査すればわかるのだが、こうしたサービスは中国人の好みに合わせた工夫があり、アメリカ系製品にはこのような配慮が欠けている。

その意味では、世界各地で、とりわけ中国ではテクノロジーの特質がはっきりと表れている。中国には優秀な人々がそこらじゅうにいて、中国系企業は、イノベーション志向と勤労精神を背景に、新機軸を打ち出し、精力的に取り組んで大きな成功を収めている。こうした仕事に対する姿勢は、アメリカをはじめ、自由企業を標榜する人々が長らく大切にしてきたものにほかならない。いまやその価値観はテクノロジー企業だけでなく、中国社会のさまざまな組織にも浸透していて、AIによる先進技術を驚異的なペースで取り入れているのである。この市場展開の速さが中国産テクノロジーの強力な原動力になっている。こうした環境を背景に、中国のテクノロジー業界各社は、アメリカのテクノロジー企業がいまだ経験したことのないような熾烈な競争を繰り広げている。

だが、アメリカの成功を阻む要因はほかにもあり、しかもかなり厄介ときている。そもそも中国市場には参入障壁があり、アメリカも同様の障壁を増やして対抗している。テクノロジー市場の参入障壁に関しては、中国は紛れもなく早くからグローバルリーダーだった。

では他の国々はどうだったかといえば、障壁づくりの誘惑に駆られなかったわけではない。ただ、世界貿易体制に参加している手前、とりわけＷＴＯ（世界貿易機関）加盟国には、そういう手が使えない縛りがあった。アメリカの通商代表部が常に断固たる姿勢を打ち出し、多国間交渉や二国間交渉を繰り広げて、世界各地で市場のドアを開放させ、アメリカのテクノロジー業界が進出する足がかりを築いていった。

国内に巨大な市場を抱える中国は、こうした市場開放要求に徹底抗戦を貫いている。ほかの国では自由に持ち込めるような製品でも、相手が中国となると、煩雑な手続きで政府の許可を取らなければ輸出できなかった。仮に許可が下りたとしても、それだけで中国の公共部門や大手企業に製品を買ってもらえるわけではない。アメリカのテクノロジー企業は、まず中国側の提携企業を探し、現地合弁企業を立ち上げなければ、製品を売ることもできないのである。

しかも、すべてがうまく運んで現地合弁企業ができたとしても事業として成功させるのは生半可なことではない。ＩＴは変化が激しく、技術的にも複雑な部分が多い。ビジネスモデルの変化も速い。それだけにマーケティング、営業、サポートの各部門で絶えず変化が求められるのだ。大規模な買収が失敗しやすい業界では、合弁事業はもっと馴染まない。おまけに、複数の国や文化、言語にまたがって仕事を進める厄介さもある。

合弁事業でなければ市場参入できないのは、クロスカントリーの選手に荷物でいっぱいのリュックサックを背負わせるようなものだ。そんなレースに勝てるのは、ごくまれなケースだろう。しかも、同じような縛りが一切ない現地の有力企業を相手に戦うのだから、気が遠くなる。つまり、中国市場に合弁事業で参入する義務自体が市場参入を阻む効果的な障壁になっているのである。

中国市場の前に横たわるテクノロジー分野の問題は市場参入障壁にとどまらない。広範なコミュニケーション、表現の自由、社会運動でITが果たす役割を踏まえ、中国政府は昔から西側諸国とは異なる形でITが使われるように規制をかけている。実際、中国では国と省の両レベルでさまざまな政府機関が次々に規制をかけてきて、それが刻々と変化する。アメリカのテクノロジー企業が中国市場に参入しようと思えば、こうした規制への対応が不可欠だ。治安を重視する中国と人権を重視する西側の明らかなせめぎ合いがあり、厄介な問題が常に付いてまわるのである。

このような彼我の違いの根底には、異なる哲学や世界観がある。その点を踏まえ、どうすれば嚙み合うのか見極める必要がある。

ミシガン大学のリチャード・ニスベット教授が二〇〇三年の著書『木を見る西洋人　森を見る東洋人　思考の違いはいかにして生まれるか』[11]（ダイヤモンド社）で指摘したように、二〇〇〇年以上に渡ってそれぞれに発展を遂げてきた哲学の明確な違いが問題の背後にある。アメリカ的な考え方の一部は、古代ギリシャの哲学者の思想につながる。一方、中国的な考え方は、孔子やその門人らの教えに根差している。二〇〇〇年の間にそれぞれが世界に広まり、特に影響力のある、それでいて相異なる思想へと発展した。

かれこれ数十年もの間、世界各地でさまざまな会議に出席しているが、首都として北京だけは唯一無二の雰囲気がある。政府の協議の場が、軽く二〇〇〇年の時を遡るような錯覚に陥ることもあるのだ。もっと厳密にいうなら、紀元前二二一年に最初の統一王朝である秦朝にまで。

ヘンリー・キッシンジャーが指摘しているように、中国がこれだけの長い歴史を生き残ることができた背景には、「中国の人民と、士大夫が支える政府の間で育まれた価値観の集団」があった。[12]二〇世紀のアメリカの政府高官のなかで、中国についてここまで深く着目した高官はキッシンジャーをおいてほかにいないはずだ。今日も中国政府の考え方の基本路線となっている価値観は、孔子の教えに影響を受けている。秦朝成立の二〇〇年以上も前にこの世を去っている人物だ。孔子は、身の振りには上下の秩序をわきまえたうえで、「仁」を尊び、「智」に励み、「和」を大切にせよと説いている。そのなかには、「名不正則言不順（名正しからざれば則ち言順わず）」という根本的な務めも含まれる。[13]

ニスベット教授によれば、西側諸国の政治思想の基盤をなすギリシャ哲学における知的探究心は、「智」、すなわち学問の実践を重んじる孔子の教えと通じるものがある。しかし、個人の主体性の意識が違う。つまり、ギリシャ哲学の方は、「自分自身の人生に責任を持っていて、自分の選んだとおりに行動する自由がある」という感覚なのだ。[14]アリストテレスとソクラテスが説いたように、古代ギリシャ人にとっての幸福の定義とは、「自らの力を行使して、制約のない人生を追求できること」だった。[15]

アメリカで創業し、アメリカに本社を置くマイクロソフトは、自らの歴史的なルーツについても、世界中で人権を保護することの重要性についても、何ら疑問を持ったことがない。当社は、一〇年前にユーザーのメールを中国にあるサーバーには保管しないことを決定した。人権侵害のリスクがあったからだ。たとえ中国政府からマイクロソフトのサービスを中国の消費者に今後提供できなくなってもいいのかと詰め寄られても、その決定を翻さなかった。私は、中国の現場で働く従業員と夜遅くに何度も電話で話し、われわれの決定を守り抜くよう指示した。当社の検索サービスに対する不法検閲要求についても、私の回答を現地高官に伝えなければならない現場の従業員はさぞ憂鬱な気分だったに違いない。もっと新しいところでは、社会の監視に利用される可能性を懸念し、顔認識サービスの提供にブレーキをかけたこともある。

こうしたエピソードを並べるだけでも、人権に対する当社の取り組み姿勢はわかってもらえるだろう。以前から当社は中国で顧客のサポートや事業拡大に力を入れてきたが、筋はきっちり通すという方針も固めていた。時間の経過とともに明らかになっていったのだが、増収や増益よりも、地に足をしっかり着けて、普遍的人権を含む根本的な価値観を優先させたかったのだ。[16]

マイクロソフトの視点からいえば、こうした根本的な違いがあるからこそ、二大経済大国の人々が互いの文化と歴史的伝統を学ぶことはますます重要になる。互いに背を向けることは簡単だが、それでは互いの溝を埋めることはできない。

二〇一八年の夏、北京で直接、この違いを詳しく知る機会に恵まれた。一週間のアジア訪問のためにやや早めに到着した。うだるような暑さの日曜日、われわれは一日かけて、ＡＩに代表される最先端のテクノロジーと、二〇〇〇年の歳月をかけて紡ぎ出された哲学・信仰の伝統をたどり、米中の相違を探った。

マイクロソフトの一行が最初に向かったのが、北京西部の郊外にある龍泉寺だ。石と木材を組み合わせた重層建築に、伝統的な屋根が存在感を放っている。地元では、「緑肺」(「緑地」の意)と呼ばれる自然豊かな鳳凰嶺自然風景区に佇む龍泉寺は、遼朝に建立された古刹だ。周囲にはのどかな風景が広がり、山肌を小川が流れ、辺りにはセミの声がこだまする。遊歩道を通り、趣のある庭園をそぞろ歩いたが、一番楽しかったのは、住職が自ら担当しているというAIプロジェクトだった。

賢信法師によれば、龍泉寺は仏教の教えと伝統に最先端の世界を融合させることを目的に掲げている。この賢信法師、実は北京工業大学卒、コンピュータサイエンスの学位を持つ仏僧だ。AIの力を借りて、寺に伝わる何千巻もの古代の仏典をデジタル化したという。続いて、僧たちが機械翻訳技術を駆使して、一六の言語で仏道を世界に向けて説いている様子を見学した。最先端の技術によって、最古の教えが世に広められていたのである。

その日の午後は北京の中心部に向かった。中国屈指の哲学者・倫理学者である何懐宏教授に会うためだ。何教授は、北京大学を拠点に研究活動に従事し、中国の社会道徳の変遷に関する著書がある。[17]その著書にざっと目を通しただけでも、たとえば現代中国で活発な議論が欠けている分野がいくつかあることがわかる。

何教授とは、AIがもたらす倫理的、哲学的な課題や、世界各地でそうした課題の見方がいかに異なるかといった点について話し合った。何教授が示した当初の見解には、前出のニスベット教授が一五年前に著した書籍の巻頭の言葉に通じるものがあることにわれわれは感銘を受けた。何教授は、「西側の進歩の考え方は、とかく直線的な傾向があり、技術は前進するものであり、絶えず改良が続くとの楽観論がある」と指摘する。

ニスベット教授によれば、西側の人々は、特定のゴールに重点を置き、これに向かって脇目も振らず突き進めば、自分を取り巻く世界を変えられると考える。まさしくそれはシリコンバレーの起業家精神とも重なる。もちろん、ここでいうシリコンバレーとは、単なる地名ではなく、イノベーション促進に情熱を燃やす姿勢まで含めたものだ。

何教授が言う。

「中国では万物が輪を描くように動いていると考えられています。（円形に星座を配した）十二宮図のように、人生は輪の形になっていて、いつかは（一周して）元の位置に戻ってくるという考え方です」

このため、中国の人々は、行く末（前方）だけでなく来し方（後方）も見つめ、また、部分ではなく全体を捉えようとするのだ。

ニスベット教授が説明するように、太平洋は物理的に大きな海であるだけでなく、その両岸の人々の物の見方がいかに大きく異なるかを示す象徴でもある。密林に潜むトラを写真に撮るとしよう。アメリカ人なら、トラに焦点を合わせるだろうし、この環境に身を置くトラはどんなことをしようとしているのか写真に収めようとするだろう。一方、中国人は、むしろ密林に焦点を合わせ、密林がトラの生き方にあらゆる面で影響を与えている様子を写真に収めようとする。どちらの撮り方も間違いではないし、おそらくは両方のいいとこ取りをすることで価値を最大化できるのだろう。ともかく、両者の違いははっきりしている。

このような流儀の違いは、それぞれの社会での新しいテクノロジーやその規制に対する見方にもつながっている。アメリカ人は、本能的に政府とは距離を置こうとするから、若き「テクノロジーのトラ」が育ち、変化し、力をつけていく。そして自分の目指すべき目標を楽観的に捉える。中国人は、そのテクノロジーのトラが棲む「社会という密林」にはるかに迅速に対処する。トラの動きを管理するために規制の網をかけるのも、そうした対処の一つだ。

このような視点で考えると、中国のテクノロジー企業と政府の間にある複雑な関係を読み解く一助になるのではないだろうか。克服しなければならない問題は言語の壁以外にもたくさんある。テクノロジー企業は互いに協力し、世界の人権保護団体とも手を組み、プライバシーや表現の自由について、普遍的な原則を遵守するよう呼びかけている。

だが、こうした原則は、第二次世界大戦直後こそ、中国を含めた世界各国の政府から一定の支持を集めたものの、昨今は状況が変わってきている。実際、込み入った議論が必要な場面は多く、それは政治的なアプローチだけでなく、アリストテレス的世界観と孔子的世界観の衝突に根差しているように思える。

哲学的に視点が異なる以上、これからの一〇年間のサイバーセキュリティ問題はさらに困難を伴うことになる。先に挙げたように、アメリカ政府はＯＰＭへのハッキングなどの事案に敏感に反応するだけでなく、中国の通信機器メーカー、ファーウェイのルーターで中国政府がユーザーの通信内容を監視できるといったレポートも看過できないという態度を取る。[18]

ところがスノーデンが暴露した機密資料によれば、アメリカの当局者もシスコ製ルーターに細工して、同じような機能を密かに組み込んでいたことが明らかになった。[19]その後、ファーウェイにしても、シスコにしても、完璧とまでは言い難いが、それぞれ敵方の市場で評判を取り戻しつつある。

アメリカ政界は、共和党、民主党ともに、中国の台頭に懸念を強めている。トランプ大統領は、ありとあらゆるアメリカ製品を買うよう中国に強硬に迫っているが、ＩＴ分野に関しては、条件付きの後押しとなっている。経済力の面でも軍事力の面でもＩＴが重要基盤になりつつあることから、アメリカの政策担当者は、中国への技術移転が今後も続くことに懸念を深めているからだ。

これらは明らかに深刻化しつつある懸念だが、複雑な問題に単純な答えを出すことは、アメリカも中国もリスクだと見ている。両国とも、考慮しなければならない微妙な事情があるからだ。

まず、国家安全保障や軍事の観点から慎重な扱いを要するテクノロジーがいくつかあることは確かだが、そうではないテクノロジーもある。一部のテクノロジーが軍事用にも民生用にもなるという話は、目新しくも何ともない。そのような「軍民両用」の製品はすでに何十年も前から出回っていて、これを管理するしっかりとした輸出規制制度が存在する。

とはいえ、とどまるところを知らない中国の台頭を考えるうえで、国家安全保障に重要な意味を持つＩＴとその他のＩＴの根本的な違いをアメリカの政策担当者が見極められないリスクが高まっている。

さらに、極秘の情報技術というものも存在するが、そうでない技術もたくさんある。一般的な軍事技術とは異なり、コンピュータサイエンスやデータサイエンスの進歩は基礎研究段階で見られることが多く、最初は学術論文の形で世に出てくる。つまり世界中に公開されるのである。

おまけに、ソフトウエアは多くの場合、オープンソースのコードのみで作成されており、どこでも誰でも手に入れられるばかりか、独自製品に組み込んで使うこともできる。コンピュータサイエンス分野における企業秘密の保護は重要な問題だが、ソフトウエアの分野に限っていえば企業秘密が実際に使われる例はまずない。

また、テクノロジーにはさまざまな用途が考えられるが、明らかに人権問題につながるものもあれば、そうでないものもある。顔認識サービスや個人データのクラウド保存は、人権問題をはらむ用途だ。

一方、当社が一九八〇年代から販売しているマイクロソフト・ワードは、自分のコンピュータ上で利用する製品のため、どんな文章を書いているのか他人に知られる心配はない。ところが、今はワード・オンラインという製品もあって、こちらはクラウド上で利用するものだ。どちらのバージョンを使いたいのか、どういうふうに使いたいのかは、ユーザー次第である。人権という観点から見ると、同じソフトウエアであっても、用途によって影響は大きく異なるのだ。

最後に挙げたいのは、アメリカのテクノロジー製品にとって、中国自体がサプライチェーンの重要な一角を占めている現実である。コンピュータのハードウエアに使う構成部品の生産では広く知られた話だ。だが、中国の役割はそんなレベルにとどまらない。

同国ではエンジニアの数が増加の一途をたどっていて、研究開発分野のグローバルな場に彼らが続々と流れ込んでいるのだ。ほとんどのテクノロジー企業は、中国人エンジニアがアメリカやイギリス、インド、その他の多くの国々のエンジニアによる成果を生かしながら開発した研究成果を採用しているのである。

政策担当者は太平洋のど真ん中に新たな鉄のカーテンでもつくってはどうかと考えているかもしれないが、テクノロジー開発の世界はそもそもグローバルであり、そんな障壁づくりには現実味がない。仮にそのような壁を築いたとしても、それがその国にとってプラスになる保証はなく、下手をすれば単に自国のテクノロジー開発が後れを取るだけかもしれない。

こうやって見てくると、アメリカと中国のそれぞれが、テクノロジーの取引をめぐって一筋縄ではいかない難題を抱えていて、それがますます深刻さを増している。その意味で、長期的に検討しなければならない三つの要素がある。

第一の要素は外国製品の輸入だ。テクノロジー業界でアメリカ勢と中国勢のどちらが足枷なしに相手の市場に参入できているか現時点で判断するのは難しい。逆に、それぞれの国の有力ＩＴ企業にとっては、一種のホームアドバンテージのようなものがある。アメリカ企業と中国企業はそれぞれの母国で比較的容易に成果を上げている一方、国外では厳しい競争にさらされているのだ。

国際経済の観点からいえば、このような国内市場の保護は、守られる側の企業にとってある種の福音ではあるが、その分の犠牲も強いられる。いくら中国が一四億人を国内に抱えているといっても、世界の消費者全体の八〇%以上は国外にいる。テクノロジーのリーディングカンパニーとして世界で成功を収めようとするなら、世界的に尊敬を集める存在でなければならない。

アメリカ系であれ中国系であれ、テクノロジー企業としてヨーロッパ、中南米、アジア諸国など世界各地で成長を狙うのであれば、国外の顧客を獲得する必要があるのは同じである。アメリカ、中国の政府がそれぞれに相手方の国産技術は信頼が置けないと主張し合っている姿を見て、世界の他の国々はどう思うだろうか。双方が正しいとしたら、それこそ、米中以外の国の製品を使う方がましだということになってしまう。

5G製品のようなネットワーク構成要素は、平時、戦時を問わず国家インフラの基盤をなすだけに、関係国が敏感になるのも無理はない。国家ぐるみで、輸送中の製品に無断で細工したり、ハッキングを仕掛けたりする行為は、懸念ではなく、実際に発生している現実である。だが、そうであっても、国家の政策は客観的事実と論理的な分析に立脚したものでなければならない。とりわけ、政府として特定の企業や個人に対する刑事訴追その他の法的措置を講じる場合は、慎重の上にも慎重を期すべきである。

5Gの先まで見据えると、多くの分野でテクノロジーを生かしたサービスの芽を摘むような措置は逆効果でもある。テクノロジーを活用したほとんどのサービスにおいては、仮に規制するにしても、特定国を対象とするのではなく中立性を維持しながら規制する手段はいくらでもある。米中という世界の二大技術大国にとっては、それぞれのテクノロジー市場の大部分を他の国々に開放することは自国の経済的利益につながり、世界各国に模範を示すことにもなる。

第二の要素は輸出だ。アメリカ政府は輸出規制への関心を強めている。実際、重要なテクノロジー製品の多くについて、アメリカ政府は輸出を阻止する可能性が高まっているのだ。これは対中国にとどまらず、他の国々にも対象が広がっている。

このような状況にはリスクがある。通常、あるテクノロジーが成功を収めるには、ほぼ例外なくグローバルな規模で成功することが前提になる。今のままではアメリカ政府がこのポイントを見落としかねない。ITの経済性を高めるには、研究開発とインフラにかかったコストをできる限り多くのユーザーに広く負担してもらわなければならない。その結果、価格が抑えられ、新しい製品やサービスが市場に一気に広がるネットワーク効果が生まれる。

リンクトインの共同創業者（マイクロソフトの取締役を兼任）のリード・ホフマンが自ら体現してみせたように、「ブリッツスケーリング［利益度外視でも電撃的な速度で事業規模を拡大する方式。ホフマンの造語］」を駆使して、グローバルリーダーの座を一気に獲得することがテクノロジーの成功に必須なのだ。[20]だが、肝心の製品がアメリカから外に出せないなら、グローバルなリーダーシップなど追求のしようがない。

このような状況を考えれば、アメリカが新たな輸出規制を発動することは以前にも増して難しい。注意深く進めると同時に、新たな輸出規制のアプローチを模索しなくてはならない。かつては、輸出規制の担当者は、完全な輸出禁止品目も含む輸出制限リストに基づいて仕事をしていた。

だが、ＡＩから量子コンピュータまで注目の最先端技術の多くは、一定の技術の輸出を許可しつつ、特定用途や特定利用者への提供を制限する規制の方がずっと現実味がある。この方式だと、政府や企業にとっては輸出管理業務が以前より煩雑になるが、国家安全保障を維持しつつ経済成長を追求するには、これしか方法がないだろう。

長期的な検討を要する第三の要素は、米中だけでなく、世界全体が対象になるものだ。テクノロジーを利用する世界の人口という視点で見ると、アメリカと中国がインターネットをほぼ二分している。もっと大きな視点でいえば、今世紀は太平洋両岸の緊張関係で始まったが、今後これが好転するとはとても思えない。しかし世界は、テクノロジー問題を含めて米中間の安定した関係を求めている。

そのためには、教育面、文化面でアメリカと中国を結び付ける強力な基盤づくりを進めなければならない。両国にとってテクノロジーをめぐる問題を解決するには、科学技術にとどまらず、言語、社会科学、人文科学に至るまで共通理解が欠かせない。残念ながら現時点で両国の相互理解は、本来あるべき水準に及んでいないことが多い。

一言でいえば、この点についてはアメリカの方が課題は多い。習主席は学生時代に、アレクサンダー・ハミルトンからアーネスト・ヘミングウェイまで、アメリカを代表する作品を読んだそうだが、では同様に中国の書物を読んだことのある政治家がアメリカにどれほどいるだろうか。二五〇〇年を超える長大な歴史がある国だ。その国について学んでいないというのは情報がないからではなく、興味がないからだ。歴史が何度となく証明しているように、アメリカがグローバルな課題に対処しようというのなら、世界に精通したリーダーが必要だ。

最終的には、アメリカと中国の間に、互いの利益となる二国間関係を築く必要がある。それぞれの指導者が目を皿のようにして冷徹に国益を追うのは無理もない。だが、この二つの経済大国の政府が何か一緒にするとなれば、自国民の利益やそれぞれの国益だけでなく、米中関係が世界にもたらす影響にまで配慮する責任がある。米中を除く他の国々は、世界の人口の約八〇%を占めている。米中の動きがこれだけの人口に影響を及ぼすのであり、またその影響の度合いも大きくなっているのだ。

第15章 オープンデータ革命

すべての人々に平等な未来を

データとAIは、地政学的な力関係や経済的な富の分布にどのように影響するのだろうか。これは主としてアメリカと中国の力関係に関わってくることだが、世界の他の国々にも広く影響が及ぶ、今の時代を代表する重要な問題だ。

二〇一八年秋、データとAIが世界秩序にもたらす影響について悲観的な空気が広がっていた。ワシントンDCで連邦議会議員と面会したときのことだ。数人の上院議員が『AI世界秩序 米中が支配する「雇用なき未来」』(日本経済新聞出版)という出版前の書籍のゲラ刷りに目を通したと話していた。著者の李開復(リー・カイフー)は、台湾生まれで、アップル、マイクロソフト、グーグルで役員を歴任した人物だ。今は北京を拠点に有力ベンチャーキャピタリストとして活躍している。李は著書のなかで鋭い指摘をしていた。「ＡＩが生み出す世界秩序は、経済面では米中の圧勝の様相を呈し、両国の一握りの企業に富がかつてないほどに集中する状況が組み合わさる」[1]。「他の国々はそのおこぼれにあずかるだけ」[2]。

この見解の根拠はどこにあるのか。基本的にはデータの力だ。李にいわせれば、最も多くのユーザーを囲い込んだ企業は、最も多くのデータを入手することになる。データはＡＩという名のロケットを打ち上げる燃料になるため、その企業が開発するＡＩ製品はますます強力になるというわけだ。強力なＡＩ製品があれば、さらに多くのユーザーを獲得し、その結果、さらにデータが集まる。この好循環が続けば、事業規模に合わせて収穫が増え続け、最終的にこの企業は、競合他社を根こそぎ市場から追い出すことになる。李によれば、「当然、ＡＩは独占企業へと引き寄せられていく。（中略）いち早く優位に立った企業は一種の好循環に入り、他の企業にとっては参入したくても、もはや乗り越えようもないほどの障壁が築かれることになる」という[3]。

この考え方はＩＴ業界では常識で、「ネットワーク効果」と呼ばれているものだ。たとえば特定のＯＳ向けのアプリケーション開発は、昔からこういう構図だ。あるＯＳが優位な地位を獲得すれば、開発者はこのＯＳ向けのアプリケーションを開発したいと考える。たとえもっと優れた機能を持った新ＯＳが登場したとしても、アプリケーション開発者に、このＯＳ向けのアプリケーションを開発してもらうのは容易ではない。

マイクロソフトはウィンドウズを市場に投入して一九九〇年代にまさしくこの現象を追い風に利

益を上げたが、それから二〇年後、携帯電話分野では逆の立場に立たされた。ウィンドウズ・フォンの前に iPhone とアンドロイドという壁が立ちはだかったのだ。ソーシャルメディアの分野も同じだ。新しいソーシャルメディアのプラットフォームがフェイスブックに勝負を挑もうにも、まったく歯が立たない。グーグル・プラスとて勝ち目がなかった。

李によると、ＡＩにも同様の強大なネットワーク効果が働くため、ほぼすべての経済部門で権力の集中を招くという。部門を問わず、ＡＩを最も上手に取り込んだ企業が顧客に関するデータを最も多く集め、最強のフィードバックループを築き上げることになる。

もっと極端なシナリオもありうる。一握りの巨大テクノロジー企業にデータが占拠されることになれば、他の産業にとって、これらの独占的企業が提供するＡＩサービスしか選択肢がなくなる。そうなればやがて、他の業界が持っていた経済的な富が、一握りのＡＩリーダーにごっそり持っていかれることになりかねない。李が予想するように、ＡＩをリードする企業が中国の東海岸とアメリカの西海岸に集中することになれば、この二つのエリアに世界の富が一気に吸い上げられることになるのだ。

この予測をどう受け止めるべきだろうか。根拠となる真実は少なからずある。

ＡＩは、クラウド側の処理能力、アルゴリズムの発展、膨大なデータに依存している。いずれの要素も不可欠だが、最も重要なのはデータだ。現実世界や経済、人々の日々の暮らしに関するデータである。機械学習が過去一〇年で急速に進歩した結果、ＡＩ開発の現場では、データはいくらあっても困らないのだ。

ＡＩが牽引する世界になると、データはテクノロジー業界の枠を超えて広範な影響力を持つようになる。たとえば二〇三〇年ごろの自動車は、どのようになっているのだろうか。

最近の調査によると、二〇〇〇年時点では自動車のコストのうち、電子回路やコンピュータ関連部品が占める割合は二〇％だったが、二〇三〇年ごろにはこの割合が少なくとも五〇％に達するようになる。[4] 二〇三〇年には、自動または半自動運転・ナビゲーション機能のほか、コミュニケーション、エンターテインメント、メンテナンス、安全などの機能のため、自動車のインターネット常時接続が当たり前になる。すると、クラウドコンピューティングを前提としたＡＩと膨大なデータがものをいうことになる。

このシナリオが現実となる場合、重要な問題が出てくる。ＡＩを駆使した高性能なコンピュータの固まりのような自動車が売れることで利益を手にする業界や企業はどこなのか。従来の自動車メーカーなのか、それともテクノロジー企業だろうか。

この問題には、実は深い意味がある。ゼネラルモーターズやＢＭＷ、トヨタなどの自動車メーカーが利益を享受できれば自動車業界の長期的な展望にも期待が持てるだろう。自動車メーカーの社員や株主にとっても同様だ。そう考えれば、ＡＩ満載の自動車がもたらす経済的価値の配分が自動車メーカーの株主にとっても、メーカーが拠点を置く地域や国にとっても、決して看過できない問題であることがわかる。ミシガンやドイツ、日本といった自動車王国の経済は、今後、この問題の行方にかかっているといっても過言ではない。

それはいくらなんでも考えすぎではと思うのなら、アマゾンが出版業界や小売業界全般に与えた影響を考えてみるといい。あるいはグーグルやフェイスブックが広告業界に及ぼした影響を考えてもいいだろう。ＡＩは航空、医薬品、輸送などあらゆる分野に同じような影響をもたらすと考えられる。これこそ、李が描いてみせた未来である。将来的に、最も多くのデータを確保する一握りの企業と、そうした企業が拠点を置く地域に富が集まり続けるとの主張には、少なくとも、なるほどと思える根拠があるわけだ。

もっとも、未来に続く道は絶対に一つだけというわけではない。今見てきたような方向に進むリスクはあるものの、別の道を目指すこともできるはずだ。

データを生かすためには、さまざまなツールが欠かせない。こうしたツールをより多くの人々が使えるようにする必要がある。また、企業や地域社会、国家が確実にデータの恩恵にあずかる機会を生み出すため、しっかりとしたデータ共有方式を策定することも大切だ。ＡＩと、その燃料となるデータの「民主化」、つまり誰もが平等にアクセスできる体制づくりが求められている。

当然のことながらデータの量がものをいう世界になるとすれば、小規模企業は不利になる。どうすればこうした「弱者」の機会を増やすことができるのだろうか。

その答えを知っていそうな人物として思い浮かぶのは、マシュー・トラネルだ。

トラネルは、シアトルに本拠を置く有力ながん研究機関、フレッド・ハッチンソンがん研究センターの最高データ責任者である。名称にあるフレッド・ハッチンソンは、メジャーリーグのデトロイト・タイガースで投手として一〇シーズンに渡って登板し、メジャーリーグで三つのチームの監督も務めた地元の英雄だ。一九六一年には監督としてシンシナティ・レッズをワールドシリーズ優勝に導いた。

残念なことに、フレッドの素晴らしい野球人としてのキャリアと人生は長く続かなかった。がんを患い、一九六四年に四五歳という若さでこの世を去っている。[5] 医師としてフレッドを担当したのは、兄で外科医のビル・ハッチンソンだった。弟の死を受け、ビルは、がん治療を専門とするフレッド・ハッチンソンがん研究センターを設立、同研究センターは人々から「フレッドハッチ」や「ハッチ」の愛称で親しまれている。

さてトラネルがハッチにやってきたのは二〇一六年のこと。ハッチでは総勢二七〇〇人の職員が、ユニオン湖の南湖畔に立ち並ぶ一三棟の建物で活動している。ここからは、シアトルのランドマークとして名高い塔「スペースニードル」も遠くに見える。

ハッチでは、人類に苦痛をもたらしているがんと関連死を撲滅するという、大きな使命を掲げている。[6] ノーベル賞受賞者三人を含む科学者のほか、医師や他の研究者が集まり、最先端の研究・治療法の研究に当たっている。近隣には、医学やコンピュータサイエンスの拠点として世界的に定評あるワシントン大学があり、緊密な連携体制を築いている。ハッチは白血病や他の血液のがん、骨髄移植、新しい免疫療法など画期的治療法を開発し、素晴らしい業績を上げている。

　このハッチも、地球上のありとあらゆる分野の機関・企業と同様、その将来は、データにかかっている。ハッチのゲイリー・ギリランド所長はデータが「がんの予防、診断、治療を変える」と見ている。[7] 研究の現場でデータが「夢の顕微鏡」のような存在に変わり、ここから「免疫システムが、がんなどの病気に反応する過程」が見えてくるという。[8] バイオメディカルサイエンスの未来は、生物学をコンピュータサイエンスやデータサイエンスといかに融合させるかによって決まってくるのである。

　トラネルは李開復と面識がないが、彼のやっていることは世界最大のデータ供給者が未来を支配するという李の主張に真っ向から挑むことにほかならない。李が正しいとすれば、北米の中規模の地方都市で、たとえ世界一流の科学者チームが地球上で最も厄介な病気の一つであるがんの治療法を世界に先駆けて発見しようと意気込んでも、実現は難しいことになる。

　ハッチは重要なカルテ情報を利用する権限があり、これをＡＩ利用のがん研究に役立てることは可能だとしても、世界最大級のデータセットなどセンター内で所有しているはずもない。ハッチが今後もトップクラスの地位を維持するには、将来的に必要なデータがまったく手元にない状態で競争しなければならない。

　幸いなことに、成功への明確な道はある。トラネルが自信を見せる理由はここにある。その前に、データが他の資源とは明らかに異なることを説明しておこう。他の資源にないデータだけの特徴は二つある。

第一の特徴は、石油やガスなど従来の天然資源と異なり、データは人間が生み出すものである。マイクロソフトでは、毎週金曜日に開かれる経営幹部会議があり、そこである日、CEOのサティアが「(データは)世界で最も再生可能な資源」かもしれないと発言した。なるほど、労せずして何度でも生み出せる価値ある資源となると、ほかにはなさそうだ。しかも、人間がデータを生み出すスピードも急激に上がっている。供給に限界がある資源や、すでに不足に陥っている資源と違って、世界ではデータが増加の一途をたどっている。

だからといって、規模の大きさに意味がないとか、大組織に優位性がないということではない。確かに意味はある。中国は人口が多いだけに、その分、どの国よりもデータを生み出す力がある。だが、たとえば世界の確認石油埋蔵量の半分以上が眠る中東と違って[9]、データの場合、どの国であっても、世界の市場を支配することは難しい。どこにいても人間がデータを生み出す。少なくとも今世紀中は、世界の各国が生み出すデータ量はそれぞれの人口規模と経済活動規模によっておおむね決まるだろう。

中国とアメリカは早い段階でAIのリーダーに上り詰めるかもしれないが、中国は大きいといっても世界の人口のたかだか一八%を占めているにすぎない[10]。アメリカに至っては世界人口のわずか四・三%である[11]。国の経済規模という意味では、アメリカと中国の優位性はもう少し高くなる。アメリカは世界のGDPの二三%、中国は一六%を占める[12]。

だが、両国は一緒に力を合わせるというよりも、むしろ競合する可能性の方がはるかに高い。果たして、世界全体のデータ量の四分の一未満を所有するだけで、世界のデータを牛耳ることは可能だろうか。

何ら保証があるわけではないが、データの第二の特徴を生かせば、もっと小さな国にもチャンスはある。その特徴とは、データには、経済学でいう「非競合性」があることだ。これは第一の特徴よりも重要である。目の前のタンクに入っている石油をある工場で燃料に使ってしまったら、ほかの工場ではもうこの石油を使うことはできない。

ところが、データは同じものを何度でも利用できる。いくつもの企業が同じデータを使ってアイデアを生み出したり、新たな気付きを得たりすることも可能だ。しかも、いくら使っても、そのデータの効用が損なわれるわけではない。複数の参加者でデータの共有や利用ができる体制を整えられるかどうかの問題なのだ。

言われてみれば当然なのだが、学術研究の世界は、まさしくこのようなデータの使い方がどこよりも定着している。学術研究の本質や役割を意識して、各大学が複数のユーザー間で共有されるデータデポジトリーと呼ばれるデータ格納設備の設立に乗り出している。マイクロソフトリサーチも、このデータ共有方式を推進していて、自然言語処理やコンピュータビジョンなどの先端研究分野や、物理科学、社会科学などの分野向けに無償のデータセットのコレクションを公開している。

マシュー・トラネルのヒントになったのも、このデータ共有方式だった。がん治療薬開発競争を後押しするには、複数の研究機関が互いのデータを共有し合う新たな方式を整備することがベストだと考えたのである。

ただ、いざこれを実行するとなると困難を極める。何よりも一つの組織の内部でさえ、本来まとめられていなければならないようなデータが縦割りに分散して管理されていることも多く、この縦割り構造が組織ごとに存在すればさらにハードルは高くなる。また、データ自体、機械が理解できる形式で保存されていない可能性もある。仮に機械が理解できる形式であっても、データセットごとにデータ形式もラベル付け方法も構造も違っていたら、共有も利用も困難になる。

個人から集めたデータの場合、プライバシーに絡む法的な課題にも対処しなければならない。たとえデータに個人情報が含まれていない場合でも、異なる組織間のガバナンス手続きや、データが拡充・改良された場合のデータの所有権など、考慮しなければならない問題が横たわっている。

こうした課題は技術的なものばかりではない。組織、法律、社会、場合によっては文化に関わるものもある。トラネルが認めるように、ほとんどの研究機関がテクノロジー関連の作業に自前で開発したツールを使ってきた経緯があり、これが問題の一因となっている。

「組織内でデータが縦割り状態で保管されていることも問題だが、このやり方ではデータのコレクションの重複も発生しやすく、患者の病歴や病気の結果が不明になったり、本来なら補完できそうなデータがあっても、その存在に気付けなかったりする。このような問題が重なれば、発見の妨げや医療データ研究の遅れ、コストの増大を招く」[13]

こういった障害のために、研究機関やテクノロジー企業が互いに手を結ぶことが難しくなっているとトラネルは指摘する。その結果、いくつものデータセットを集約して、機械学習の支援に使えるだけの規模にすることが阻まれてしまう。結局、この壁を克服できなければ、李開復が想定するAI独占状況が最も現実味を持つことになるのだ。

ハッチでは、データ関連の問題に遭遇し、解決に乗り出している。実はマイクロソフトCEOのサティアは、ハッチの取締役も兼任しているのだが、二〇一八年八月にハッチの研究成果に関する報告会を兼ねた夕食会が開かれ、サティアがマイクロソフトの幹部を招いた。トラネルが紹介したのは、複数のがん研究機関が新しい方法で共同利用できるデータコモンズ（共有資源）構想だった。彼が掲げる構想では、いくつかの機関がテクノロジー企業をパートナーに招き、それぞれのデータを持ち寄る仕組みだ。

この話にはおおいに関心をそそられた。当社が過去にほかの案件で気付いたり、実際に経験したりしたことと共通する点がいくつもあったからだ。私はトラネルの説明を聞きながら、ソフトウエア開発形態の進化を思い浮かべていた。マイクロソフトが創業間もないころ、開発者はソースコードを企業秘密として保護していて、ほとんどのテクノロジー企業やその他の組織も自前でプログラムを組んでいた。

だが、オープンソースの考え方でソフトウエアの開発や利用は抜本的に変わった。ソフトウエア開発者は、さまざまなオープンソースモデルに沿ってコードを公開し、他の開発者による組み込みや利用、改良を許諾するようになった。その結果、開発者の間で広範なコラボレーションが生まれ、ソフトウエアのイノベーション促進にも寄与した。

こうした開発スタイルが始まったころ、マイクロソフトは対応に出遅れたばかりか、むしろオープンソースコードを利用した製品を市場投入する企業に対して特許権を主張するなど、先頭に立って抵抗していた。私自身、こうした特許権の主張で中心的な役割を担っていたこともある。

だが歳月は流れ、特にサティアがCEOに就任した二〇一四年以降は、それが誤りだったと悟り始めた。二〇一六年、当社は、オープンソースの開発者コミュニティを支援するザマリンというベンチャー企業を買収した。同社CEOのナット・フリードマンは、マイクロソフトに合流し、外の世界の新鮮な視点を当社経営陣に吹き込んでくれた。

二〇一八年初めには、マイクロソフトは自社製品に一四〇万個以上のオープンソースのコンポーネントを利用するまでになり、コンポーネントを提供してくれた、あるいはそれ以外のオープンソースプロジェクトになんらかの還元を行っている。

それればかりか、自社の基盤技術の多くをオープンソース化する措置にも踏み切っている。世界のソフトウエア開発者、とりわけオープンソースコミュニティの拠点となっているギットハブ(GitHub)という場があるが、ここで、今やマイクロソフトはオープンソースの貢献度で圧倒的な実績を誇っていることからも、当社の取り組みの本気度が伝わるだろう。[14] さらに二〇一八年五月には、七五億ドルを投じてギットハブの買収を決断している。

ギットハブの経営はナットに任せる方針を決め、主要オープンソース団体と協力しながら、マイクロソフトが一〇年前に打ち出していたような方針とは一八〇度違う方向で進めていくことになった。リナックスなど主要オープンソースコンポーネントを開発したオープンソース開発者を守るためなら、マイクロソフトとしては、自社の特許を差し出すことも厭わないと腹を決めた。

サティアやビル・ゲイツ、その他の取締役には、いよいよ「ルビコン川を渡る」ときだと伝えた。当社は過去に間違った道を歩んだが、方向を転換しオープンソースの道を歩むときが来たのだ。

トラネルによるデータコモンズの説明を聞きながら、このときのことを思い出していた。彼の直面している課題は、複雑ではあるが、オープンソースコミュニティがこれまでに克服してきたものとよく似ていたのだ。

マイクロソフト内でも、オープンソースソフトウエアの利用が増えるにしたがって、開発業務に伴う技術面、組織面、法律面の課題を検討するようになった。もっと新しいところでは、共有データの利用に伴うプライバシーや法的課題について、テクノロジー業界主導で対処する取り組みも開始した。

トラネルの提案には実現までに多くの障害はあるものの、それ以上の有望性を感じる。ソフトウエア開発でオープンソースコードは大きな役割を果たしたわけだが、データの分野でも「オープンデータ革命」を起こせたらどうだろうか。最大級の独自のデータセットだけを利用する内向きの研究機関の成果と比べて、オープン方式ならもっと大きな成果を生み出せるのではないだろうか。これがトラネルの主張だった。

この提案を聞いて思い出すのは、その数年前に出席した会議だ。この会議の終盤では、共有データが実際にもたらす効果について話し合っていたのである。

二〇一六年のアメリカ大統領選から一カ月後の一二月初旬、ワシントンDCにあるマイクロソフトのオフィスで、ITが大統領選に与えた影響を検証する会議が開かれた。民主、共和両党はもちろん、さまざまな選挙運動が当社をはじめとするテクノロジー企業の製品を利用した。両党の関係者にも、ITの利用形態や教訓について、個別に聞き取り調査に応じてもらえることになった。

最初に話を聞いたのは、ヒラリー・クリントン陣営の顧問だった。彼らは二〇一六年の大統領選期間を通じてアメリカの政治に関する大量のデータを集めていた。そのデータを扱っていたのは、民主党全国委員会（DNC）の成功や前回の二〇一二年のバラク・オバマ再選を成功に導いた選挙運動を受けて設置された大規模な分析チームだ。

ヒラリー・クリントン陣営は、有力なテクノロジー専門家をそろえ、世界最先端のITを駆使した選挙運動を展開し、アメリカ最高レベルの政治データセットを活用・改良していると見られていた。

テクノロジーと選挙運動を担当した顧問らの話によれば、聡明で物腰の柔らかさで知られる選挙運動責任者のロビー・ムックが、分析チームの見解を基にほとんどの意思決定を下していたという。

報道によると、投票日に東海岸で日が沈むころには陣営全体が勝利を確信していたらしい。その自信の背後には、陣営自慢のデータ分析力が少なからず影響していた。コンピュータの前にずっと張りついていた分析チームのメンバーも、夕食のころには仕事を切り上げて、陣営スタッフと合流し、スタンディングオベーションで迎えられていた。

ところが一カ月後、その賞賛の拍手は、クリントン陣営のまさかの敗北で沈黙に変わっていた。ミシガン州では投票一週間前まで、ウィスコンシン州では開票直前まで、共和党の猛追が続いていたのだが、それを見逃していたことを理由に陣営関係者が批判の矢面に立たされていた。それでも、陣営では投票データの読みにかなりの自信を見せていた。われわれの聞き取り調査の際、民主党のスタッフに「敗北の原因は、データ活用体制だったのか。それとも、まったく関係ない原因か」と単刀直入に尋ねた。

間髪を入れずに「間違いなくデータ活用体制はこちらが上回っていたが、それでも負けた」と自信たっぷりの答えが返ってきた。

民主党の関係者が帰った後、休憩をはさんで今度は共和党関係者を迎え入れ、聞き取り調査を開始した。

共和党関係者に選挙戦を振り返ってもらったところ、驚くような紆余曲折を経てドナルド・トランプの指名に至ったことが選挙戦でのデータ戦略に決定的な影響を与えたことがわかった。

二〇一二年のバラク・オバマ再選直後、ラインス・プリーバスが共和党全国委員会（RNC）委員長に再選された。二〇一二年の大統領選で共和党が敗北したのを受け、プリーバスは、補佐のマイク・シールズとともに、IT戦略も含め、RNCの選挙戦運営を上から下まで徹底的に点検した。変化の激しいテクノロジーの世界ではよくあることだが、これによって宿敵を凌駕する可能性が見えてきたという。

プリーバスとシールズは、共和党がIT関連のコンサルティングを委託している三社から提供されたデータモデルをRNC内部で利用した。シリコンバレーは民主党寄りのためテクノロジー関連の人材の獲得は容易ではなかったが、ミシガン大学から新たなCTOを獲得、さらにバージニア州運輸局に勤務していた若きテクノロジストを招き、政治の世界を読み解く新たなアルゴリズムを生み出したのである。RNCのプリーバスとシールズは、データサイエンスのトップ人材ならどこにでもいるはずと信じ、実際にそれを証明してみせたのだ。

共和党のテクノロジー戦略担当者にとって決定的だったのは、プリーバス率いるRNCによる次の取り組みだった。彼らはデータ共有モデルをつくり、そこに全米の共和党候補だけでなく、スーパーPAC（特別政治活動委員会）と呼ばれる各種政治団体（企業・個人献金を大量に集める力のある政治団体）や他の保守系団体からも情報を提供してもらうことに成功し、情勢分析用の巨大なデータファイルを築き上げたのである。

最終的に誰が大統領候補になるのか見当が付かなかったこともあり、とにかくできるだけ多くの情報源からできるだけ多くのデータを集めることが先決とシールズは考えた。実際、最終候補者が決まらないことには、何が争点になるのか、どのような有権者が最も重要になるのか知りようもなかったからだ。そこでRNCは可能な限り多くの組織とのパイプづくりを進め、とにかく幅広くデータを取り込むことに力を入れた。その結果、ライバルのDNCやクリントン陣営が太刀打ちできないほどの豊富なデータセットが構築されたのである。

二〇一六年春、ドナルド・トランプが共和党候補の座を射止めた時点では、クリントン陣営の充実したITインフラとは比べものにならないほどトランプ陣営の体制は貧弱だった。この劣勢を挽回しようと、トランプの娘婿ジャレッド・クシュナーは、陣営のデジタル技術責任者のブラッド・パスカルとともにデジタル戦略を策定した。その際、独自に何かを開発するよりも、RNCがすでに用意していたものを利用することにしたのである。クシュナーらは、RNCのデータセットから、ドナルド・トランプ候補に否定的だった共和党員一四〇〇万人を特定した。

この非トランプ派を支持層に取り込むため、パスカルの地元のテキサス州サンアントニオで「プロジェクト・アラモ」を立ち上げた。このプロジェクトは、資金集め、メッセージ発信、特定ターゲットへの働きかけなどの機能を統合したもので、活動は主にフェイスブックを舞台にしていた。そして、データを駆使して、非トランプ派共和党員が重視していそうな麻薬蔓延問題や医療保険制度改革法（通称「オバマケア」）などの重要テーマを割り出し、これに関する見解を繰り返し発信した。

選挙戦の進展に伴って共和党のデータ活用から実態が浮かび上がってきたと関係者は言う。投票の一〇日前の時点で、主要激戦州ではトランプ候補がクリントン候補に二ポイント負けていたものの、有権者の七％はまだ投票するかどうか決めかねていると判断した。また、トランプ陣営では、この激戦州において、もし投票に行くならトランプに投じると見られる有権者七〇万人のメールアドレスを入手していた。そこで、この集団に何としても投票所に足を運んでもらうことに全力を傾けた。

今回の経験からテクノロジー面でどのような教訓が得られたのか共和党関係者に尋ねたところ、次のように説明してくれた。

「クリントン陣営のようにデータ活用基盤を一から構築するような深みにはまらないことだ。大手の市販ITプラットフォームを活用して、その上に構築すればいい。データの提供・共有に協力してくれるパートナーをなるべく多く集めて、緩やかに連携した幅広いエコシステムを整備すればいい。RNCはこのとおりに実践した。市販のプラットフォーム上で実行可能な独自の機能開発に人員なり資金なりを振り向けた方がいい。パスカルが開発したシステムがこれだ。もう一つ付け加えると、自分たちのアルゴリズムは思っているほど優れていないと心得ておきたい。絶えずテストと調整を重ねるべし」

面談の最後に再び同様の質問をぶつけてみた。

「勝利できたのはデータ活用が優れていたおかげか、それともクリントン陣営の方が優れていたにもかかわらず勝利できたのか」

民主党関係者と同様に間髪を入れずに答えが返ってきた。

「データ活用については、間違いなくわれわれの方が優れていた。ミシガン州がトランプ勝利に終わることはクリントン陣営より先に見通していた。ほかにもわれわれだけが把握していた情報もある。ウィスコンシン州も投票日前の週末にはトランプに傾いたと見極めていた」

両党関係者との面談を終えた私は、マイクロソフトのチームの面々に向かって「データ活用に関して、クリントン陣営の方が優れていると思った人は？　ではＲＮＣとトランプ陣営の方が優れていると思った人？」と挙手を求めた。結果は満場一致で後者だった。

クリントン陣営は、ＩＴの腕前や初期のリードにあぐらをかいてしまったのだ。一方、トランプ陣営は、必要に迫られて、マシュー・トラネルが説明したようなデータ共有方式に近いものに頼ったのである。

二〇一六年大統領選の結果を左右したさまざまな要因については、今後も議論の余地はある。特に接戦となったミシガンやウィスコンシン、ペンシルベニアといった激戦州についてはなおさらのことだ。だが、プリーバスとＲＮＣのデータモデルがアメリカの歴史の転換に一役買った可能性は多分にある。

もっとオープンな方式によるデータ活用でこのような結果を出せるとすれば、ほかにどのような方式があるのだろうか。

こういったＩＴのコラボレーションで肝となるのは、人間的な価値観や手順であって、単にテクノロジー一辺倒では通用しない。どの組織でも、データを共有するかどうか、するとすればどのように、どのくらいの期間に渡って共有するのか判断する必要がある。だからこそ、重要な原則をいくつか掲げなければならないのだ。

まず、プライバシー保護の具体的な取り決めが欠かせない。プライバシーに対する懸念の高まりを考えると、有権者あるいは消費者に関するデータの共有に応じてくれる組織と、自分自身に関するデータの提供を快諾してくれる人々のどちらに対しても、プライバシー保護は前提条件となる。ここで大きな課題となるのは、プライバシー保護に配慮したデータ共有方法の開発・選定である。たとえば、「差分プライバシー（ディファレンシャルプライバシー）」という手法もその一つだ。プライバシーを保護しつつ、集約したデータや匿名化したデータを利用可能にするか、データセットの検索のみ利用可能にする方法である。また、暗号化済みデータのみで機械学習を行うという方法もある。このような目的のために、自分に関するデータの共同利用を許可するかどうか、人々が自ら決定できる新しいモデルも出てくるかもしれない。

次に大切なのがセキュリティである。データの連携によって、アクセスする機関が複数になるのであれば、当然のことながら、サイバーセキュリティをめぐる近年の問題も考慮しなければならない。継続的なセキュリティの強化も必要だが、同時に、複数の組織が一緒にセキュリティの管理に関与できるように運用面を改善する必要もある。

データの所有権をめぐる現実的な取り決めも必要になる。それぞれの組織がデータの所有権や継続的な管理権限を手放すことなく、データ共有を実現しなければならない。

不動産の世界では、土地の所有者が、自分の土地の一部を他人が通り抜けできるように便宜を図るため、地役権なる権利を設定することがあるが、これは所有権の放棄とは違う。これと同様に、データの利用権を管理するうえで、何らかの新しい考え方を取り入れる必要がある。その場合、データ利用のあり方も含め、データ共有の条件を各組織が協力的な姿勢で選択できるようにしなければならない。

今挙げたようなさまざまな課題に対処するため、ソフトウエアのオープンソース化の流れを手本に、オープンデータ化運動を進めてはどうだろう。かつてソフトウエアの世界では、ライセンス権をめぐる疑問点があったためにオープンソース化が阻止された経緯がある。だが、歳月が流れ、現在では標準オープンソースライセンスが利用許諾契約書の役割を果たしている。

データについても同様の動きが期待できる。政策面からも、オープンデータ化運動を後押しできるはずだ。その手始めとして、公共用に提供される政府保有データが拡充されれば、データ不足に喘ぐ小規模組織を手助けできる。

好例は二〇一四年にアメリカ議会で成立したDATA法だろう。これは連邦政府の予算情報を標準化された形で公開することを政府に義務付ける法律だ。オバマ政権は二〇一六年にこの法律を基に、AI向けのオープンデータ化を呼びかけ、トランプ政権もこの流れを受けて、連邦政府データの統合戦略を提案し、「データを戦略的資産として活用」する方向性を示した。[15]

イギリスやEUも同様の取り組みを進めている。だが、現在、政府のデータセットのうち、オープンになっているのは五分の一にとどまっている。さらなる努力が必要だ。[16]

また、オープンデータは、プライバシー法の発展の面で、重要な問題を投げかけるものでもある。現行法は、AIの開発が一気に進む前の時代に策定されたものがほとんどで、現行法とオープンデータの間にうまく折り合わない部分があるなど、本格的な検討が求められる。

たとえば、ヨーロッパのプライバシー法はいわゆる目的制限に重点を置いていて、データ収集時に指定された目的にのみ二次利用を認める方式になっている。だが、がん治療など社会的なゴールを目指し、さまざまな形でデータを共有する新たな機会が次々と生まれている。幸いにも、この法律では、公正で、なおかつ本来の目的と矛盾しない場合に限り、利用目的の変更が認められてはいる。ただし、この規定の解釈をめぐって重大な問題が持ち上がりそうな状況にある。

また、知的財産権の分野においては著作権の問題もある。読書を通して、著作物から何かを学び取ることは歴史的に容認された普通の行為である。だが、人間ではなく機械が読み込んで何かを学ぶような場合にもこのルールは当てはまるのだろうか。データの幅広い利用を人間に対して奨励するのであれば、機械に対してもそれが求められるだろう。

データ所有者向けに現実的な取り決めを策定し、政策の拡充が進んだとしても、まだ重要な課題が一つ残っている。データ共有を容易に、しかも低コストに実現するためのプラットフォームとツールの開発である。

これは、実際にトラネルがハッチで身をもって感じたことでもある。がん研究者が目指す成果とテクノロジー企業が目指す成果との間にズレがあるのだとトラネルは言う。テクノロジー業界では、多様なデータセットの管理・統合・分析が可能な最先端ツールを開発しようとする。「日々、大量に生み出される科学的データ、教育的データ、臨床試験データを駆使すれば、人々の人生をがらりと変え、文字どおり人命を救う可能性もありうるのだが、データを生み出す側と新たなツールを開発する側の意識にズレがあれば、こうした素晴らしい発見の機会を逃しかねない」[17]とトラネルは痛感している。

データ共有を容易に、しかも低コストに実現するには、オープンデータ利用に最適化された強力なプラットフォームが欠かせない。市場はようやく動き始めたところだ。テクノロジー企業ごとに想定するビジネスモデルも異なるため、それぞれに方向性も異なる。独自のプラットフォームでデータの収集と集約を実行し、そこから得られる知見をテクノロジーサービスやコンサルティングサービスとして提供する企業もある。これはＩＢＭでいえば、同社ＡＩサービスの「ワトソン」に相当するし、フェイスブックやグーグルでいえばオンライン広告への活用につながっている。

二〇一八年八月のハッチの研究成果報告会を兼ねた夕食会でトラネルが発表をしたことは先に書いたが、実はすでにあの時点でマイクロソフト、ＳＡＰ、アドビはそれぞれ独自に、しかし相互補完的な取り組みを進めていた。それから一カ月後、三社で発表したのが、オープンデータ・イニシアティブである。この構想の下、研究機関などの組織がデータの管理権限を所有・維持しつつ、各組織間でデータを緩やかに連携させるためのITプラットフォームと各種ツールを開発するのが目的だった。こうしたツールのなかには、組織内に埋もれている有効データを発見・評価し、機械が判読可能な形式に変換して共有しやすくするものも含まれる。

オープンデータ革命を正しい方向で実現するためには何よりも実験が欠かせない。夕食会が終わる前に私はトラネルの隣に移動し、共同で何かできることはないかと尋ねた。マイクロソフトはすでにカナダのブリティッシュコロンビア州バンクーバーなどの研究機関をはじめ、北米の有力ながん研究機関と共同で研究を進めていて、今回もそうした形での支援ができないかと思ったからだ。

一二月にはこの取り組みが実を結び、ハッチのプロジェクト支援にマイクロソフトが四〇〇万ドルを投じることを発表した。正式名はカスカディアデータディスカバリーイニシアティブといい、ハッチ、ワシントン大学、カナダ・ブリティッシュコロンビア大学、カナダ・ブリティッシュコロンビア州がん研究所の間でプライバシー保護措置を施したデータ共有の実現・促進に取り組むプロジェクトだ。

こうした活動をきっかけに、同様の活動が各地に広がっている。たとえば、カリフォルニア・データコラボレーティブ（協力機構）は、自治体、水道事業者、土地利用計画担当局が相互にデータを連携させて、さまざまな分析を行うことにより、水不足対策を講じるものだ。[18]

こうした流れを見ると、うまく機会を捉えればオープンデータの未来は期待が持てる。確かに一部の企業や国だけにメリットをもたらすテクノロジーもあるが、そのようなテクノロジーばかりではない。たとえば、電気を牛耳る世界のリーダーなどというものは存在しない。各国が集まって、どの国が電気のリーダーになるかなどと話し合ったこともないし、そんなものを決めなければならない理由もない。どの国でも電気という発明品を自由に使えるのであって、問題はどれだけ広範に電気を応用する先見の明を持てるかどうかだ。

社会全体として、データを電気のように効果的に利用できる環境づくりを目指すべきだ。簡単な仕事ではない。だが、データ共有の正しい方法、政府からの正しい支援があれば、データを一握りの大企業や国家の独占領域にさせないモデルが誕生する可能性は十二分にある。世界が望む方向に持っていくことができれば、各地で新時代の経済成長を担う重要な原動力になるはずだ。

第16章
人間を超えるテクノロジーを手なずける

アン・テイラーは、ケンタッキー盲学校で学生時代を送っていたとき、のちのキャリアにつながる情熱の対象に出合った。今、彼女はマイクロソフトで、障害者に使いやすい製品の開発を支援している。この仕事が大好きだとアンは言う。だが、プライベートの時間の過ごし方について話すアンは、さらに輝きを増す。「わたし、ハッカーなんです」。

二〇一六年、アンはＡＩ、コンピュータビジョン、スマートフォンのカメラを使ったプロジェクトに採用された二人目のハッカーだった。担当する仕事の一つは、自分の額に携帯電話をベルトで固定し、マイクロソフトのキャンパス内を歩き回ってアプリのテストをすることだった。

アンの所属するチームは、見事な成果を上げた。このアプリは、ＡＩを駆使して目の不自由な人をサポートするもので、スマートフォン経由で世の中が〝見える〟ようになるのだ。アプリの名前は「Seeing AI」。アン自身、目が不自由だが、今では家族が書きおいた手書きのメモも、他者の手助けなしに読める。

「なんだ、そんなことかと思う人もいるでしょうね。みなさんにとっては、最初から当たり前のようにやってきたことですから。でも、個人的な内容とかプライベートな内容のメモであっても近くにいる人に読み上げてもらうほかありませんでした。でももうその必要はありません。それって、すごいことなんです」[1]

文字が認識できるということは、実際、すごいことなのだ。ニュージャージー州では、プリンストン大学ゲニザ研究所のマリナ・ラストウ教授（近東エリア研究）の研究がAIで様変わりした。ラストウ教授は、カイロ旧市街のベン・エズラ・シナゴーグで発見された四〇万点もの膨大なユダヤ教文書の解読に当たっている。ここはユダヤ教文書としては最大の保管庫とされている施設だ。

この文書の研究は、気が遠くなるような仕事である。多くの文書はばらばらの断片になり、世界中の図書館や博物館に散り散りになっている。文書の量もさることながら、さまざまな地に散らばっていることから、実際にすべてをかき集めてまとめることは不可能に近い。

ラストウ教授率いるチームは、AIを使って世界中に散らばっているデジタル化された断片をくまなく探し、符合する断片同士を丹念に組み合わせていった。その結果、中世の時代にユダヤ教徒とイスラム教徒が共存していた様子など、かつてははっきりしなかった全貌が見えてきたのである。[2]

ＡＩアルゴリズムを生かして遠く過ぎ去った歴史を保全できるのだとすれば、世界の生きた歴史を保全するのにも役立つかもしれない。

アフリカでは、密猟によって絶滅危惧種の動物が地球上から姿を消しかねない危機に陥っている。マイクロソフトの「AI for Earth（地球のためのＡＩ）」チームはカーネギーメロン大学の研究者らと共同で、ウガンダ野生生物管理局の公園監視員が先回りして密猟を阻止する支援に取り組んでいる。この活動を通じて開発された「Protection Assistant for Wildlife Security（野生生物セキュリティ保護アシスタント、略称ＰＡＷＳ）」というアプリケーションは、過去一四年間に及ぶ国立公園パトロールのデータを精査するアルゴリズムを駆使し、ゲーム理論に基づいて密猟者の行動を予測する。これによって、当局者は密猟が発生しそうな現場を特定し、パトロールコースを修正できるのだ。[3]

こうした事例からわかるように、テクノロジーの力で、それまで見えなかったものが新しい方法で浮かび上がってくる。歴史家は遠く過ぎ去った時代を発見し、科学者は疲弊する地球のために新たな戦略を打ち出せるようになる。そこには、さまざまな分野で無限の可能性がある。

ＡＩは、自動車や電話、パソコンまで含めて過去の発明品とは一線を画する存在だ。どちらかといえば、社会や暮らしのありとあらゆる場面でツールや装置を動かす電気に近い。また、電気と同じく、ＡＩも裏方として活躍しているため、存在さえ忘れられていることもある。停電になって初めて電気のありがたさに気付くように。

サティアはこの新たな現実を「テクノロジー活用の強度（tech intensity）」という造語で表現する。わたしたちを取り巻く世界には、テクノロジーが高度に注入されているという意味だ。[4]

このような時代は、企業や組織にとってはもちろん、国家にとっても成長を加速するチャンスになる。そのためには単にテクノロジーを導入するだけでなく、独自のテクノロジーを開発し、それらを機能させる新たなスキルや能力を従業員や国民に身につけてもらわなければならない。

それは大いに期待が持てると同時に、新たな挑戦でもある。デジタルテクノロジーは人類にとって利器であると同時に武器でもある。アルベルト・アインシュタインが一九三二年に残した言葉を思い起こさずにはいられない。機械の時代は恩恵をもたらしたが、人間が技術進歩に後れを取らないよう結束しなくてはいけないと彼は語っている。[5] 今後も当社はテクノロジーを人間に提供していくが、同時に人間性を大切にしたテクノロジー開発にも配慮しなければならない。

本書で取り上げてきたように、現在、テクノロジーがもたらす経済効果には大きなムラがあり、一部の人々にとってはとてつもない進歩や莫大な富をもたらす一方、ほかの人々にとっては、仕事を奪うものであり、ブロードバンド回線のない陸の孤島へ追いやるものでしかない。

テクノロジーによって、戦争と平和の様相も変わりつつある。サイバースペースが新たな戦争の舞台になり、国家ぐるみのサイバー攻撃やデマ発信で民主主義を脅かす場面も増えている。国内では、テクノロジーが国民の二極化を促し、プライバシーを侵害している。さらに、国民監視体制を強化する独裁的な体制に手を貸してもいる。今後、ＡＩの進化に伴い、こうした傾向にますます拍車がかかるはずだ。

このような力学は現代の政治にも影響を及ぼしている。巷では移民や貿易や富裕層・企業への増税などが話題に上っているが、テクノロジーがこういった問題の温床になっている現実を政治家は考えようとせず、テクノロジー業界も認めようとしない。こうした問題の表面的な部分だけに目を奪われ、その根底にある重要な原因に目を向ける時間もエネルギーもないといわんばかりだ。テクノロジーの影響が強まるにつれて、こうした短絡的な考え方が加速するおそれがある。

テクノロジー進化のペースが遅くなることはあり得ない。だが、テクノロジー進化の管理方法を考えることは、無理な注文ではないはずだ。鉄道や電話、自動車、テレビといった前時代のテクノロジーや発明と比べると、デジタル技術は数十年に渡って驚くほど規制のない状態で、いや自主規制さえもない状態で、進化を遂げてきた。しかし今、このような放任主義を脱却し、エスカレートする課題にもっと積極的に介入する必要がある。

この積極的な対応とは、何もかも政府任せ、規制でがんじがらめにすることではない。それは政府に何もするなと要求するのと同じくらい短絡的で無意味な発想だ。そうではなく、個々の企業が立ち上がり、テクノロジー業界内でもっと協調的な取り組みが求められるのだ。

マイクロソフトは、二〇年前に苦境に立たされて、われわれ自身が変わらなければならないことに気付いた。法廷闘争を通じて、私は三つの教訓を得た。いまだにそこから新たな学びがあるし、いろいろな場面で活用している。世界でテクノロジーが果たしている現在の役割を考えた場合、この三つの教訓は、当社に大きく役立ったように、今日のテクノロジー業界全体にも生かせると感じている。

一つめの教訓は、政府、業界、顧客、社会全体がマイクロソフトのような会社に対して抱いていた大きな期待に応えるべきだった。法律の定めがあるかどうかにかかわらず、もっと大きな責任を負う必要があったのだ。もはや当社はベンチャー企業ではなかった。私企業がやりたいようにやって何が悪いのだとうそぶくのではなく、模範を見せる努力が必要だったのである。

第二の教訓は、テクノロジー関連の問題に対処するうえで、殻に閉じこもらず、まわりの声にもっと耳を傾けるべきだった。そこでわれわれはもっと多くの人々と建設的な協働関係を築くことにした。だが、それは始まりにすぎない。マイクロソフトに対する世の中の見方や懸念について理解を深める必要があった。この問題が手のつけようのない状態になる前に的確に解決することが大事だった。そのためには、政府関係者、さらにはライバル企業関係者ともっと頻繁に意見交換し、妥協点を探る必要があった。われわれは今後間違いなく難しい問題を抱えることになる以上、妥協する勇気を持つことが大切だと悟った。

妥協などせず戦い続けるべきだとの声が一部のエンジニアから上がった時期もある。自分の勇気を試されているかのような気分だった。一歩も引くべきでない場面もあったが、戦い続けるよりも勇気ある歩み寄りが大事な場面も多数あった。粘り強さも必要だった。落としどころを探る過程で、話し合いは行き詰まり、合意にたどり着けずに物別れに終わることも少なくなかった。

だが、たとえ交渉が合意にたどり着けないにしても、縁切りのような形ではなく、次につながるような終わらせ方を身に付けておくべきだった。相手方に敬意を払い、しかるべき時期が訪れたら再び交渉のテーブルに着けるようにしておくべきだったのだ。実際、そのような時期はまず間違いなくやってくる。

第三の教訓は、もっと筋の通った取り組み姿勢を確立しておくべきだった。ベンチャー精神あふれる企業文化は維持しつつも、社内的にも、社外的にもはっきり提示できる原則をつくっておく必要があったのである。

実際、当社はそのような原則を策定する体制づくりに着手した。最初は独禁法問題への対応のため、その次は相互運用性や人権の問題への対応のためだった。本書の第2章ではサティアが政府による監視について見解を示したことに触れたが、こうした分野においても当社の判断指針となる原則を掲げた。その結果として生まれたクラウドへの取り組みは、別の分野でも当社のモデルとなっている。このモデルの利点はいろいろあるが、何よりも当社が負うべき責任と最良の対応方法を考える手助けになったと同時に、そうせざるを得ない縛りにもなっている点が優れている。

こうしたアプローチは、テクノロジー業界全体を支配してきたカルチャーの転換を求めるものでもある。従来、テクノロジー企業は、わくわくするような製品やサービスを開発し、とにかく短期間でユーザーをかき集めることに力を注いできた。それ以外のことに目を向ける時間も関心もほとんどなかったのである。

前出のリンクトインのリード・ホフマンが「ブリッツスケーリング」という言葉で見事に説明していたように、効率よりもスピードを優先させる「電撃的な速さでの成長」は、グローバルな規模で市場のトップに立つテクノロジー開発の王道だ。[6] たとえ市場でリーダーの地位を獲得しても、絶えず迅速に動き続ける必要がある。このため、シリコンバレーでは、厄介な要求を突きつけられてイノベーションのペースが落ちることが何よりも大きな不安の種なのだ。

確かに、このような不安を軽視するわけにはいかない。だが世界でテクノロジーが担っている役割を考えると、テクノロジー企業が思考も追い付かないほどのスピードで行動したり、サービスや製品が及ぼす広範な影響を気にもかけなかったりするようでは危険極まりない。

本書のテーマの一つは、企業が社会的責任をこれまで以上に果たす形で成功することは十分可能ということだ。この件についてはサティアがはっきりと語っているように、スピードを出すときはテクノロジーにガードレールを付けなくてはならない

何らかの問題が発生するのではないかと常に先を見越して行動し、一貫性ある方針に沿って対処していく能力があれば、〝運転中の車〟はスピードが出ていてもそのまま走らせておいてもいいわけだ。そういう体制ができていれば世の中の批判を浴びたり、評判が失墜したりして経営陣が火消しや対応に追われることもなくなり、製品開発やユーザー数拡大どころではなくなるといった事態も防ぐことができる。

だが、誠心誠意努力したとしても、この手の取り組みは簡単には開花しない。往々にして、製品は無節操な発展を続け、相手が誰彼構わずに売るようになる。自主規制について議論すると、決まって社内から反対の声が上がる（これは私の経験則だ）。したがって、企業が自らの行動に歯止めをかけるには、経営上層部の旗振りが不可欠だ。幅広い視野を持ち、簡単に答えの見つかりそうな問題だけでなく、あらゆる問題に答えを出そうとする姿勢が大事だと従業員に語りかけることが大切なのだ。

問題解決の一環として、テクノロジー企業は、製品開発、マーケティング、営業など従来の分野以外の機能を強化する必要がある。テクノロジーは、世界の課題とぶつかるため、財務、法務、人事の分野でも強力なリーダーが欠かせないのだ。かつてはテクノロジー業界では、こうした役割は資本調達や企業売却、株式上場のときだけ必要と考えられている。だが、現代の問題やニーズは、はるかに広範に及んでいる。

財務や法務など、幅広い分野のリーダーが重要になる理由の一つは、製品の発展段階すべてをカバーするような総合的な原則づくりが簡単ではないからだ。社会の期待、現実に即したシナリオ、実用的な開発ニーズについて、深慮と精通が必要であり、そのいずれもエンジニアリングチームや営業チームとの緊密な協力が重要になる。マイクロソフトの日常に目をやると、法務責任者のデブ・スタールコフが、今後物議をかもしそうな問題や論争になりそうな案件を社内で発掘するプロジェクトのメンバーと頻繁にやり取りしている。

もう一つの課題は、新しい原則を採用したからといって、取り組みが終わるわけではないという点だ。当社の社内監査チームがエイミー・フッドや私に助言をしたように、われわれは第11章で取り上げたＡＩの倫理に対する当社の認識を土台に具体的な方針やガバナンス体制、責任の所在の枠組み、従業員トレーニングを徹底し、倫理面での取り組みを確かなものにしていく必要がある。単に新しい原則をつくるだけではだめなのだ。

これは、世界各地で膨大な数の顧客を抱える大手の有力テクノロジー企業にとって大きな課題である。原則の運用や導入はグローバルな規模に広げていく必要がある。第8章では、当社エンジニアリング部門がＧＤＰＲに対応したときの状況を詳しく説明したが、この種の作業は、現代のグローバル企業の経営を支えるさまざまな部門からの幅広い支援が欠かせない。[7]

見識が広く、心も広い経営陣が、個々のテクノロジー企業の現場で積極的な措置を講じ、テクノロジー業界全体の協力体制を広げていかなければ意味がない。他の業界に比べて、今日のテクノロジー業界は、業界団体や自主的な活動という意味では分裂状態にあるといってもいい。テクノロジー業界は多岐に渡るうえに、競合するビジネスモデルも多いことを考えればわからなくもない。だが、こうした違いを乗り越えて、テクノロジー業界が協力してできることはもっとあるはずだ。

特にサイバーセキュリティの強化やデマ情報の撲滅などの優先課題に関しては、業界を挙げての対応が求められている。最近の例でいえば、第4章で触れたWannaCryウイルスへの対応、第7章で取り上げたシーメンスによる「信頼性憲章」やもっと広範な「サイバーセキュリティテック協定」といった重要な取り組みがある。だが、業界が持っている能力や、社会・政府からの期待を考えると、まだほんの序の口だ。

企業文化の転換も求められる。大手テクノロジー企業であっても、サイバーセキュリティなどの問題を過小評価し、他社との緊密な協力など不要と言い切ってしまう風潮もある。また自社が中心的役割を果たせないような取り組みには参加しないというプライドの高い企業もある。あるいは、政府に目を付けられているような同業者とは距離を置きたいという企業もある。世の中の批判の矢面に立たされている企業の近くで火の粉が飛んできたら、たまったものではないというわけだ。

こうした懸念もわからないではないが、そこに打ち勝つのがテクノロジー企業のリーダーの役目だろう。テクノロジー業界がそろいもそろって、これまでのような考え方のままでは、世界がこの業界に期待する責任を果たすことはますます難しくなってしまう。

個々の企業もテクノロジー業界も今後やるべきことは山積しているが、それは政府も同様である。テクノロジー業界には、優秀で思慮深い人材がたくさんいるが、産業革命の始まりから三〇〇年この方、業界の自己規制が成功した例は皆無だ。そう考えれば、テクノロジー業界で初の成功事例が見られるなどと期待するのは甘い。

たとえ可能だとしても、それが最良の方向なのかどうか見極めなくてはならない。テクノロジー問題という荒波は、経済、社会、私生活に至るまでありとあらゆる面に押し寄せる。世界の民主主義国が持つ最も大切な価値の一つは、国民が選挙で代表を選び、その代表が国民を統治する法をつくることよって国の進路を決めていくという仕組みだ。

一方、テクノロジー企業のリーダーは、株主が選んだ取締役会によって任命されているとはいえ、国民に選ばれたわけではない。民主主義国家である以上、国民によって選ばれてもいないリーダーに未来を託すわけにはいかないのである。

このような事情から、政府はデジタル技術の規制にもっと積極的に断固たる措置を打ち出すことが重要なのだ。本書の他の提言同様に、簡単ではないが試してみるに値する重要な施策がいくつかある。

まず、テクノロジー業界がイノベーションを生み出しているように、政府も規制分野で何らかの新機軸を打ち出すべきだろう。たとえば、問題が表面化、深刻化するまで傍観するのではなく、初期の限定的な規制措置を迅速に講じ、その結果を参考に状況を判断していくといったことが考えられる。これは最小限の機能を搭載した商品を迅速に市場に出し、早い段階でユーザーからのフィードバックを得ながら改善を加えていくという、スタートアップ界隈ではお馴染みの「実用最小限の製品」（ＭＶＰ）という考え方だ。第12章で触れたように、ＡＩや顔認識に関してわれわれが支持している手法である。新規の事業やソフトウエア製品と同じように、政府も最初の規制措置を講じたら終わりではなく、小規模の限定的措置を次々に迅速に打ち出していく方がいい結果につながるはずだ。

この方法がテクノロジー規制の一定の分野で効果を発揮するようであれば、現代ならではの新たな規制ツールになりうる。テクノロジー企業が製品に新たな機能を追加するように、政府がまず限定的なルールを採用し、その結果を参考に次の新たな規制措置を追加投入する方式が可能であれば、法律の施行も迅速化するはずだ。

もちろんその際、政府は幅広い意見に耳を傾け、慎重に検討したうえで、少なくとも対象としている問題に対してそれが適切な解決策であるという確信は欠かせない。いずれにせよ、今挙げたMVPのように、元々、テクノロジー業界で育まれたカルチャーをテクノロジーの規制に持ち込むことで、政府は、テクノロジーの変化のペースに追いついていけるようになる。

また、政府がテクノロジーのトレンドをとらえて市場を通じた解決策づくりが進むように、これまで以上の対策を講じれば、より大きな効果をもたらすことができるだろう。第9章で取り上げた当社の農山村地域のブロードバンド普及策は、市場原理に委ねる発想から生まれたものだ。光ファイバー敷設に莫大な公共投資を振り向けても、山間地域の家庭に普及させるまでには何十年もかかるが、新しい無線技術の開発促進に公的資金を投じて市場原理がうまく働くように誘導すれば、あとは市場自体が自力で発展していく。こうした取り組みの方がはるかに理にかなっている。

現に、政策によってテクノロジー市場の市場原理を刺激できる機会がかつてないほどに増えている。何しろ、政府は国内トップクラスのテクノロジー需要家であるだけに、政府調達の決定が市場のトレンド全体に大きな影響を及ぼすのだ。さらに、政府は付加価値の高い大規模なデータリポジトリー（一種のデータベース）を持っている。政府がこのデータを所定の適切な手順に基づいて一般公開すれば、このデータを活用しようという動きが生まれ、テクノロジー市場に多大な効果をもたらすことになる。

たとえば第10章で取り上げたように、こうしたデータがあれば新たに誕生した雇用に必要なスキルに基づいて、それを学びたい人を公共部門や市民団体がうまく結び付ける取り組みが活発化する。また、第15章で触れたように、データの開放は政府がオープンデータモデルの採用を促進する強力なツールになるはずだ。

今後、政府がもっと積極的な規制措置を打ち出すに当たって、テクノロジー動向に対する理解をこれまで以上に深めなければならない。当然、テクノロジーを生み出す側とそれを規制する側の対話や意見交換の場を増やす必要がある。これもまったくもってたやすいことではないが。

シリコンバレーに関していえば、ビジネスやテクノロジーの中心地が政治の中心地である首都から、ここまで離れていたことはアメリカの歴史を通じてなかった。遠いのは物理的な距離だけではない。ワシントン大学のマーガレット・オマラ教授（歴史学）は、「政治や金融の中心地から遠く離れた北カリフォルニアの快適でのどかな土地で事業を展開することで、（テクノロジー業界は）起業のガラパゴス的空間を生み出し、ここで新種の企業、独特の企業文化、ある程度の奇抜さを寛容する空気が育まれたのである」と指摘する。[8]

ゆうに四〇〇〇キロを超える地理的な隔たりがあると、互いに共通項があっても見えにくくなる。ワシントンDCにせよ、シリコンバレーにせよ、マイクロソフトの本社があるワシントン州シアトル（ここも奇抜さに対する寛容度は高い）のような場所から足を運んでみると、それぞれに独自の熱気や活動があって、どちらも世界の中心と呼ぶにふさわしいと肌で感じることができる。だが、この地理的な隔たりを埋めるしっかりとした架け橋がかつてないほどに求められている。

テクノロジー企業は政府の助成金や支援などさまざまな恩恵に浴しているが、昔からテクノロジー業界では、頭の固い政府が不適切な規制を次々打ち出してくるという不満が渦巻いている。[9] こうした風潮はメディアにもその責任の一端がある。議会で政治家がテクノロジー企業の経営陣に的外れな質問をぶつけたり、まともな質問でも聞き方がおかしかったりすると、ここぞとばかりにマスコミが飛び付き、不相応に騒ぎ立てるからだ。

だが、現在の政府関係者の知識レベルは以前と比べると隔世の感がある。私は一五年前にデジタル広告について上院議員から質問されたことがあるが、その上院議員はインターネットでワシントン・ポスト紙が読めることも知らなかった。

四半世紀以上に渡ってテクノロジー業界に身を置く者として、この業界の製品がどれも複雑であることは理解している。だが、今どきの航空機や自動車、高層ビル、医薬品、場合によっては食品でさえ同じことがいえるだろう。政府関係者には飛行機は難解すぎるので連邦航空局は規制を見送るべきなどという意見は聞いたことがない。[10] そんな話がまかり通ったら、誰も飛行機を使いたくないだろう。ではなぜＩＴは違うのか。そもそも、今や航空機の製造に使われる部材の多くはＩＴに依存しているのだ。

昔から政府機関は、規制対象となる製品を理解するうえで、それなりの能力を身に付けている。それでも、常にうまく順応できるわけではないし、誰もが同じように的確な仕事ができるとは限らない。規制の仕方にしても、なかには合点のいかないものや、常識外れのものがあったりする。だが、テクノロジー業界は、ＩＴやその背後にある複雑な仕組みが部外者に理解できるわけがないといった幻想を捨てなければならない。むしろ、そういう微妙な点について情報提供に励み、社会や政府に的確に事情を把握してもらえるように協力すべきなのだ。

政府にとって二つめの課題は、はるかに込み入った話である。ＩＴにしても、それを生み出す企業にしてもすっかりグローバル化している。そもそもインターネットは、グローバルなネットワークとして設計されたもので、その利点の多くは相互接続によってもたらされている。インターネットの影響力の大きさや地理的な広がりは、ゆうに一つの政府の力を上回り、おそらく歴史のなかでもインターネットを超えるテクノロジーはない。電話やテレビ、電気といった過去の発明もネットワーク（供給網）を使っている点は似ているが、せいぜい国家あるいは州の規模にとどまっていて、やはりインターネットはこうした過去の発明とは一線を画するものなのだ。

この点をしっかり把握するために、規制効果の面でデジタル技術に最も近そうな過去の技術を参照してみよう。一八〇〇年代、アメリカという国家の形成であらゆる発明のなかでもまず間違いなく大きな役割を担ったのが鉄道だった。当時、連邦政府の力は弱く、州政府が経済を統制する最高権限を持っていたが、鉄道は線路の延伸を重ねているうちに州政府の管轄範囲を越えて広がっていった。南北戦争後の数十年に、アメリカの鉄道各社は規模の面でも影響力の面でも、多くの州政府を上回るようになった。

状況が行き着くところまで行ったのは、一八八〇年代である。当時、戦時を除いて、連邦政府レベルで経済を規制する伝統は事実上皆無で、連邦議会で鉄道規制の法案が出されても繰り返し廃案になっていた。その代わりに州政府は鉄道料金の規制法案を成立させ、州境にまたがる移動にも影響力を行使することになった。

ところが一八八六年に連邦最高裁がそのような権限は連邦政府だけが有するとして、この州法を無効にする。[11] 突如として人々は容赦ない現実にさらされた。各州は「鉄道を規制することができず、連邦政府は規制するつもりがない」[12]。この新たな政治力学が行き詰まりを打破し、翌年、連邦議会は州際通商委員会を創設し、鉄道の規制に乗り出した。[13] これは現代的な連邦政府の誕生でもあった。

現代のＩＴの世界的な広がりは、鉄道網が法的権限を持つ州の管轄範囲を超えて拡大していた一八八〇年代のアメリカに似ている。だが、現在、州際通商委員会に相当するグローバルな組織は存在しないし、このような存在を設置しようという動きも見られない。

では、自分たちよりも大きくなったテクノロジーを政府がどう規制するというのか。これはテクノロジー規制の将来に待ち受ける最大の難題といっていいだろう。ただ、この疑問に関して、少なくとも答えの一部ははっきりとしている。政府間の協力が欠かせないということだ。

目の前には、克服しなければならないハードルがいくつもある。今世界では地政学的な逆風が吹き荒れ、多くの政府が内向きになっている。ただでさえ貿易協定の脱退や長年続いた条約からの脱退といったニュースが頻繁に聞こえてくる時代に、いくつもの国々をまとめることなど一筋縄ではいかない。それどころか、多くの政府が自国内での意思決定さえ満足に下せない状況なのだ。

だが、こうした切迫した状況のなか、とどまるところを知らないテクノロジーの進展を前に、国際的な協調体制はますます欠かせなくなる。本書がたびたび指摘しているように、監視制度の改革やプライバシー保護、サイバーセキュリティ強化といった課題は、いずれも政府が新たな方法で対応する必要がある。

マイクロソフトではさまざまなプロジェクトが進行しているが、その多くで国際的な流れに合わせた要素・機能に力を注いでいるのも、こうした背景を反映したものだ。具体的には、二〇一六年に入って以降だけでも、WannaCryウイルスへの協調対応、サイバーセキュリティテック協定、パリ・コールやクライストチャーチ・コール、アメリカ・EUのプライバシーシールド、国際協定の根拠となるクラウド法（海外データ合法的使用明確化法）、デジタル版ジュネーブ諸条約に向けた長期的なビジョンなどが挙げられる。

この時期は、アメリカとＥＵの間でプライバシー保護強化の動きが高まったほか、ＡＩや倫理に関して新たにグローバルな議論が活発化している。ナショナリズムが台頭する時代であってもこのような国際協調に向けた取り組みが可能だったとすれば、今後、保守化やナショナリズムの流れが沈静化すれば、さらに進展が期待できるのではないだろうか。

何よりも、有志連合の構築を続けていくことが大切だ。WannaCry 対策では、六カ国政府と企業二社が集まって対策を講じた。また、企業三四社の団体が技術協定を結び、五一カ国政府のグループ（後に参加国は増加）がさまざまな利害関係者と足並みをそろえてパリ・コールの支持を表明した。いずれの活動も、重要な国や企業が欠けていて、場合によっては致命的な欠落が生じているケースもあった。だが、一〇〇％顔ぶれがそろわないことに文句を言うよりも、呼びかけに応じて参加してもらえる顔ぶれを大切にすることで進歩が見られたのである。だからこそ、こうした取り組みが勢いを失うことなく、むしろ時間の経過とともに参加者が増えているのだ。

また、課題によってはグローバルな合意につながるものもあれば、そうでないものもある点を理解しておかねばならない。今日のテクノロジーをめぐる課題の多くは、プライバシー、表現の自由、人権の問題が絡んでおり、いずれもグローバルな合意は得られていない。有志連合を構築するには、世界の民主主義国の結集が求められる。これは決して小さなグループではない。現在、世界にはおよそ七五の民主主義国家があり、総人口は四〇億人近くに上る。[14] つまり、歴史的には民主主義社会に暮らす人々の数はかつてない規模を誇るのである。しかし、最近、世界の民主主義国の健全性が失われつつある。その長期的な繁栄のために、民主主義社会ほど新しい協調体制でテクノロジーとその効果を上手に管理することが求められている社会はほかにない。

こうした背景から、アメリカ政府がかつて長期に渡って担ってきたリーダーシップを再び発揮する日までこのような多国間の取り組みの機運を絶やさないでおくことも重要である。アメリカが孤立を深めるなか、世界の民主主義国家が弱体化しているのは、明白な事実である。

多国間の取り組みの進展のためには、各国政府がテクノロジーの規制に加えて、自らを律する必要もある。サイバーセキュリティやデマ情報などの課題は、将来の戦争の仕方や、民主主義的な手続きの保護にも関わってくる。業界が単独で的確な自主規制を完遂できた例は過去にないのと同じで、一つの国家が民間部門に丸投げで、あるいは民間部門を規制する形で、自国を守ってきた先行事例もない。各国政府が足並みをそろえる必要があり、その一環として、国家の行動に歯止めをかけ、ルール違反があった場合には責任を負わせる新たな国際規範やルールが必要になる。

当然、国際ルールの利点について新たな議論につながることは間違いない。こうしたルールに従う国とそうでない国に分かれる可能性があり、これを懸念する声はすでにあちらこちらで耳にする。世界では、一八〇〇年代後期から軍備の削減・撤廃の取り組みが見られるが、一世紀以上もの間、常に同じような話題が繰り返されている。結局、こういう取り決めが生まれても、それを守らない国があるという厳しい現実である。だが、それ以外の国々にとっては、国際的な規範なりルールなりが決まれば、しっかり対応することは難しい話ではない。

デジタル技術をめぐる新たな課題に対しては、官・民・非営利の境界を超えた積極的な協調体制も必要になる。たとえば、10章や13章で紹介したように、テクノロジーが社会に及ぼす大きな影響に対処する一環として、政府、NPO、企業が手を結んで雇用問題に対応したり、人々の新たなスキル習得を支援したりするプロジェクトが成功している。このような組み合わせは、シアトル地域での取り組みのように、住宅価格の高騰といった地域社会が抱える他の課題にも応用できる。

このような新しい形の協力関係の可能性やニーズがあるのは、必ずしも社会問題に限らない。基本的人権の保護は、官・民・NGOの連携に依存する傾向がかつてないほどに高まっている。今後、ますます多くのデータがクラウド上に移行していくだけに、データセンターの設置を国内に義務付ける政府が増えれば、基本的人権への対応はさらに重要になる。二一世紀の課題には、多角的で多数の利害関係者が関わる大規模な取り組みが不可欠だ。

さまざまな利害関係者が参加する協力体制を成功させるポイントは、それぞれが担う役割を明確化しておくことだ。政府は統括役を担う。とりわけ民主主義社会では、政府は有権者によって選ばれた存在であり、社会的な決定を下す立場にある。学校教育の方向性を打ち出すのも、国民の暮らしを左右する法律の制定・施行を担うのも、政府だけに権限と責任がある。

企業と非営利団体は市民意識を発揮し、政府の補完役・パートナーとして、官が必要とする資源や専門知識・ノウハウ、データを提供する。また、企業やNPO・NGOは、特に国境を越えた部分での実証実験やフットワークの良さを生かして、新たなアイデアの可能性を検証する役割も担える。そしてそれぞれが互いの役割を評価し、尊重し合うことが大切なのである。

多くの課題を解決する過程では、歩み寄りの精神も欠かせない。世界屈指の価値ある企業を築いた経験のある経営者にとって、妥協は最も苦手なことかもしれない。往々にしてかなり分の悪い勝負に賭けて、成功をつかんできただけに規制で歯止めをかけられることに不安を感じるのだ。

そのような不安のためか、テクノロジー業界のリーダーのなかには政府の過剰反応と過剰規制は、イノベーションを生み出す最大の足枷になると公の場で主張したり、プライベートではもっと過激に政府を批判したりするリーダーもいる。確かにそういうリスクはあるだろう。

しかし現在、業界がそのような窮地に立たされているわけではない。政治家も役人も規制が必要だと徐々に声を上げているとはいえ、基本的にはかけ声ばかりで具体的な行動は見られない。テクノロジー業界としても、過剰な規制を持ち出されたらどうしようかとオロオロするよりも、よくできた規制にしてもらうための条件を考えた方がよほど自分たちのためになるのではないか。

最後にもう一つ考えなければならないことがある。そしてこれは最も重要なことでもある。一人の人間よりも、企業よりも、産業よりも、あるいはテクノロジーそのものよりも大きい課題である。これは、民主主義を支える自由と人権という基本的価値に関わるものだ。テクノロジー業界が誕生し、成長してきた背景には、まさしくこうした自由の恩恵があった。われわれには、この価値を絶やさないようにして、未来に引き継ぐ義務がある。たとえ今の時代のテクノロジー企業やその製品が次の世代の主役に取って代わられようと、この価値が将来に渡って守られ、さらに繁栄するように努力する必要があるのだ。

最大のリスクは世界があれこれ手を出しすぎて、問題が解決に至らないことではなく、問題が放置されて解決されないことだ。そして、政府が速く動きすぎることではなく、あまりに遅すぎることが問題なのだ。

テクノロジーのイノベーションのスピードは低下しない。ならば、テクノロジーを管理する取り組みのスピードを上げるほかないのである。

日本語版あとがき

コロナとの戦いがテクノロジーの力を加速する

暦の上では春に入って三日目のはずなのに、温度計はそうとは思えない数字を指していた。厳しい寒さからはまだ解放されそうになく、外出には分厚いコートが欠かせない。春のブリュッセルでは、こんな気候も珍しくない。シアトルや東京と同じく、西ヨーロッパのこの辺りでも遅霜になると、春らしさを味わえるのは、はるか先になる。

だが、今年はブリュッセルに限らず、世界中がいつもの三月とは違っていた。一〇〇年に一度あるかないかというパンデミックが世界に襲いかかり、誰もが口を開けばパンデミック、考えごとをしてもパンデミックという状態に陥った。新型コロナウイルス（COVID－19）が世界に蔓延し、多くの人々がリモートワークや自宅待機を余儀なくされた。せっかくのコートもクローゼットに強制待機になってしまった。

そんなころ、スペインの元国会議員で欧州連合の外務・安全保障政策上級代表に就任して間もないジョセップ・ボレルは大事な仕事を抱えていた。しかも、自宅では対処できない仕事だった。ボレルに限らず、世界のほとんどの指導者が同じ思いを抱いていた。とにかくオフィスに行かねば、という思いに駆られていたのだ。人に会い、言葉を交わすのが目的だ。政治家として、危機の渦中だからこそ、人前に姿を現し、直接語りかける必要があったのである。

二〇二〇年三月二三日、ボレルは重要なメッセージを伝えた。「コロナ禍で世界は変わる。この危機がいつ収束するのか不明だが、収束のあかつきには、今までとはまるで違う世の中になっているはずだ。どれほど変わるのかは、現在のわたしたちの選択次第だ」[1]。彼の言葉は、多くの人々がうすうす感じ始めていた思いを代弁していた。

さらにボレルは、「この危機は戦争ではないが、過去に例のないレベルで物資や人員、資金の動員・調達、配置・指揮が必要という意味では限りなく戦時下に近い状態」[2]との認識を示し、このパンデミックの特徴を強調していた。

各国政府は人々の日常生活を統制し始め、前代未聞の状況になった。誰が職場に行けるかを決めるのも政府なら、外出許可を出すのも政府。開けていい店を決めるのも政府だった。差し迫った健康上のリスクを理由に、ほとんどの人がこうした制限を「ニューノーマル」として受け入れた。

状況はまさに戦争のようだった。ただし、国同士の戦いではない。人類とウイルスの戦いである。勝つために犠牲を伴う点も戦争と同じだ。この危機で世界が変わるというボレルの指摘は正しかった。もっと大きな問題は、その変わり方だ。どの変化が恒久的に続くのか。そして、どの変化が一時的なもので終わるのか。一〇年先を見据えた場合、これはきわめて重要なポイントになってくる。

この問題に答えるに当たっては、謙虚さも求められる。重要な問いではあるが、確信を持って答えを出すのは不可能だからだ。そもそも未来予測に正解などあり得ない。しかし全体像を捉えるヒントはある。大戦が起こると、二つの面で歴史の流れが大きく変わる。第一に、すでに発展途上にあったテクノロジーの進歩が加速する。好例が航空機だ。航空技術は第二次世界大戦前から着々と進展していた。当時、主翼が複数ある複葉機から主翼が一枚だけの単葉機にほぼ切り替わっていたが、まだ完全な入れ替えには至っていなかった。ところが一九四四年四月には、早くもジェット戦闘機がドイツで実戦配備されている。平時であれば一〇年か二〇年の開発期間が必要だったはずだが、戦時だったために五年足らずで現実のものとなった。現時点で、危機の中で加速しているトレンドは、危機の収束まで続く可能性が高いと考えていいだろう。

また、どの国も難局に打ち勝つためにこれまでにない画期的アプローチに活路を見いだそうとすることから、戦争は二つめの変化を生み出す。例えば、第二次世界大戦は、二〇年に渡って続いたアメリカの孤立主義政策に終止符を打った。戦争の終結とともに、アメリカは国際連合やブレトンウッズ体制、さらにはNATOの創設に手を貸すなど、新たな方向性を打ち出していく。この国際協力を重んじる姿勢は、かつての敵国である日本、ドイツ、イタリアの国際社会復帰を先送りするどころか前倒しで実現する意欲を生み出したのだ。

コロナ禍も同様の変化をもたらすはずだ。だが、「戦雲」が立ち込めるなか、最大の変化が何なのかを見極めるのは容易ではない。ボレルが指摘するように、何らかの変化は避けられない。しかも、個人や企業、国家機関等による選択がその変化に反映される。

そのように考えると、いくつかの結論が導き出される。一つめは、デジタル化のペースが加速することの重要性だ。二〇二〇年までの一〇年間は、デジタル技術の果たす役割が着々と大きくなっていった時期でもある。だが、今回のコロナ禍で、デジタル技術の爆発的普及に火が付いた。いろいろな意味で二年はかかるはずのデジタル技術の普及を、わたしたちは、わずか二カ月で見届けたことになる。[3] あるレポートによれば、三月だけでブロードバンドの通信量は、通常なら一年分に相当する伸び方を示したという。[4] 世界中でリモートワークの機会に恵まれた人々は、この間毎日のようにコンピュータの画面を通して同僚や仕事先とやり取りしていた。高速ブロードバンド回線、高性能な端末、充実したコラボレーションやビデオ会議のツールの組み合わせが文字どおりグローバル経済を支えたわけだ。

このような日々が続くなかでデジタル疲れも増加したが、コロナ前のデジタル時代に完全に戻る生活など、もはや想像できない。ビデオ会議の急速な普及にはじまって、日常生活が「何でもリモート化」されていった。こうした動きは一般のオフィスにとどまらず、例えば、患者が医師にビデオ通話で診察してもらうなど、遠隔医療も急激に普及している。すでに多くの人々が気づいているように、映像が高精細になるほど、医師にとっては初診の効率が上がり、患者の負担は減る。同様に、リモート学習を支えるためにオンライン授業が広がり、多くの国でオンラインショッピングのシェアが拡大した。それがすぐさま大学や小売店の終焉ということにはならないが、こうした傾向がコロナ収束後も広範に続いていくだろうことは容易に想像できる。

公衆衛生当局によるコロナとの戦いでは、データもまた必須のツールになった。公衆衛生の管理に特に大きな成果を上げている政府は、例外なくデータを体系的に活用している。新規感染者数や入院・死亡率はほんの序の口だ。各国政府が医療体制の管理に新しい体系的な方法を取り入れ、検査処理能力から病床の利用状況まで、あらゆるデータを総合的にリアルタイムに追跡できる環境を整えつつある。

このデジタルトランスフォーメーションで浮かび上がったことがある。世界各地のデータの体系的利用に、ときに驚くような格差が見られる点だ。例えば、中心部にアマゾンのタワービル、郊外にはマイクロソフトのキャンパスを抱えるシアトルでさえ、四月の段階で病床利用状況を一元的に把握する体制が整っていなかった。そんなとき、ギリシャのキリアコス・ミツォタキス首相がビデオ会議でノートパソコンを指しながら、これで国内の病床利用状況が手に取るようにわかると発言したのを見てわれわれは衝撃を受けた。それから数カ月経って、シアトル近辺では同様の機能を整えただけでなく、毎日、住民向けに最新情報を通知できるようになった。こうしたデータ利用の強化は、医療体制管理の将来を予感させる。公共部門の活動のあらゆる面で、データが果たす役割がこれまで以上に重視されるようになるはずだ。

今後、データとデジタル技術は、人工知能と連携しながら、コロナとの戦いに挑むことになる。マイクロソフトでもそのような取り組みが始まっている。それは、AIを活用したチャットボットで、ユーザーに一連の質問を投げかけ、感染症状があるかどうかを検討し、検査受診の必要性を判定するものだ。要検査と判定された場合、本物の医師が担当する遠隔診断に回すようになっている。[5]このシステムは、すでに二〇カ国以上の一五〇〇を超える医療機関で採用されており、世界中で月間一億八〇〇〇万件もの遠隔診断の実績を上げている。

この戦いは、今後、優れた治療法や新たなワクチンの出現によって最終的には収束に向かうはずだが、こうした医薬の進歩を支える基盤の一部として、AIが重要な役割を担っている。新薬の開発はAI自体が持つ多様性が発揮される分野でもある。例えば、対話型AIを利用して、すでに感染から回復した人（回復期患者）を特定できれば、その血清を新規感染者に投与する「回復期患者からの血清療法」に生かすことも可能だ。[6]だが、こうした取り組みはAIの可能性のごく一部にすぎない。ワクチン開発に取り組む多くの研究現場では、機械学習も重要な役割を担っている。通常であれば何年もかかる作業を数カ月単位にまで短縮できる可能性があるからだ。

こうした事例からも、コロナとの戦いでデジタルテクノロジーが極めて重要なツールになっていることがわかる。こうした技術は、パンデミック収束後も、長く存在感を示すだけでなく、新たな分野にも波及効果をもたらすはずだ。だが、負の面もある。この点でも、コロナ禍を機にデジタル技術を取り巻く新たな課題がはっきりと見えてきた。

その一部は、本書でも取り上げている深刻なデジタルデバイドである。例えば、学校がリモート学習に切り替えざるを得なくなり、ブロードバンド回線の重要性が多くの国々で注目されている。われわれが二〇一七年から指摘したように、ブロードバンドは二一世紀の〝電力〟になっているのである。コロナ禍で明らかになったのは、ブロードバンド回線とノートパソコンを持っている学生はリモート学習の機会を生かすことができるが、どちらか一つでも欠くだけで、そうした機会から取り残されてしまう。この現実が浮かび上がるや、世界の多くの政府がブロードバンド回線の整備に力を入れ始めている。

もっとも、コロナ禍に起因する景気後退の深刻化を受けて、技術へのアクセスがあるだけでは不十分であることが明らかになってきた。「何でもリモート化」の進展で、学生だろうが労働者だろうが、世代を問わず誰にとっても、デジタルのスキルが基本能力として必須となっていくという認識がかつてないほどに広まっている。その短期的な背景としては、職場に出向いて働く人とリモートワークを続ける人が混在する「ハイブリッド経済」を数カ月あるいはそれ以上に渡って経験したことが挙げられる。当然のことながら、この「ハイブリッド経済」はではデジタル化がさらに進む。長期的には、すでに進展している自動化の波のなかで景気回復が進む可能性が高い。マイクロソフトの推定では、今後五年間にテクノロジー系の新規雇用創出数は世界全体で一億四九〇〇万ほどに上る。この新たに創出される雇用のうち、単独で最も大きな部分を占めるのはソフトウエア開発だが、データ分析やサイバーセキュリティ、プライバシー保護といった関連分野の雇用も大きな役割を担うだろう。[7]

残念ながら、今回のコロナ禍でデジタル技術は社会経済にこれまでになかったようなインパクトをもたらしただけでなく、その兵器としての威力も高まっている。パンデミック発生から最初の数週間はサイバー攻撃の減少が見られたが、これは単なる小休止に過ぎず、ヨーロッパやアジア、北アメリカで、病院・医療機関を標的にした犯罪集団や国家ぐるみの攻撃が相次いでいる。[8] ＷＨＯ（世界保健機関）でさえ攻撃対象になった。[9] このため、医療機関のメールアカウントの保護や、国連、赤十字国際委員会などのグローバル機関とテクノロジー企業が手を結んだ国際協調体制づくりなど、[11] サイバー脅威への対抗措置も、これまで以上に強化されつつある。[10]

長い目で見れば、パンデミックはデジタルテクノロジーの文明の利器としての存在感を劇的に高めると同時に、社会的不平等を悪化させる。いずれにしても二〇二〇年代の幕開けに予測されたことが、当初の想定より早く現実のものとなる見通しで、その影響も想定以上に大きくなりそうだ。とはいえ、未来はその大部分が不透明だ。コロナ収束後、リモートワークがどこまで定着しているのかも定かではない。確かにリモートワークに関しては、一〇年前まで「夢」とされていた導入率を軽く達成できることがすでにわかっている。もっと自然豊かな地域に暮らしたい人々や幼子を抱える共働き世帯にとって、これは状況を一変させる切り札になりうる。子育て中の共働き夫婦であれば、夫婦それぞれが自分の時間を細かく分割して家庭と仕事にうまく振り分けられるメリットがある。

では、わたしたちは、オフィスを捨て、コンピュータの画面に向かって毎日を過ごすようになるのだろうか。リモートワークが何カ月にも渡って続くようになって、一部の人々にとっての正解が必ずしも全員にとっての正解ではないことが徐々に明らかになってきた。リモートワークを望む人であっても、同僚や仕事仲間と一緒に過ごす時間を楽しみ、恩恵も受けている。つまり、仕事の世界は、以前よりも自由度と選択の幅が広がっていくはずだ。だが、コロナ禍が過去のものとなり、ある程度の歳月が流れない限り、細かい部分まで余すところなく語ることは時期尚早だ。

第二次世界大戦の経験からは、テクノロジーの将来に関する教訓も得られる。危機の真っ只中では、テクノロジーを生み出す者は、その製品の将来について往々にして自信過剰に陥りがちだ。一九四三年、「これから戦争が終わってヘリコプターの量産化が進めば、誰もが手の届く価格になり、技術改良の進展を受けて、中型車並みに簡単に操作できるようになる」[12]と、ある航空機メーカー幹部が発言している。同じ年、デュポンの経営者は、近い将来、「割れないガラスや水に浮くガラス、燃えない木材、革を使わない靴、木材も金属も使わない家具」[13]が出現すると聴衆に語ってみせた。言うまでもなく、こうした夢の大部分は依然として夢のままだ。

コロナ禍でテクノロジーの未来が恒久的にどう変わるのか見通すうえで、これは特に重要なヒントではないだろうか。大切なのは謙虚な姿勢である。視界は徐々に晴れてきている。この嵐がいつかは通り過ぎることをわたしたちは知っている。だが、一週間後、一カ月後、あるいは一年後の天気がどうなるのか予測するとなると、それはまた別の話なのだ。ひたすら学びと適応を続けていくほかはない。ともに手を携えて。

謝辞

本書はブラッド・スミスとキャロル・アン・ブラウンの共著だが、実を明かせば二人ともこれが初めての著書である。出版に当たって数多くの方々のお世話になった。当たり前のことだが、本を読むことと書くことは大違いであることを思い知る体験だった。良書を読むことは冒険のような気分を味わえるが、本を執筆することは長く苦しい旅に挑むようなものである。

われわれの旅の出発点は、ニューヨークにあるグラマシーパークに佇むトラットリアのテーブルだった。ここでウィリアム・モリス・エンデバー（ＷＭＥ）のティナ・ベネットとの顔合わせがあった。出版界に不慣れな二人とあって少々ドギマギしていたが、代理人契約を引き受けてもらえることになり、ほっと胸をなで下ろした。ティナはこの長旅の道しるべになってくれたばかりでなく、一緒に旅に出てくれたのである。

ティナはわれわれが書きたいと思っていることを上手に引き出し、手取り足取り導き、各章、各ページ、果ては言葉遣いに至るまで、貴重なアドバイスを与えてくれた。また、ＷＭＥのティナの同僚、ローラ・

ボナー、トレイシー・フィッシャーには、出版の国際展開に当たっての手続きを支援してもらった。

ティナにはさまざまな面で世話になったが、最もありがたかったのは、ペンギン・ランダムハウス傘下の出版社を紹介してもらったことだ。同社の編集者、スコット・モイヤーズと話をして手応えを感じた。やがてスコットが出版を引き受けてくれたと知って、心底ほっとした。その日を境に、スコットからは、丁寧に、しかも明快なフィードバックが絶えず届くようになり、大いに参考にさせてもらった。スコットも、彼の補佐のミア・カウンシルも、テクノロジー業界並みの電光石火のスピードで原稿を戻してくれたため、目の回るようなスケジュールでありながらペースを崩すことなく進めることができた。執筆、編集作業が終わって校了を迎えると、今度はペンギンが誇る販売チームの出番だ。同チームのコリーン・ボイル、マシュー・ボイド、サラ・ハトスン、ケイトリン・オショネシーが販売を大いに盛り上げてくれた。

本書の出版は、サティア・ナデラをはじめ、マイクロソフト関係者の支援なしにはなし得なかった。サティア自身も本を書いているが、今回の出版については、テクノロジーが世界で生み出している課題をじっくり考え、多様な角度から取り組むきっかけになる内容だと評価してくれた。

しかもサティアは、執筆の段階から原稿に目を通し、必要に応じてフィードバックをくれた。ふだん広報で鋭い視点と見事な判断力を発揮しているフランク・ショーも、同じように鋭い目でわれわれの原稿にアドバイスをくれた。また、エイミー・フッドは、いつものように知的で実践的な知恵をたびたび与えてくれただけでなく、われわれの精神的な支えとなり、絶えず笑顔で応援してくれた。

執筆中はさまざまな人々が多忙にもかかわらず、われわれに執筆の時間を確保してくれたり、幅広い視点に立った情報を提供してくれたりと、支援を惜しまなかった。その筆頭に挙げたいのは、カレン・ヒューズである。広報の知識をフルに生かし、執筆初期の原稿を応援してくれた。ワシントンDCでディナーをともにしながら、原稿について細かくチェックしてくれただけでなく、上手に伝えるための即席講座まで開いてくれた。彼女には業務でも広報面で大きな問題に直面したときにいつも助けられてきた。

原稿が完成に近づいたころ、デイビッド・ブラッドリー、キャサリン・ブラッドリー、そしてその息子であるカーターは多忙にもかかわらず原稿に目を通し、直接、そして文書でも細かく意見をくれた。親子二世代の幅広い視点で、きめ細かいフィードバックをもらえた結果、多くの部分で原稿が改善された。

執筆の締め切りを間近に控え、デイビッド・プレスマンに原稿全体を徹底的に読んでもらう機会を得たことは大きな収穫だった。近年、テクノロジー業界で重視されている人権や国際関係の課題について、ベテラン外交官ならではの視点でアドバイスをもらうことができた。

執筆、編集の段階を通じて、さまざまな調査や事実確認の作業に大車輪の活躍をしてくれた方々がいる。まずジェシー・メレディスだ。彼がワシントン大学の博士課程で歴史を研究していたころにわれわれと知り合い、現在はメーン州コルビーカレッジで教壇に立っている。次に、マイクロソフト図書館司書のステファニー・カニンガムである。われわれの曖昧模糊とした質問にも恐るべきスピードで正確な答えを出してくれた。なお、同図書館はレドモンド本社の重要な情報源となっている。

マディ・オーサーもは本書の歴史的な記述に関して、歴史学修士として培った知識を駆使して事実確認や巻末の注の補足に力を発揮してくれた。また、マイクロソフトのサン・タンには格別の謝意を伝えたい。魅力あるストーリーを見つけ出す目利きとしての才もさることながら、そうした話題について意見を聞くことができる人物を紹介してくれた。おまけにそのお宅にお邪魔し、夕食をともにする素晴らしい機会を得ることになった。

また、ドミニク・カーには、ひとかたならぬお世話になった。本書誕生のアイデアづくりに重要な役割を果たしただけでなく、執筆・編集のどの段階でも惜しみない協力を申し出てくれた。われわれは最終的に本書をきっかけに社会の議論を促進したいと考えているが、そうした活動でも重要な役割を担っている。レドモンド本社の廊下で常に顔を合わせるケイト・ベンケン、アンナ・ファイン、リズ・ワン、マイケル・エスペランド、サイモン・リーポールド、ケイティ、ベイツ、ケルシー・ノールズには、執筆中、いつも応援してもらった。また、マイクロソフトの代理人として出版契約の交渉を引き受けてくれた弁護士のマット・ペナルツィックにも感謝したい。

最終段階では、さらに多くの同僚、友人のみなさんにチェックや事実確認でお世話になった。まずマイクロソフト社内からは、エリック・ホルヴィッツ、ナット・フリードマン、ハリー・シャム、フレッド・ハンフリーズ、ジュリー・ブリル、クリスチャン・ベラディ、デイブ・ハイナー、デイビッド・ハワード、ジョン・パルマー、ジョン・フランク、ジェーン・ブルーム、ホセイン・ナウバー、リッチ・サウアー、シェリー・マッキンリー、ポール・ガーネット、デブ・スターコフ、リズ・ワン、ドミニク・カー、リサ・タンジ、タイラー・フラー、エイミー・ホーガン＝バーニー、ジニー・バダネス、デイブ・ライクトマン、ダーク・ボーンマン、タンジャ・ボーエムにご協力いただいた。さらにハディ・パートヴィとナリア・サンタルシアには、それぞれの組織に関する記述についてチェックをお願いした。ジム・ガーランドをはじめとするコビントン＆バーリングの方々には、微妙な記述について法律面からチェックをお願いした。コンサルティング会社を立ち上げたネイト・ジョーンズにも、同様のチェックでお世話になった。

マイクロソフトのグラフィックデザイナーであるメアリー・フェイルジェイコブズ、ザック・ラマンスは、本書のカバーデザインを引き受けてくれた。お礼申し上げたい。

ほかにも本書で取り上げた出来事で重要な役割を果たした数え切れないほどの同僚、マイクロソフト社内・社外の友人、知人に感謝したい。

何をおいても、マイクロソフトの歴代CEOとして輝かしい歴史を築いてきたビル・ゲイツ、スティーブ・バルマー、サティア・ナデラの三人にお礼を申し上げねばならない。この三人の近くで仕事をする機会に恵まれた人はきわめて少ない。それぞれに独特の個性がありながら、幅広い好奇心と常に上を目指す情熱という共通点があり、これがマイクロソフトの優れた地位を支えている。まだまだ紹介せねばならない人々は多数いる。

特に感謝したいのは、マイクロソフト経営陣・取締役会の面々、コーポレート・対外関係・法務担当部門の幹部のメンバーである。数え切れないほどの素晴らしい従業員全体の先頭に立つ人々だ。彼らは、革新的なテクノロジーに貢献する機会を生み出すことにより、われわれをテクノロジー業界に結集させる原動力となっている。われわれにとっても、素晴らしい人々とともに働き、長きに渡る友情を育む機会があることは、この会社にとどまろうと考える大きな理由になっている。

また、日ごろからお世話になっているテクノロジー業界の他社も含めた仕事関係の方々、世界の各国政府、非営利団体、世界中の報道関係者など、多くの方々にもお礼を申し上げる。本書でそれぞれに相応の言及をさせていただいたつもりである。それはわれわれの目指すところでもあった。つまり、こうした課題には、それぞれにさまざまな視点から捉えているわけだが、われわれは本書を通じて、共通理解を醸成し、テクノロジーとこの世界の確かなつながりを生み出すことを目指した。

また、マイクロソフトでラジェシュ・ジャーの指揮の下、生産性向上や効率化に役立つツールの開発に取り組む方々にも敬意を表さないわけにはいかない。本書のような書籍の執筆に当たっては、マイクロソフト・ワードが著者にとって依然として最高の友である。もはや多くの人々にとって、その多彩な機能はすっかり当たり前のものとなっているのだろう。何百もの巻末の注を設定することや、複数のメンバーでさまざまな場所から同じ原稿を開き、同時に執筆・編集作業ができるワード・オンラインの利用は大いに威力を発揮してくれた。ほかにもOneNoteやTeamsといった製品は、調査、インタビュー、メモのやり取りといった共同作業に大変役立ったし、OneDriveやSharePointは原稿の整理、保存、共有に大いに力を発揮してくれた。われわれが特に気に入ったのは、新製品の一つ、To Doである。あれこれやらねばならない事項の進捗状況を追うリストの共有で威力を発揮した。

本書には一年の期間がかかったが、その間、全米各地はもとより、六大陸二二カ国でのミーティングやイベントなど、慌ただしい〝日常業務〟のスケジュールに追い立てられながらの執筆作業となった。だが、こうした多忙な日々さえも、アイデアづくりの助けとなり、多くの実体験が本書の原稿に反映されている。だが、制作期間を通して、とりわけ執筆段階の六カ月間は、われわれ二人とも早朝や深夜、週末を使い、休暇までも返上して取り組んだ。

そのような作業ができたのも、家族の理解と協力があってこそで、感謝にたえない。執筆に当たって海外取材や週末返上もたびたびあったが、それでもわれわれの家族は愛情たっぷりに応援してくれた。それだけではない。ブラッド・スミスの妻であるキャシー・サレース・スミス、そしてキャロル・アン・ブラウンの夫であるケビン・ブランは、何度も何度も（おそらくは辛抱強く）原稿に目を通し、貴重なヒントやアドバイスをくれた。そして何よりも辛抱強く長丁場の作業を見守ってくれた。たまたまどちらの家族にも子供が二人おり、本書がきっかけで家族ぐるみの交流の機会も生まれた。ときには両家が一緒に集まっているなかで、われわれが作業を続けることもあった。昼間は編集に集中し、夕方からは集まった家族とボードゲームに興じた日々は、今も思い出すと笑みがこぼれる。

こうやって振り返ると、楽しい冒険の旅であるとともに、幾多の困難が待ち受ける苦しい旅でもあった。ようやくペンをおくことになり、この長旅を支えてくれたすべての方々に心から感謝したい。

ブラッド・スミス＆キャロル・アン・ブラウン

ワシントン州ベルビューにて

Tools and Weapons
ツール・アンド・ウェポン

2020年9月4日　第1刷発行

著者
ブラッド・スミス
キャロル・アン・ブラウン

翻訳者
斎藤栄一郎

発行者
長坂嘉昭

発行所
株式会社 プレジデント社
〒102-8641　東京都千代田区平河町2-16-1
電話　編集（03）3237-3732
販売（03）3237-3731

ブックデザイン
竹内雄二

編集
中嶋 愛

制作
関 結香

販売
桂木栄一　高橋 徹　川井田美景　森田 巌　末吉秀樹

印刷・製本
凸版印刷株式会社

ISBN978-4-8334-2383-0

ブラッド・スミス

Brad Smith

マイクロソフトのプレジデント。同社の最高遵法責任者(チーフコンプライアンス オフィサー)。56カ国1400人以上の知財、法務、広報部門のプロフェッショナルを統括し、各国政府機関やIT業界の企業との間で、競争法や知財関連の交渉の陣頭指揮を執る。また、プライバシー、セキュリティ、移民、教育関連の政策決定においてマイクロソフト社内およびIT業界において指導的役割を担ってきた。企業に所属する法律家で世界的に最も有名な1人。2013年には、National Law Journal 誌の「米国で最も影響力のある法律家100人」に選出された。Netflix 社外取締役。プリンストン大学を主席で卒業(国際関係論・経済学)。コロンビア大学法学部で法学博士号を取得。

キャロル・アン・ブラウン

Carol Ann Browne

マイクロソフトの広報担当シニアディレクター。サンマイクロシステムズ、バーソン・マステラーなどでの勤務を経て、2010年にマイクロソフト入社。アリゾナ州立大学ウォルター・クロンカイト・スクール・オブ・ジャーナリズム卒。ブラッド・スミスとともに、マイクロソフトのサイトにおけるブログ Today in Technology のほか、著作、ビデオなどを手掛ける。

斎藤栄一郎

翻訳家・ライター。訳書に『イーロン・マスク 未来を創る男』(アシュリー・バンス著、講談社)、『ビッグデータの正体』(ビクター・マイヤー=ショーンベルガー著、講談社)、『センスメイキング』(クリスチャン・マスビアウ著、プレジデント社)、『小売再生』(ダグ・スティーブンス著、プレジデント社)、『データ資本主義』(ビクター・マイヤー=ショーンベルガー著、NTT出版)などがある。

原注

❖序章

1. 最古の書庫にあったデータは、最新のデータセンターのデータと同じように機能していた。たとえばシリアの古代遺跡エブラで発見されたもので、紀元前2300年ごろに破壊された書庫の遺跡がそうだ。そこではシュメール人の神話や王宮で使われた文書のほか、2000点以上の粘土板が見つかり、当時の政治に関わる事項が記されていた。繊維や金属、穀物、オリーブオイル、土地、動物の配給に関する詳細も書かれていた。Lionel Casson, *Libraries in the Ancient World* (New Haven, CT: Yale University Press, 2001), 3-4. 現代のデータ分析チームも同じようにデータを使って作業していることは興味深い。
   その後、何世紀もの間に、図書館は古代の地中海沿岸に広がり、ギリシャの都市国家、さらにはアレキサンドリア、最終的にローマにまで波及した。人々の発言力が高まり、言葉を粘土板ではなくパピルスの巻物に残せるようになるにつれて、図書館の蔵書の幅も広がっていった。アレキサンドリアに紀元前300年ごろに建てられた最大の図書館には、49万点の巻物が収蔵されていた。 Casson, Libraries, 36. 同時に、東アジアでは民間の図書館が続々と登場し、書物は竹の書庫に収められていた。西暦121年に中国で紙が発明されたことは画期的な出来事で、「東の時代が西を凌駕し、高度な行政制度の成立につながった」。
   James W. P. Campbell, *The Library: A World History* (Chicago: The University of Chicago Press, 2013), 95.
2. ファイルキャビネット発明の記述は、データ保管に対するニーズの変化を示している。1898年、アメリカの保険代理店を営業していたエドウィン・シーベルはデータ保存方法に不満を募らせていた。当時住んでいたサウスカロライナでは、農場で収穫された綿花が大西洋を越えてヨーロッパの繊維工場に運ばれていたため、綿花の保険があった。当然、かなりの書類が作成されるため、これを保管する必要があった。当時の各種記録文書の保管方法は、木製の仕切りが大量にあるだけの「整理棚」に分類していた。床から天井まで壁一面にある大きなもので、病院のカルテ入れのようなシンプルなものだった。通常、文書を折って封筒に入れて整理棚にしまっていたため、天井に近い高いところにある書類ははしごを使って取り出していた。特に、必要な書類がどの仕切りに入っているのかはっきりしない場合、何度も出したり入れたりして内容を確認しなければならず、非効率で手間がかかった。
   シーベルはこの問題を解決しようという思いに駆られる。優れた発明家に共通する行動だ。彼が思い付いたのは単純だが巧妙なアイデアだった。それまでのように水平に書類を入れるのではなく、木箱の上から垂直に書類を差して並べるだけの手法だ。シンシナティの工場に依頼して、縦5段の深めの引き出しをつくり、それぞれの引き出しに垂直に書類を入れるキャビネットを考案した。引き出しを引いて、必要な書類を引き上げて取り出す仕組みだ。やがてフォルダーに書類を収め、フォルダーの頭に見出しも付くようになった。これが現在のキャビネットの誕生である。
   James Ward, *The Perfection of the Paper Clip: Curious Tales of Invention, Accidental Genius, and Stationery Obsession* (New York: Atria Books, 2015), 255-56.
3. David Reinsel, John Gantz, and John Rydning, *Data Age 2025: The Digitization of the World From Edge to Core* (IDC White Paper - #US44413318, Sponsored by Seagate), November 2018, 6, https://www.seagate.com/files/www-content/our-story/trends/files/idc-seagate-dataage-whitepaper.pdf.
4. João Marques Lima, “Data centres of the world will consume 1/5 of Earth’s power by 2025,” *Data Economy,* December 12, 2017, https://data-economy.com/data-centres-world-will-consume-1-5-earths-power-2025/.
5. Ryan Naraine, “Microsoft Makes Giant Anti-Spyware Acquisition,” *eWEEK,* December 16, 2004, http://www.eweek.com/news/microsoft-makes-giant-anti-spyware-acquisition.

6．マイクロソフトの独禁法をめぐる顚末から、企業にとっては、当局に目を付けられた問題に対処できなければ、いかに長期に渡って監督や措置を受けるかなど、さまざまなことがわかる。2000年代初めにアメリカで問題が解決後、欧州委員会とブリュッセルで最終的に大きな合意に達したのは2009年12月だった。

European Commission, “Antitrust: Commission Accepts Microsoft Commitments to Give Users Browser Choice,” December 16, 2009, http://europa.eu/rapid/press-release_IP-09-1941_en.htm.

　マイクロソフトに対する捜査や訴訟の多くは30年近くに及んだ。当社の独禁法問題は1990年6月に始まった。きっかけは、OS「Windows」の販売、ライセンス、配布に対する連邦取引委員会の審査開始で、当時、大きく報道された。Andrew I. Gavil and Harry First, *The Microsoft Antitrust Cases: Competition Policy for the Twenty-First Century* (Cambridge, MA: The MIT Press, 2014.) 訴訟は幾多の紆余曲折を経て、28年後の2018年12月21日、最後の訴訟が解決に至った。27カ国で捜査・訴訟が進むという初の世界的な独禁法問題で、その規模の大きさを反映し、最後の訴訟はカナダのケベック州、オンタリオ州、ブリティッシュコロンビア州での消費者集団訴訟となっていた。

　30年という期間は、テクノロジー政策の問題としてあまりに長い印象があるかもしれないが、実は大型独禁法訴訟としてはむしろ平均的である。1999年、マイクロソフトは創業以来最大の訴訟に苦しんでいた。筆者は20世紀に見られた大きな独禁法訴訟について、各社のCEOの対応などを時間をかけて研究した。具体的にはスタンダード石油、USスチール、IBM、AT&Tなどで、いずれも当時の最先端技術を確立した企業である。アメリカ政府は1913年にAT&Tに対して初の独禁法訴訟を起こしている。大きな訴訟の間に中断期間こそあるものの、1982年まで続いた。結局、同社が組織分割に同意することで、３度目の独禁法訴訟は幕を閉じた。同様に、IBMは1932年に初の大型訴訟を起こされる。また、同社製メインフレームの市場独占をめぐって1984年に欧州委員会と和解している。さらに、同社製メインフレームの市場独占について、アメリカとEUの当局が和解に応じるまでに10年の歳月がかかっている。

Tom Buerkle, “IBM Moves to Defend Mainframe Business in EU,” *New York Times,* July 8, 1994, https://www.nytimes.com/1994/07/08/business/worldbusiness/IHT-ibm-moves-to-defend-mainframe-business-in-eu.html.

　こうした訴訟がいずれも長丁場になっていることから、筆者は、独禁法など規制問題へのテクノロジー企業の対処法を学んだ。当局には先手先手で関与し、関係を強化し、最終的に政府との安定した協定を確立する必要があると判断するようになった。

❖第１章

1．Glenn Greenwald, “NSA Collecting Phone Records of Millions of Verizon Customers Daily,” *Guardian,* June 6, 2013, https://www.theguardian.com/world/2013/jun/06/nsa-phone-records-verizon-court-order.

2．Glenn Greenwald and Ewen MacAskill, “NSA Prism Program Taps In to User Data of Apple, Google and Others,” *Guardian,* June 7, 2013, https://www.theguardian.com/world/2013/jun/06/us-tech-giants-nsa-data.

3．Benjamin Dreyfuss and Emily Dreyfuss, “What Is the NSA’s PRISM Program? (FAQ),” CNET, June 7, 2013, https://www.cnet.com/news/what-is-the-nsas-prism-program-faq/.

4．当時、国家情報長官だったジェームズ・クラッパーは同プログラムについて、後に「裁判所の監督の下、政府が法的に承認された外国情報を電気通信事業者から収集する活動の促進に用いられた政府内部のコンピュータシステム」と説明している。

Robert O’Harrow Jr., Ellen Nakashima, and Barton Gellman, “U.S., Company Officials: Internet Surveillance Does Not Indiscriminately Mine Data,” *Washington Post,* June 8, 2013, https://www.washingtonpost.com/world/national-security/us-company-officials-internet-

原注

❖序章

1. 最古の書庫にあったデータは、最新のデータセンターのデータと同じように機能していた。たとえばシリアの古代遺跡エブラで発見されたもので、紀元前2300年ごろに破壊された書庫の遺跡がそうだ。そこではシュメール人の神話や王宮で使われた文書のほか、2000点以上の粘土板が見つかり、当時の政治に関わる事項が記されていた。繊維や金属、穀物、オリーブオイル、土地、動物の配給に関する詳細も書かれていた。Lionel Casson, *Libraries in the Ancient World* (New Haven, CT: Yale University Press, 2001), 3-4. 現代のデータ分析チームも同じようにデータを使って作業していることは興味深い。
   その後、何世紀もの間に、図書館は古代の地中海沿岸に広がり、ギリシャの都市国家、さらにはアレキサンドリア、最終的にローマにまで波及した。人々の発言力が高まり、言葉を粘土板ではなくパピルスの巻物に残せるようになるにつれて、図書館の蔵書の幅も広がっていった。アレキサンドリアに紀元前300年ごろに建てられた最大の図書館には、49万点の巻物が収蔵されていた。 Casson, Libraries, 36. 同時に、東アジアでは民間の図書館が続々と登場し、書物は竹の書庫に収められていた。西暦121年に中国で紙が発明されたことは画期的な出来事で、「東の時代が西を凌駕し、高度な行政制度の成立につながった」。
   James W. P. Campbell, *The Library: A World History* (Chicago: The University of Chicago Press, 2013), 95.
2. ファイルキャビネット発明の記述は、データ保管に対するニーズの変化を示している。1898年、アメリカの保険代理店を営業していたエドウィン・シーベルはデータ保存方法に不満を募らせていた。当時住んでいたサウスカロライナでは、農場で収穫された綿花が大西洋を越えてヨーロッパの繊維工場に運ばれていたため、綿花の保険があった。当然、かなりの書類が作成されるため、これを保管する必要があった。当時の各種記録文書の保管方法は、木製の仕切りが大量にあるだけの「整理棚」に分類していた。床から天井まで壁一面にある大きなもので、病院のカルテ入れのようなシンプルなものだった。通常、文書を折って封筒に入れて整理棚にしまっていたため、天井に近い高いところにある書類ははしごを使って取り出していた。特に、必要な書類がどの仕切りに入っているのかはっきりしない場合、何度も出したり入れたりして内容を確認しなければならず、非効率で手間がかかった。
   シーベルはこの問題を解決しようという思いに駆られる。優れた発明家に共通する行動だ。彼が思い付いたのは単純だが巧妙なアイデアだった。それまでのように水平に書類を入れるのではなく、木箱の上から垂直に書類を差して並べるだけの手法だ。シンシナティの工場に依頼して、縦5段の深めの引き出しをつくり、それぞれの引き出しに垂直に書類を入れるキャビネットを考案した。引き出しを引いて、必要な書類を引き上げて取り出す仕組みだ。やがてフォルダーに書類を収め、フォルダーの頭に見出しも付くようになった。これが現在のキャビネットの誕生である。
   James Ward, *The Perfection of the Paper Clip: Curious Tales of Invention, Accidental Genius, and Stationery Obsession* (New York: Atria Books, 2015), 255-56.
3. David Reinsel, John Gantz, and John Rydning, *Data Age 2025: The Digitization of the World From Edge to Core* (IDC White Paper - #US44413318, Sponsored by Seagate), November 2018, 6, https://www.seagate.com/files/www-content/our-story/trends/files/idc-seagate-dataage-whitepaper.pdf.
4. João Marques Lima, "Data centres of the world will consume 1/5 of Earth's power by 2025," *Data Economy,* December 12, 2017, https://data-economy.com/data-centres-world-will-consume-1-5-earths-power-2025/.
5. Ryan Naraine, "Microsoft Makes Giant Anti-Spyware Acquisition," *eWEEK,* December 16, 2004, http://www.eweek.com/news/microsoft-makes-giant-anti-spyware-acquisition.

6. マイクロソフトの独禁法をめぐる顛末から、企業にとっては、当局に目を付けられた問題に対処できなければ、いかに長期に渡って監督や措置を受けるかなど、さまざまなことがわかる。2000年代初めにアメリカで問題が解決後、欧州委員会とブリュッセルで最終的に大きな合意に達したのは2009年12月だった。
European Commission, "Antitrust: Commission Accepts Microsoft Commitments to Give Users Browser Choice," December 16, 2009, http://europa.eu/rapid/press-release_IP-09-1941_en.htm.
　マイクロソフトに対する捜査や訴訟の多くは30年近くに及んだ。当社の独禁法問題は1990年6月に始まった。きっかけは、OS「Windows」の販売、ライセンス、配布に対する連邦取引委員会の審査開始で、当時、大きく報道された。Andrew I. Gavil and Harry First, *The Microsoft Antitrust Cases: Competition Policy for the Twenty-First Century* (Cambridge, MA: The MIT Press, 2014.) 訴訟は幾多の紆余曲折を経て、28年後の2018年12月21日、最後の訴訟が解決に至った。27カ国で捜査・訴訟が進むという初の世界的な独禁法問題で、その規模の大きさを反映し、最後の訴訟はカナダのケベック州、オンタリオ州、ブリティッシュコロンビア州での消費者集団訴訟となっていた。
　30年という期間は、テクノロジー政策の問題としてあまりに長い印象があるかもしれないが、実は大型独禁法訴訟としてはむしろ平均的である。1999年、マイクロソフトは創業以来最大の訴訟に苦しんでいた。筆者は20世紀に見られた大きな独禁法訴訟について、各社のCEOの対応などを時間をかけて研究した。具体的にはスタンダード石油、USスチール、IBM、AT&Tなどで、いずれも当時の最先端技術を確立した企業である。アメリカ政府は1913年にAT&Tに対して初の独禁法訴訟を起こしている。大きな訴訟の間に中断期間こそあるものの、1982年まで続いた。結局、同社が組織分割に同意することで、３度目の独禁法訴訟は幕を閉じた。同様に、IBMは1932年に初の大型訴訟を起こされる。また、同社製メインフレームの市場独占をめぐって1984年に欧州委員会と和解している。さらに、同社製メインフレームの市場独占について、アメリカとEUの当局が和解に応じるまでに10年の歳月がかかっている。
Tom Buerkle, "IBM Moves to Defend Mainframe Business in EU," *New York Times,* July 8, 1994, https://www.nytimes.com/1994/07/08/business/worldbusiness/IHT-ibm-moves-to-defend-mainframe-business-in-eu.html.
　こうした訴訟がいずれも長丁場になっていることから、筆者は、独禁法など規制問題へのテクノロジー企業の対処法を学んだ。当局には先手先手で関与し、関係を強化し、最終的に政府との安定した協定を確立する必要があると判断するようになった。

❖第１章

1. Glenn Greenwald, "NSA Collecting Phone Records of Millions of Verizon Customers Daily," *Guardian,* June 6, 2013, https://www.theguardian.com/world/2013/jun/06/nsa-phone-records-verizon-court-order.
2. Glenn Greenwald and Ewen MacAskill, "NSA Prism Program Taps In to User Data of Apple, Google and Others," *Guardian,* June 7, 2013, https://www.theguardian.com/world/2013/jun/06/us-tech-giants-nsa-data.
3. Benjamin Dreyfuss and Emily Dreyfuss, "What Is the NSA's PRISM Program? (FAQ)," CNET, June 7, 2013, https://www.cnet.com/news/what-is-the-nsas-prism-program-faq/.
4. 当時、国家情報長官だったジェームズ・クラッパーは同プログラムについて、後に「裁判所の監督の下、政府が法的に承認された外国情報を電気通信事業者から収集する活動の促進に用いられた政府内部のコンピュータシステム」と説明している。
Robert O'Harrow Jr., Ellen Nakashima, and Barton Gellman, "U.S., Company Officials: Internet Surveillance Does Not Indiscriminately Mine Data," *Washington Post,* June 8, 2013, https://www.washingtonpost.com/world/national-security/us-company-officials-internet-

surveillance-does-not-indiscriminately-mine-data/2013/06/08/5b3bb234-d07d-11e2-9f1a-1a7cdee20287_story.html?utm_term=.b5761610edb1.

5. Glenn Greenwald, Ewen MacAskill, and Laura Poitras, "Edward Snowden: The Whistleblower Behind the NSA Surveillance Revelations," *Guardian,* June 11, 2013, https://www.theguardian.com/world/2013/jun/09/edward-snowden-nsa-whistleblower-surveillance.
6. Michael B. Kelley, "NSA: Snowden Stole 1.7 Million Classified Documents and Still Has Access to Most of Them," *Business Insider,* December 13, 2013, https://www.businessinsider.com/how-many-docs-did-snowden-take-2013-12.
7. Ken Dilanian, Richard A. Serrano, and Michael A. Memoli, "Snowden Smuggled Out Data on Thumb Drive, Officials Say," *Los Angeles Times,* June 13, 2013, http://articles.latimes.com/2013/jun/13/nation/la-na-nsa-leaks-20130614.
8. Nick Hopkins, "UK Gathering Secret Intelligence Via Covert NSA Operation," *Guardian,* June 7, 2013, https://www.theguardian.com/technology/2013/jun/07/uk-gathering-secret-intelligence-nsa-prism; Mirren Gidda, "Edward Snowden and the NSA Files—Timeline," *Guardian,* August 21, 2013, https://www.theguardian.com/world/2013/jun/23/edward-snowden-nsa-files-timeline.
9. William J. Cuddihy, *The Fourth Amendment: Origins and Meaning,* 1602-1791 (Oxford: Oxford University Press, 2009), 441.
10. 前掲、442。
11. 前掲、459。
12. Frederick S. Lane, American Privacy: *The 400-Year History of Our Most Contested Right* (Boston: Beacon Press, 2009), 11.
13. David Fellman, *The Defendant's Rights Today* (Madison: University of Wisconsin Press, 1976), 258.
14. William Tudor, *The Life of James Otis, of Massachusetts: Containing Also, Notices of Some Contemporary Characters and Events, From the Year 1760 to 1775* (Boston: Wells and Lilly, 1823), 87-88. アダムズは、アメリカ建国の父らが1776年7月2日にフィラデルフィアで独立に賛成した翌日、オーティスの言葉がマサチューセッツの人々に与えた影響を覚えていた。アダムズは早起きし、オーティスの重要性について妻アビゲイルに手紙を書いている。
Brad Smith, "Remembering the Third of July," *Microsoft on the Issues* (blog), Microsoft, July 3, 2014, https://blogs.microsoft.com/on-the-issues/2014/07/03/remembering-the-third-of-july/
15. David McCullough, John Adams (New York: Simon & Schuster, 2001), 62. William Cranch, *Memoir of the Life, Character, and Writings of John Adams* (Washington, DC: Columbian Institute, 1827), 15. 意外にもオーティスの支持とアダムズの評価は、今日に至るまでアメリカの政策や法律に影響を与えている。ジョン・ロバーツ司法長官は2014年に最高裁判所の全員一致の意見としてこの言葉を盛り込んだうえで、容疑者のスマートフォンの中身を調べるに当たり、まず捜索令状を取らねばならないとしている。*Riley v. California,* 573 U.S. _ (2014), https://www.supremecourt.gov/opinions/13pdf/13-132_8l9c.pdf, at 27-28. ロバーツは2018年にも多数意見として同様に、警察が携帯電話位置情報の記録にアクセスする際、令状を必要とすると判断している。*Carpenter v. United States,* No. 16-402, 585 U.S. (2017), https://www.supremecourt.gov/opinions/17pdf/16-402_h315.pdf, at 5.
16. Thomas K, Clancy, *The Fourth Amendment: Its History and Interpretation* (Durham, NC: Carolina Academic Press, 2014), 69-74.
17. US Constitution, amendment IV.
18. Brent E. Turvey and Stan Crowder, *Ethical Justice: Applied Issues for Criminal Justice Students and Professionals* (Oxford: Academic Press, 2013), 182-83.
19. Ex parte Jackson, 96 U.S. 727 (1878).
20. Cliff Roberson, *Constitutional Law and Criminal Justice, second edition* (Boca Raton, FL: CRC Press, 2016), 50; Clancy, *The Fourth Amendment,* 91-104.
21. Charlie Savage, "Government Releases Once-Secret Report on Post-9/ 11 Surveillance,"

New York Times, April 24, 2015, https://www.nytimes.com/interactive/2015/04/25/us/25stellarwind-ig-report.html.

22. Terri Diane Halperin, The Alien and Sedition Acts of 1798: *Testing the Constitution* (Baltimore: John Hopkins University Press, 2016), 42-43.
23. 前掲、59-60。
24. David Greenberg, "Lincoln's Crackdown," *Slate,* November 30, 2001, https://slate.com/news-and-politics/2001/11/lincoln-s-suspension-of-habeas-corpus.html.
25. T. A. Frail, "The Injustice of Japanese-American Internment Camps Resonates Strongly to This Day," *Smithsonian,* January 2017, https://www.smithsonianmag.com/history/injustice-japanese-americans-internment-camps-resonates-strongly-180961422/.
26. Barton Gellman and Ashkan Soltani, "NSA Infiltrates Links to Yahoo, Google Data Centers Worldwide, Snowden Documents Say," *Washington Post,* October 30, 2013, https://www.washingtonpost.com/world/national-security/nsa-infiltrates-links-to-yahoo-google-data-centers-worldwide-snowden-documents-say/2013/10/30/e51d661e-4166-11e3-8b74-d89d714ca4dd_story.html?noredirect=on&utm_term=.5c2f99fcc376.
27. "Evidence of Microsoft's Vulnerability," *Washington Post,* November 26, 2013, https://www.washingtonpost.com/apps/g/page/world/evidence-of-microsofts-vulnerability/621/.
28. Craig Timberg, Barton Gellman, and Ashkan Soltani, "Microsoft, Suspecting NSA Spying, to Ramp Up Efforts to Encrypt Its Internet Traffic," *Washington Post,* November 26, 2013, https://www.washingtonpost.com/business/technology/microsoft-suspecting-nsa-spying-to-ramp-up-efforts-to-encrypt-its-internet-traffic/2013/11/26/44236b48-56a9-11e3-8304-caf30787c0a9_story.html?utm_term=.69201c4e9ed8.
29. "Roosevelt Room," White House Museum, accessed February 20, 2019, http://ww.whitewhousemuseum.org/west-wing/roosevelt-room.htm.
30. ピンカスがオバマ大統領によるスノーデンの恩赦を提案した際、数人の記者がこの話題を取り上げた。
    Seth Rosenblatt, "'Pardon Snowden,' One Tech Exec Tells Obama, Report Says," Cnet, December 18, 2013, https://www.cnet.com/news/pardon-snowden-one-tech-exec-tells-obama-report-says/; Dean Takahashi, "Zynga's Mark Pincus Asked Obama to Pardon NSA Leaker Edward Snowden," *VentureBeat,* December 19, 2013, https://venturebeat.com/2013/12/19/zyngas-mark-pincus-asked-president-obama-to-pardon-nsa-leaker-edward-snowden/.
31. "Transcript of President Obama's Jan. 17 Speech on NSA Reform," *Washington Post,* January 17, 2014, https://www.washingtonpost.com/politics/full-text-of-president-obamas-jan-17-speech-on-nsa-reforms/2014/01/17/fa33590a-7f8c-11e3-9556-4a4bf7bcbd84_story.html?utm_term=.c8d2871c4f72.

❖第２章

1. "Reporter Daniel Pearl Is Dead, Killed by His Captors in Pakistan," *Wall Street Journal,* February 24, 2002, http://online.wsj.com/public/resources/documents/pearl-022102.htm.
2. Electronic Communications Privacy Act of 1986, Public Law 99-508, 99th Cong., 2d sess. (October 21, 1986), 18 U.S.C. § 2702.b.
3. Electronic Communications Privacy Act of 1986, Public Law 99-508, 99th Cong., 2d sess. (October 21, 1986), 18 U.S.C. Chapter 121 § § 2701 et seq.
4. Electronic Communications Privacy Act of 1986, Public Law 99-508, 99th Cong., 2d sess. (October 21, 1986), 18 U.S.C. § 2705.b.
5. "Law Enforcement Requests Report," Corporate Social Responsibility, Microsoft, last modified June 2018, https://www.microsoft.com/en-us/about/corporate-responsibility/lerr/.
6. "Charlie Hebdo Attack: Three Days of Terror," *BBC News,* January 14, 2015, https://www.

bbc.com/news/world-europe-30708237.
7. "Al-Qaeda in Yemen Claims Charlie Hebdo Attack," *Al Jazeera,* 14 Jan 2015, https://www.aljazeera.com/news/middleeast/2015/01/al-qaeda-yemen-charlie-hebdo-paris-attacks-201511410323361511.html.
8. 前掲。
9. "Paris Attacks: Millions Rally for Unity in France," *BBC News,* January 11, 2015, https://www.bbc.com/news/world-europe-30765824.
10. Alissa J. Rubin, "Paris One Year On," *New York Times,* November 12, 2016, https://www.nytimes.com/2016/11/13/world/europe/paris-one-year-on.html.
11. "Brad Smith: New America Foundation: 'Windows Principles,'" Stories (blog), Microsoft, July 19, 2006, https://news.microsoft.com/speeches/brad-smith-new-america-foundation-windows-principles/.
12. 明確な原則を策定するまでに数カ月かかった。作業の責任者は、当時マイクロソフトの製品担当弁護士のトップの座にあったオラシオ・グティエレス。現在、彼はスポティファイで幅広い事業の法務責任者を務めている。そのグティエレスは、クリントン政権時の高官で優れたマーケティングセンスもあるマーク・ペンをパートナーに選んだ。グティエレスは社内のさまざまな部門から集めたメンバーでチームを立ち上げ、さらにボストンコンサルティンググループには顧客が最も重視する事項の調査を依頼した。そして4原則を策定し、2015年7月に筆者がクラウドに関する誓約として公表した。
Brad Smith, "Building a Trusted Cloud in an Uncertain World," Microsoft Worldwide Partner Conference, Orlando, July 15, 2015, video of keynote, https://www.youtube.com/watch?v=RkAwAj1Z9rg.
13. "Responding to Government Legal Demands for Customer Data," *Microsoft on the Issues* (blog), Microsoft, July 16, 2013, https://blogs.microsoft.com/on-the-issues/2013/07/16/responding-to-government-legal-demands-for-customer-data/.
14. *United States v. Jones,* 565 U.S. 400 (2012), https://www.law.cornell.edu/supremecourt/text/10-1259.
15. 前掲、4。
16. *Riley v. California,* 573 U.S. _ (2014).
17. 前掲、20。
18. 前掲、21。
19. Steve Lohr, "Microsoft Sues Justice Department to Protest Electronic Gag Order Statute," *New York Times,* April 14, 2016, https://www.nytimes.com/2016/04/15/technology/microsoft-sues-us-over-orders-barring-it-from-revealing-surveillance.html?_r= 0.
20. Brad Smith, "Keeping Secrecy the Exception, Not the Rule: An Issue for Both Consumers and Businesses," *Microsoft on the Issues* (blog), Microsoft, April 14, 2016, https://blogs.microsoft.com/on-the-issues/2016/04/14/keeping-secrecy-exception-not-rule-issue-consumers-businesses/.
21. Rachel Lerman, "Long List of Groups Backs Microsoft in Case Involving Digital- Data Privacy," *Seattle Times,* September 2, 2016, https://www.seattletimes.com/business/microsoft/ex-federal-law-officials-back-microsoft-in-case-involving-digital-data-privacy/?utm_source=RSS&utm_medium=Referral&utm_campaign=RSS_all.
22. Cyrus Farivar, "Judge Sides with Microsoft, Allows 'Gag Order' Challenge to Advance," *Ars Technica,* February 9, 2017, https://arstechnica.com/tech-policy/2017/02/judge-sides-with-microsoft-allows-gag-order-challenge-to-advance/.
23. Brad Smith, "DOJ Acts to Curb the Overuse of Secrecy Orders. Now It's Congress' Turn," *Microsoft on the Issues* (blog), Microsoft, October 23, 2016, https://blogs.microsoft.com/on-the-issues/2017/10/23/doj-acts-curb-overuse-secrecy-orders-now-congress-turn/.

❖第３章

1. Tony Judt, *Postwar: A History of Europe since 1945* (New York: Penguin, 2006), 697.
2. Anna Funder, *Stasiland: True Stories from Behind the Berlin Wall* (London: Granta, 2003), 57.
3. Brad Smith and Carol Ann Browne, "Lessons on Protecting Privacy," *Today in Technology* (video blog), Microsoft, accessed April 7, 2019, https://blogs.microsoft.com/today-in-tech/videos/.
4. Jake Brutlag, "Speed Matters," Google AI Blog, June 23 2009, https://ai.googleblog.com/2009/06/speed-matters.html.
5. 対立がピークに達したのは1807年。イギリスの軍艦レオパード号がバージニア岬沖合でイギリスからの脱走者の捜索のため停船を要求した。チェサピーク号側が拒否したため、レオパード号が無警告で７発を砲撃。レオパード号は脱走者４人を取り返し、チェサピーク号はどうにか帰港した。ジェファーソンはイギリス戦艦の入港を拒否し、通商禁止を宣言した。Craig L. Symonds, *The U.S. Navy: A Concise History* (Oxford: Oxford University Press, 2016), 21.
   通商禁止により、アメリカもイギリスも痛手を被る。ある歴史家は「ジェファーソンの通商禁止宣言によって全米が大きな影響を受け、国内からは、ジェファーソンが戦争を仕掛けた相手はイギリスではなく、俺たち国民だと抗議した」という。A.J. Langguth, *Union 1812: The Americans Who Fought the Second War of Independence* (New York: Simon & Schuster, 2006), 134. 結局、議会は、1809年にジェームズ・マディソンが大統領に就任する３日前に通商禁止法を撤回するが、イギリスとの通商の制限は継続した。イギリスは水兵強制徴募を継続し、1811年にフリゲート艦がニュージャージー沖でアメリカ人水兵を商船から強制徴募した。 Symonds, 23.
6. "Treaties, Agreements, and Asset Sharing," U.S. Department of State, https://www.state.gov/j/inl/rls/nrcrpt/2014/vol2/222469.htm.
7. Drew Mitnick, "The urgent need for MLAT reform," *Access Now,* September 12, 2014, https://www.accessnow.org/the-urgent-needs-for-mlat-reform/.
8. たまたま同じ日に別の職員もパソコンを運び込んでいた。彼の名はエベン・モグレン。彼は22階の向かいのオフィスの判事の下で働いていたこともあり、お互い顔を合わせるたびによくパソコンの話で盛り上がった。後に彼はオープンソース運動のリーダーとなり、コロンビア大学の法学教授を経て、Software Freedom Law Center (SFLC)というオープンソース開発者支援組織の議長に就任している。2000年代初め、われわれはあるソフトウエア知財訴訟の法廷で原告側と被告側の弁護士として再会することになる。
9. 本格的に審議が始まったのは2015年。上院議員３人と下院議員２人の超党派グループがLEADS法（法執行機関によるアクセスに関する法律）を提案したためだ。活動の後ろ盾になってくれたのは、上院のオリン・ハッチ、クリス・クーンズ、ディーン・ヘラー、下院のトム・マリノ、スーザン・デルベンの各議員である。
   Patrick Maines, "The LEADS Act and Cloud Computing," *The Hill,* March 30, 2015, https://thehill.com/blogs/pundits-blog/technology/237328-the-leads-act-and-cloud-computing.
10. 当然、2014年のフランシス判事が下した敗訴から2018年の最高裁にたどり着くまで長い道のりだった。2014年７月にロレッタ・プレスカ判事が担当した地裁で敗訴した。政府側の弁護士は、米政府が企業に世界中から業務記録を提出するよう命令できると主張した。当社側は他人のメールは当社の所有物ではなく、業務記録でもないとの主張を貫いた。だがプレスカ判事はその点を考慮せず、口頭弁論は終わってしまった。
    Ellen Nakashima, "Judge Orders Microsoft to Turn Over Data Held Overseas," *Washington Post,* July 31, 2014, https://www.washingtonpost.com/world/national-security/judge-orders-microsoft-to-turn-over-data-held-overseas/2014/07/31/b07c4952-18d4-11e4-9e3b-7f2f110c6265_story.html?utm_term=.e913e692474e. 同紙は「判事の判断は、外国、とりわけ欧州連合から主権侵害だとして怒りを招くだろう」と指摘。まさにそのとおりだった。
    続いて第２巡回区控訴裁判所に舞台を移した。法制化を視野に入れていたこともあり、公

の議論の幅を広げることにした。法廷助言者の声を集めるため、当社の支援を広く呼びかけたのである。すぐにさまざまな組織が手を挙げてくれた。

ある日、われわれ自ら番組を製作して問題を取り上げればいいのではないかと考えた。データセンターを紹介し、もっとわかりやすく問題点を解説する動画を制作した。専門家を招いて論点を明らかにし、なぜ改革が必要なのか訴えることにした。イベントを開催し、マスコミにも参加してもらい、その様子をウェブでライブストリーミング放送をした。もちろん、議員に見てもらうことは想定していた。

有力ジャーナリストに問題点を理解してもらい、モデレーターとして関わってもらう必要があった。元ABCニュースのアンカーでプリンストン大学の理事を務めるチャーリー・ギブソンが候補に上がった。司会役を快諾してくれた。もちろん、ジャーナリストとして鋭い質問も自由にしてもらう約束だった。

2014年12月、自主制作の番組を放送した。テクノロジー企業やメディア企業など28社、23の業界団体・市民運動団体、有力コンピュータサイエンティスト35人が法廷助言者として意見書を提出してくれることも発表した。さらにアイルランド政府からも支援の声が届いていた。イベントの様子を収めた動画：https://ll.ms-studiosmedia.com/events/2014/1412/ElectronicPrivacy/live/ElectronicPrivacy.html. イベント後、全米はもちろん、世界各国で報道された。何よりも普段は立場の違う人々がそろって支持を表明してくれたことは大きな力となり、議会も注目してくれるようになった。ニューヨークでの口頭弁論から７カ月後の2016年７月、ついに第２巡回区控訴裁判所が当社の主張を認めてくれた。 Brad Smith, "Our Search Warrant Case: An Important Decision for People Everywhere," *Microsoft on the Issues* (blog), Microsoft, July 14, 2016, https://blogs.microsoft.com/on-the-issues/2016/07/14/search-warrant-case-important-decision-people-everywhere/. これを受け、司法省が最高裁判所を説得して、2018年に判断が下されることになったのである。

11. *Microsoft Corp. v. AT&T Corp.,* 550 U.S. 437 (2007).
12. Official Transcript, *Microsoft Corp. v. AT&T Corp.,* February 21, 2007.
13. Clarifying Lawful Overseas Use of Data Act of 2018, H.R. 4943, 115th Cong. (2018).
14. Brad Smith, "The CLOUD Act Is an Important Step Forward, but Now More Steps Need to Follow," *Microsoft on the Issues* (blog), Microsoft, April 3, 2018, https://blogs.microsoft.com/on-the-issues/2018/04/03/the-cloud-act-is-an-important-step-forward-but-now-more-steps-need-to-follow/.
15. Derek B. Johnson, "The CLOUD Act, One Year On," *FCW: The Business of Federal Technology,* April 8, 2019, https://fcw.com/articles/2019/04/08/cloud-act-turns-one.aspx.

❖第４章

1. "St Bartholomew's Hospital during World War Two," BBC, December 19, 2005, https://www.bbc.co.uk/history/ww2peopleswar/stories/10/a7884110.shtml.
2. "What Does NHS England Do?" NHS England, accessed November 14, 2018, https://www.england.nhs.uk/about/about-nhs-england/.
3. Kim Zetter, "Sony Got Hacked Hard: What We Know and Don't Know So Far," Wired, December 3, 2014, https://www.wired.com/2014/12/sony-hack-what-we-know/.
4. Bill Chappell, "WannaCry Ransomware: What We Know Monday," NPR, May 15, 2017, https://www.npr.org/sections/thetwo-way/2017/05/15/528451534/wannacry-ransomware-what-we-know-monday.
5. Nicole Perlroth and David E. Sanger, "Hackers Hit Dozens of Countries Exploiting Stolen N.S.A. Tool," New York Times, May 12, 2017, https://www.nytimes.com/2017/05/12/world/europe/uk-national-health-service-cyberattack.html.
6. Bruce Schneier, "Who Are the Shadow Brokers?" *The Atlantic,* 23 May 2017. https://www.theatlantic.com/technology/archive/2017/05/shadow-brokers/527778/.

7. Nicole Perlroth and David E. Sanger, "Hackers Hit Dozens of Countries Exploiting Stolen N.S.A. Tool," *New York Times,* May 12, 2017, https://www.nytimes.com/2017/05/12/world/europe/uk-national-health-service-cyberattack.html.
8. Brad Smith, "The Need for Urgent Collective Action to Keep People Safe Online: Lessons from Last Week's Cyberattack," *Microsoft on the Issues* (blog), Microsoft, May 14 2017, https://blogs.microsoft.com/on-the-issues/2017/05/14/need-urgent-collective-action-keep-people-safe-online-lessons-last-weeks-cyberattack/.
9. Choe Sang-Hun, David E. Sanger, and William J. Broad, "North Korean Missile Launch Fails, and a Show of Strength Fizzles," *New York Times,* April 15, 2017, https://www.nytimes.com/2017/04/15/world/asia/north-korea-missiles-pyongyang-kim-jong-un.html.
10. Lily Hay Newman, "How an Accidental 'Kill Switch' Slowed Friday's Massive Ransomware Attack," *Wired,* May 13, 2017, https://www.wired.com/2017/05/accidental-kill-switch-slowed-fridays-massive-ransomware-attack/.
11. Andy Greenberg, "The Untold Story of NotPetya, the Most Devastating Cyberattack in History," *Wired,* August 22, 2018, https://www.wired.com/story/notpetya-cyberattack-ukraine-russia-code-crashed-the-world/.
12. 前掲; Stilgherrian, "Blaming Russia for NotPetya Was Coordinated Diplomatic Action," *ZDNet,* April 12, 2018, https://www.zdnet.com/article/blaming-russia-for-notpetya-was-coordinated-diplomatic-action.
13. Josh Fruhlinger, "Petya Ransomware and NotPetya Malware: What You Need to Know Now," October 17, 2017, https://www.csoonline.com/article/3233210/petya-ransomware-and-notpetya-malware-what-you-need-to-know-now.html.
14. Greenberg, "The Untold Story of NotPetya."
15. Microsoft, "RSA 2018: The Effects of NotPetya," YouTube video, 1:03, produced by Brad Smith, Carol Ann Browne, and Thanh Tan, April 17, 2018, https://www.youtube.com/watch?time_continue=1&v=QVhqNNO0DNM.
16. Andy Sharp, David Tweed, and Toluse Olorunnipa, "U.S. Says North Korea Was Behind WannaCry Cyberattack," Bloomberg, December 18, 2017, https://www.bloomberg.com/news/articles/2017-12-19/u-s-blames-north-korea-for-cowardly-wannacry-cyberattack.

❖第５章

1. Max Farrand, ed., *The Records of the Federal Convention of 1787* (New Haven, CT: Yale University Press, 1911), 3:85.
2. DCUは、偽造品取引防止対策から活動範囲を広げて以来、捜査専門家や検察経験者を採用し、新技術が関わる犯罪への対応へと常に進化している。2000年代初頭にトロント警察責任者がレドモンド本社を訪問したことで大きな転機が訪れた。世界での児童ポルノ・児童労働搾取と戦う警察に力を貸してほしいという要請だった。当時、この要請に応じられるほど予算に余裕はなかった。だが面会が終わって、オンラインでのこうした行為の撲滅に協力しないわけにはいかないと確信した。そこで別の予算を削って新生DCUを立ち上げ、テクノロジーと法律の両面から児童を守る活動に従事している。

   2008年のソウル訪問も新たな転機になった。当時、韓国政府の案内で同国のサイバー犯罪対策本部を視察し、その体制もさることながら、当社の本社を上回るような最先端の設備も印象的だった。帰国後、本社キャンパスにDCU専用のサイバー犯罪対策センターを設置し、世界最高峰の機材と人材を取りそろえることにした。捜査当局や他の組織と合同捜査に当たる場合も想定し、外部から訪れる捜査関係者や弁護士らに使ってもらう独立した専用オフィスも用意した。

   2012年、DCUは、サイバー犯罪でPCに感染して乗っ取る「ボットネット」への新たな対策を開発した。

Nick Wingfield and Nicole Perlroth, "Microsoft Raids Tackle Internet Crime," *New York Times,* March 26, 2012, https://www.nytimes.com/2012/03/26/technology/microsoft-raids-tackle-online-crime.html.

DCU所属の弁護士、リチャード・ボスコビッチは、商標侵害や「動産への不法侵害」という古い概念も駆使して、犯行グループのC&Cサーバーの権限を法的に奪う手法を考案した。

最近では、DCUは、PCやスマートフォンがウイルス感染していると騙してセキュリティソフトを買わせる詐欺・迷惑電話などへの対策にも乗り出している。マイクロソフトの法務副責任者コートニー・グレゴワールが旗振り役となって、インドなど世界各地でこうした犯罪への対策を打ち出している。Courtney Gregoire, "New Breakthroughs in Combatting Tech Support Scams," *Microsoft on the Issues* (blog), Microsoft, November 29, 2018, https://blogs.microsoft.com/on-the-issues/2018/11/29/new-breakthroughs-in-combatting-tech-support-scams/.

3. Brandi Buchman, "Microsoft Turns to Court to Break Hacker Ring," *Courthouse News Service,* August 10, 2016, https://www.courthousenews.com/microsoft-turns-to-court-to-break-hacker-ring/.
4. April Glaser, "Here Is What We Know About Russia and the DNC Hack," *Wired,* July 27, 2016, https://www.wired.com/2016/07/heres-know-russia-dnc-hack/.
5. Alex Hern, "Macron Hackers Linked to Russian-Affiliated Group Behind US Attack," *Guardian,* May 8, 2017, https://www.theguardian.com/world/2017/may/08/macron-hackers-linked-to-russian-affiliated-group-behind-us-attack.
6. Kevin Poulsen and Andrew Desiderio, "Russian Hackers' New Target: A Vulnerable Democratic Senator," *Daily Beast,* July 26, 2018, https://www.thedailybeast.com/russian-hackers-new-target-a-vulnerable-democratic-senator?ref=scroll.
7. Griffin Connolly, "Claire McCaskill Hackers Left Behind Clumsy Evidence That They Were Russian," *Roll Call,* August 23, 2018, https://www.rollcall.com/news/politics/mccaskill-hackers-evidence-russian.
8. Tom Burt, "Protecting Democracy with Microsoft Account Guard," *Microsoft on the Issues* (blog), Microsoft, August 20, 2018, https://blogs.microsoft.com/on-the-issues/2018/08/20/protecting-democracy-with-microsoft-accountguard/.
9. Brad Smith, "We Are Taking New Steps Against Broadening Threats to Democracy," *Microsoft on the Issues* (blog), Microsoft, August 20, 2018, https://blogs.microsoft.com/on-the-issues/2018/08/20/we-are-taking-new-steps-against-broadening-threats-to-democracy/.
10. Brad Smith, "Microsoft Sounds Alarm on Russian Hacking Attempts," interview by Amna Nawaz, *PBS News Hour,* August 22, 2018, https://www.pbs.org/newshour/show/microsoft-sounds-alarm-on-russian-hacking-attempts.
11. "Moscow: Microsoft's Claim of Russian Meddling Designed to Exert Political Effect," *Sputnik International,* August 21, 2018, https://sputniknews.com/us/201808211067354346-us-microsoft-hackers/.
12. Tom Burt, "Protecting Democratic Elections Through Secure, Verifiable Voting," *Microsoft on the Issues* (blog), May 6, 2019, https://blogs.microsoft.com/on-the-issues/2019/05/06/protecting-democratic-elections-through-secure-verifiable-voting/.

❖第6章

1. *Freedom Without Borders,* Permanent Exhibition, Vabamu Museum of Occupations and Freedom, Tallin, Estonia, https://vabamu.ee/plan-your-visit/permanent-exhibitions/freedom-without-borders.
2. オルガが誕生まもなくして父は、暴動や飢饉に揺れるウクライナから脱出したいと考えていた。病院の外科部長に任命されたのを機に、エストニアへの移民を考えるようになる。とこ

ろが、母親が栄養失調で体を壊し、髄膜炎でこの世を去り、脱出の夢はかなわなかった。ボルシェビキから数年間逃げ回っていた父は、シベリアの収容所送りになる。2歳のオルガと7歳の兄は食うや食わずの生活だった。タリンに暮らす伯父が2人を保護し、赤十字の助けも借りてエストニアに送った。オルガは、ある家庭に引き取られる。やがてタルトゥ大学で医学を学ぶことになった。第二次世界大戦が終わるころ、オルガは撤退するドイツ兵とともにドイツに移動する。ここでも見ず知らずの人々の善意に助けられ、ようやく自由を手にしたという。

Ede Schank Tamkivi, "The Story of a Museum," Vabamu, Kistler-Ritso Eesti Sihtasutus, December 2018, 42.

3. Ede Schank Tamkivi, "The Story of a Museum," Vabamu, Kistler-Ritso Eesti Sihtasutus, December 2018, 42.
4. Damien McGuinness, "How a Cyber Attack Transformed Estonia," *BBC News,* April 27, 2017, https://www.bbc.com/news/39655415.
5. Rudi Volti, *Cars and Culture: The Life Story of a Technology* (Westport, CT: Greenwood Press, 2004), 40.
6. 前掲、39。
7. 前掲。
8. Sherry Turkle, *Alone Together: Why We Expect More from Technology and Less from Each Other* (New York: Basic Books, 2011), 17.
9. Philip N. Howard, Bharath Ganesh, Dimitra Liotsiou, John Kelly, and Camille François, "The IRA, Social Media and Political Polarization in the United States, 2012-2018" (working paper, Computational Propaganda Research Project, University of Oxford, 2018), https://fas.org/irp/congress/2018_rpt/ira.pdf.
10. 前掲。
11. Ryan Lucas, "How Russia Used Facebook to Organize 2 Sets of Protesters," NPR, November 1, 2017, https://www.npr.org/2017/11/01/561427876/how-russia-used-facebook-to-organize-two-sets-of-protesters.
12. Deepa Seetharaman, "Zuckerberg Defends Facebook Against Charges It Harmed Political Discourse," *Wall Street Journal,* November 10, 2016, https://www.wsj.com/articles/zuckerberg-defends-facebook-against-charges-it-harmed-political-discourse-1478833876.
13. Chloe Watson, "The Key Moments from Mark Zuckerberg's Testimony to Congress," *Guardian,* April 11, 2018, https://www.theguardian.com/technology/2018/apr/11/mark-zuckerbergs-testimony-to-congress-the-key-moments.
14. Mark R. Warner, "Potential Policy Proposals for Regulation of Social Media and Technology Firms" (draft white paper, Senate Intelligence Committee, 2018), https://www.scribd.com/document/385137394/MRW-Social-Media-Regulation-Proposals-Developed.
15. 1996年に議会で通信品位法が成立した際、230条(c)(1)に「双方向情報通信サービスの提供者または利用者は、別の情報コンテンツ提供者が提供する情報のパブリッシャーまたは発言者とみなされないものとする」との規定があった。47 U.S.C. § 230, at https://www.law.cornell.edu/uscode/text/47/230.「最初の制定時、230条は、ウェブサイトに広範な法的保護を与え、インターネットが真の意見交換の場に育つように、WWWの開放性とイノベーションの促進を意図していた。当時、オンラインでの言論の自由を擁護する人々は、オフラインのコミュニケーションと同様に厳格な規制がインターネットのコミュニケーションに課されることになれば、重要な社会的関心事に意見を言いたくても、絶えず訴訟の脅威にさらされて、発言を控えるようになると主張していた」。Marie K. Shanahan, *Journalism, Online Comments, and the Future of Public Discourse* (New York: Routledge, 2018), 90.
16. 前掲、8。
17. Kevin Roose, "A Mass Murder of, and for, the Internet," *New York Times,* March 15, 2019, https://www.nytimes.com/2019/03/15/technology/facebook-youtube-christchurch-shooting.html.

18. 前掲。
19. Matt Novak, "New Zealand's Prime Minister Says Social Media Can't Be 'All Profit, No Responsibility,'" *Gizmodo,* March 19, 2019, https://gizmodo.com/new-zealands-prime-minister-says-social-media-cant-be-a-1833398451.
20. 前掲。
21. Milestones: Westinghouse Radio Station KDKA, 1920, *Engineering and Technology History Wiki,* https://ethw.org/Milestones:Westinghouse_Radio_Station_KDKA,_1920.
22. Stephen Smith, "Radio: The Internet of the 1930s," *American Radio Works,* November 10, 2014, http://www.americanradioworks.org/segments/radio-the-internet-of-the-1930s/.
23. 前掲。
24. Vaughan Bell, "Don't Touch That Dial! A History of Media Technology Scares, from the Printing Press to Facebook," *Slate,* February 15, 2010, https://slate.com/technology/2010/02/a-history-of-media-technology-scares-from-the-printing-press-to-facebook.html.
25. Vincent Pickard, "The Revolt Against Radio: Postwar Media Criticism and the Struggle for Broadcast Reform," in *Moment of Danger: Critical Studies in the History of U.S. Communication Since World War II* (Milwaukee: Marquette University Press, 2011), 35-56.
26. 前掲、36。
27. Vincent Pickard, "The Battle Over the FCC Blue Book: Determining the Role of Broadcast Media in a Democratic Society, 1945-1948," *Media, Culture & Society* 33(2), 171-91, https://doi.org/10.1177/0163443710385504. 別の研究者によれば「ブルーブックはFCCの歴史で規制上、重要な瞬間だっただけでなく、広告・放送に関して、アメリカ史上、最も広い社会的議論の呼び水となった」。
    Michael Socolow, "Questioning Advertising's Influence over American Radio: The Blue Book Controversy of 1945-1947," *Journal of Radio Studies* 9(2), 282, 287.
28. ソコロウが主張するように「ブルーブックは、業界内で責任に対する新たな意識を生み出した」。前掲、297。Among specific developments that followed, CBS and NBC adopted stringent self-regulatory codes. CBS established a documentary unit, which led NBC to launch a new series to compete with it. 前掲, 297-98.
29. The Parliament of the Commonwealth of Australia, "Criminal Code Amendment (Sharing of Abhorrent Violent Material) Bill 2019, A Bill for an Act to Amend the Criminal Code Act 1995, and for Related Purposes," https://parlinfo.aph.gov.au/parlInfo/download/legislation/bills/s1201_first-senate/toc_pdf/1908121.pdf;fileType=application%2F.pdf; Jonathan Shieber, "Australia Passes Law to Hold Social Media Companies Responsible for 'Abhorrent Violent Material,'" *TechCrunch,* April 4, 2019, https://techcrunch.com/2019/04/04/australia-passes-law-to-hold-social-media-companies-responsible-for-abhorrent-violent-material/.
30. 新法が成立する前の週に筆者はキャンベラにいたのだが、強力で慎重なアクションが必要だと考えていた。「オーストラリアン・フィナンシャル・レビュー」のインタビューで筆者は、「各国政府がテクノロジー問題について迅速に行動する必要があるが、いくら迅速でも、何も考えずに動くことは戒めなければならない」と述べた。
    Paul Smith, "Microsoft President Says Big Tech Regulation Must Learn from History," *The Australian Financial Review,* April 2, 2019, https://www.afr.com/technology/technology-companies/microsoft-president-says-big-tech-regulation-must-learn-from-history-20190329-p518v2.
31. Warner, 9.
32. HM Government, *Online Harms White Paper,* April 2019, 7, https://assets.publishing.service.gov.uk/government/uploads/system/uploads/attachment_data/file/793360/Online_Harms_White_Paper.pdf.
33. "Restoring Trust & Accountability," *NewsGuard,* last modified 2019, https://www.newsguardtech.com/how-it-works/.
34. 前掲。

35. George C. Herring, *From Colony to Superpower: U.S. Foreign Relations Since 1776* (Oxford: Oxford University Press, 2008), 72.
36. 皮肉にもフランス革命で力を持ったジャコバン派は、即座にジュネの逮捕を要求した。「ワシントンはジュネの亡命を許した結果、元々、アメリカ最初の政府の転覆を使命にしていたジュネだが、星条旗に忠誠を誓い、フランス国籍を捨て、ニューヨーク州知事ジョージ・クリントンの娘と結婚した。引退後はロングアイランドで農業に勤しんだ。かつては破壊しようとしたアメリカの地で、上流気取りの偽善者としての生涯を閉じた。国が違えば絞首刑になっても不思議ではなかった」。
John Avalon, *Washington's Farewell: The Founding Father's Warning to Future Generations* (New York: Simon & Schuster, 2017), 66.
37. George Washington, "Washington's Farewell Address of 1796," Avalon Project, Lillian Goldman Law Library, Yale Law School, http://avalon.law.yale.edu/18th_century/washing.asp.

❖第７章

1. Robbie Gramer, "Denmark Creates the World's First Ever Digital Ambassador," *Foreign Policy,* January 27, 2017, https://foreignpolicy.com/2017/01/27/denmark-creates-the-worlds-first-ever-digital-ambassador-technology-europe-diplomacy/.
2. Henry V. Poor, *Poor's Manual of the Railroads of the United States for 1883* (New York: H. V. & H. W. Poor, 1883), iv.
3. James W. Ely Jr., *Railroads & American Law* (Lawrence: University Press of Kansas, 2003). Another particularly good book that charts the long arc of technology regulation for railroads is Steven W. Usselman, *Regulating Railroad Innovation* (Cambridge, UK: Cambridge University Press, 2002).
4. Brad Smith, "Trust in the Cloud in Tumultuous Times," March 1, 2016, RSA Conference, Moscone Center San Francisco, video, 30:35, https://www.rsaconference.com/events/us16/agenda/sessions/2750/trust-in-the-cloud-in-tumultuous-times.
5. Siemens AG, *Charter of Trust on Cybersecurity,* July 2018, https://www.siemens.com/content/dam/webassetpool/mam/tag-siemens-com/smdb/corporate-core/topic-areas/digitalization/cybersecurity/charteroftrust-standard-presentation-july2018-en-1.pdf.
6. Brad Smith, "The Need for a Digital Geneva Convention," *Microsoft on the Issues* (blog), Microsoft, February 14, 2017, https://blogs.microsoft.com/on-the-issues/2017/02/14/need-digital-geneva-convention/.
7. Elizabeth Weise, "Microsoft Calls for 'Digital Geneva Convention," *USA Today,* February 14, 2017, https://www.usatoday.com/story/tech/news/2017/02/14/microsoft-brad-smith-digital-geneva-convention/97883896/.
8. Brad Smith, "We Need to Modernize International Agreements to Create a Safer Digital World," *Microsoft on the Issues* (blog), Microsoft, November 10, 2017, https://blogs.microsoft.com/on-the-issues/2017/11/10/need-modernize-international-agreements-create-safer-digital-world/.
9. 詳細は冷戦時代の交渉の現場を担当したポール・ニッツェの1989年の著書で語られている。Paul Nitze, *From Hiroshima to Glasnost: At the Center of Decision, A Memoir* (New York: Grove Weidenfeld, 1989).
10. David Smith, "Movie Night with the Reagans: War Games, Red Dawn . . . and Ferris Bueller's Day Off," *Guardian,* March 3, 2018, https://www.theguardian.com/us-news/2018/mar/03/movie-night-with-the-reagans.
11. *War Games,* directed by John Badham (Beverly Hills: United Artists, 1983).
12. Fred Kaplan, *Dark Territory: The Secret History of Cyber War* (New York: Simon & Schuster, 2016), 1-2.

13. Seth Rosenblatt, "Where Did the CFAA Come From, and Where Is It Going?" *The Parallax,* March 16, 2016, https://the-parallax.com/2016/03/16/where-did-the-cfaa-come-from-and-where-is-it-going/.
14. Michael McFaul, *From Cold War to Hot Peace: An American Ambassador in Putin's Russia* (Boston: Houghton Mifflin Harcourt, 2018).
15. Paul Scharre, *Army of None: Autonomous Weapons and the Future of War* (New York: W. W. Norton, 2018), 251.
16. 赤十字国際委員会（ICRC）はジュネーブ諸条約の実施や遵守の働きかけで重要な役割を果たしている。Rotem Giladi and Steven Ratner, "The Role of the International Committee of the Red Cross," in Andrew Clapham, Paola Gaeta, and Marco Sassoli, eds., *The 1949 Geneva Conventions: A Commentary* (Oxford: Oxford University Press, 2015). ICRCの成功は、非政府組織が長期的な信用を確立すれば信じられないほど大きな役割を果たすことを物語っている。
17. Jeffrey W. Knopf, "NGOs, Social Movements, and Arms Control," in *Arms Control: History, Theory, and Policy, Volume 1: Foundations of Arms Control,* ed. Robert E. Williams Jr. and Paul R. Votti (Santa Barbara: Praeger, 2012), 174-75.
18. Bruce D. Berkowitz, *Calculated Risks: A Century of Arms Control, Why It Has Failed, and How It Can Be Made to Work* (New York: Simon and Schuster, 1987), 156.
19. このような活動で最大規模のものとしては、エストニア・タリンにあるNATOサイバー防衛協力センターに結集した国際的な専門家グループの活動が挙げられる。最近の活動の成果として「タリン・マニュアル2.0」がある。「サイバー戦争を管理する国際法」に相当する154のルールが定められている。
    Michael N. Schmitt, ed., *Tallinn Manual 2.0 on the International Law Applicable to Cyber Operations* (Cambridge, UK: Cambridge University Press, 2017), 1.
20. サンガーはサイバー兵器について「兵器は目に見えず、攻撃は拒否でき、結果ははっきりしない」と説明する。
    David Sanger, *The Perfect Weapon: War, Sabotage, and Fear in the Cyber Age* (New York: Crown, 2018), xiv.
21. 国際ルールの検証・執行で重要な役割を国以外が果たした例は、これが最初ではない。「95カ国に広がる国際NGOのランドマインモニターは、オタワ条約の違反に関する情報収集で大きな役割を果たしている。ランドマインモニターについては、同条約で正式に触れられていないが、同団体の調査結果は条約年次総会で発表され、条約違反の疑いがある行為について公式に指摘する際にも用いられている」。
    Mark E. Donaldson, "NGOs and Arms Control Processes," in Williams and Votti, 199.
22. "About the Cybersecurity Tech Accord," Tech Accord, accessed November 14, 2018, https://cybertechaccord.org/about/.
23. Brad Smith, "The Price of Cyber-Warfare," April 17, 2018, RSA Conference, Moscone Center San Francisco, video, 21:11, https://www.rsaconference.com/events/us18/agenda/sessions/11292-the-price-of-cyber-warfare.
24. "Charter of Trust," Siemens, https://new.siemens.com/global/en/company/topic-areas/digitalization/cybersecurity.html.
25. Emmanuel Macron, "Forum de Paris sur la Paix: Rendez-vous le 11 Novembre 2018 | Emman-uel Macron," YouTube video, 3:21, July 3, 2018, https://www.youtube.com/watch?v=-tc4N8hhdpA&feature=youtube.
26. "Cybersecurity: Paris Call of 12 November 2018 for Trust and Security in Cyberspace," France Diplomatie press release, November 12, 2018, https://www.diplomatie.gouv.fr/en/french-foreign-policy/digital-diplomacy/france-and-cyber-security/article/cybersecurity-paris-call-of-12-november-2018-for-trust-and-security-in.
27. 前掲。
28. Charlotte Graham-McLay and Adam Satariano, "New Zealand Seeks Global Support

for Tougher Measures on Online Violence," *New York Times,* May 12, 2019, https://www.nytimes.com/2019/05/12/technology/ardern-macron-social-media-extremism.html?searchResultPosition=1; Jacinda Ardern, "Jacinda Ardern: How to Stop the Next Christchurch Massacre," *New York Times,* May 11, 2019, https://www.nytimes.com/2019/05/11/opinion/sunday/jacinda-ardern-social-media.html?searchResultPosition=4.

29. Jeffrey W. Knopf, "NGOs, Social Movements, and Arms Control," in *Arms Control: History, Theory, and Policy, Volume 1: Foundations of Arms Control,* ed. Robert E. Williams Jr. and Paul R. Votti (Santa Barbara: Praeger, 2012), 174-75.
30. 前掲、180。
31. 前掲。
32. ここでのポイントは、「タリン・マニュアル」の重要性が低いということではない。むしろ逆で、きわめて重要である。だが、「ブランド力」に欠け、ソーシャルメディア時代に一般への訴求力が求められているにもかかわらず、情報発信力が弱いのである。
33. Casper Klynge's Twitter account: Casper Klynge (@DKTechAmb), https://twitter.com/ DKTechAmb.
34. Boyd Chan, "Microsoft Kicks Off Digital Peace Now Initiative to #Stopcyberwarfare," *Neowin,* September 30, 2018, https://www.neowin.net/news/microsoft-kicks-off-digital-peace-now-initiative-to-stopcyberwarfare; Microsoft, Digital Peace Now, https://digitalpeace.microsoft.com/.
35. Albert Einstein, "The 1932 Disarmament Conference," *Nation,* August 23, 2001, https://www.thenation.com/article/1932-disarmament-conference-0/.

❖第8章

1. European Union Agency for Fundamental Rights, *Handbook on European Data Protection Law, 2018 Edition* (Luxembourg: Publications Office of the European Union, 2018), 29.
2. 前掲、30。
3. 議会インターネット議員諮問委員会での演説で連邦法の制定を呼びかけた。制定に当たって、世界のプライバシー法と一貫性のある基準を取り入れ、オンラインとオフラインの双方に適用できるものとすること、個人情報の収集・利用・開示の透明性を高めること、個人情報の利用・開示について個人の権限を確保すること、個人情報の保管・移行に関する最小限のセキュリティ要件を設定することを求めた。 Jeremy Reimer, "Microsoft Advocates the Need for Comprehensive Federal Data Privacy Legislation," *Ars Technica,* November 3, 2005, https://arstechnica.com/uncategorized/2005/11/5523-2/.For the original materials, see Microsoft Corporation, *Microsoft Advocates Comprehensive Federal Privacy Legislation,* November 3, 2005, https://news.microsoft.com/2005/11/03/microsoft-advocates-comprehensive-federal-privacy-legislation/; Microsoft PressPass, *Microsoft Addresses Need for Comprehensive Federal Data Privacy Legislation,* November 3, 2005, https://news.microsoft.com/2005/11/03/microsoft-addresses-need-for-comprehensive-federal-data-privacy-legislation/; video of Brad Smith at Congressional Internet Caucus, November 3, 2005, https://www.youtube.com/watch?v=Sj10rKDpNHE.
4. Martin A. Weiss and Kristin Archick, *U.S.-EU Data Privacy: From Safe Harbor to Privacy Shield* (Washington, DC: Congressional Research Service, 2016), https://fas.org/sgp/crs/misc/R44257.pdf.
5. Joseph D. McClendon and Fox Rothschild, "The EU-U.S. Privacy Shield Agreement Is Unveiled, but Its Effects and Future Remain Uncertain," *Safe Harbor* (blog), Fox Rothschild, March 2, 2016, https://dataprivacy.foxrothschild.com/tags/safe-harbor/.
6. David M. Andrews, et. al., *The Future of Transatlantic Economic Relations* (Florence, Italy: European University Institute, 2005), 29; https://www.law.uci.edu/faculty/full-time/shaffer/

pdfs/2005%20The%20Future%20of%20Transatlantic%20Economic%20Relations.pdf.
7. Daniel Hamilton and Joseph P. Quinlan, *The Transatlantic Economy 2016* (Washington, DC: Center for Transatlantic Relations, 2016), v.
8. シュレムスの興味深いストーリーは以下に詳しい。
Robert Levine, "Behind the European Privacy Ruling That's Confounding Silicon Valley," *New York Times*, 9 Oct. 2015. https://www.nytimes.com/2015/10/11/business/international/behind-the-european-privacy-ruling-thats-confounding-silicon-valley.html.
9. Kashmir Hill, "Max Schrems: The Austrian Thorn in Facebook's Side," *Forbes*, February 7, 2012, https://www.forbes.com/sites/kashmirhill/2012/02/07/the-austrian-thorn-in-facebooks-side/#2d84e427b0b7.
10. Court of Justice of the European Union, "The Court of Justice Declares That the Commission's US Safe Harbour Decision Is Invalid," Press Release No. 117/1 5, October 6, 2015, https://curia.europa.eu/jcms/upload/docs/application/pdf/2015-10/cp150117en.pdf.
11. Mark Scott, "Data Transfer Pact Between U.S. and Europe Is Ruled Invalid," *New York Times*, October 6, 2015, https://www.nytimes.com/2015/10/07/technology/european-union-us-data-collection.html.
12. John Frank, "Microsoft's Commitments, Including DPA Cooperation, Under the EU-US Privacy Shield," *EU Policy Blog*, Microsoft, April 11, 2016, https://blogs.microsoft.com/eupolicy/2016/04/11/microsofts-commitments-including-dpa-cooperation-under-the-eu-u-s-privacy-shield/.
13. Grace Halden, *Three Mile Island: The Meltdown Crisis and Nuclear Power in American Popular Culture* (New York: Routledge, 2017), 65.
14. Julia Carrie Wong, "Mark Zuckerberg Apologises for Facebook's 'Mistakes' over Cambridge Analytica," *Guardian*, March 22, 2018, https://www.theguardian.com/technology/2018/mar/21/mark-zuckerberg-response-facebook-cambridge-analytica.
15. See Shoshana Zuboff, *The Age of Surveillance Capitalism: The Fight for a Human Future at the New Frontier of Power* (New York: PublicAffairs, 2019).
16. Julie Brill, "Millions Use Microsoft's GDPR Privacy Tools to Control Their Data—Including 2 Million Americans," *Microsoft on the Issues* (blog), Microsoft, September 17, 2018, https://blogs.microsoft.com/on-the-issues/2018/09/17/millions-use-microsofts-gdpr-privacy-tools-to-control-their-data-including-2-million-americans/.

❖第9章

1. "Wildfire Burning in Ferry County at 2500 Acres," *KHQ-Q6*, August 2, 2016, https://www.khq.com/news/wildfire-burning-in-ferry-county-at-acres/article_95f6e4a2-0aa1-5c6a-8230-9dca430aea2f.html.
2. Federal Communications Commission, *2018 Broadband Deployment Report*, February 2, 2018, https://www.fcc.gov/reports-research/reports/broadband-progress-reports/2018-broadband-deployment-report.
3. Jennifer Levitz and Valerie Bauerlein, "Rural America Is Stranded in the Dial-Up Age," *Wall Street Journal*, June 15, 2017, https://www.wsj.com/articles/rural-america-is-stranded-in-the-dial-up-age-1497535841.
4. Julianne Twining, "A Shared History of Web Browsers and Broadband Speed," NCTA, April 10, 2013, https://www.ncta.com/platform/broadband-internet/a-shared-history-of-web-browsers-and-broadband-speed-slideshow/.
5. Microsoft Corporation, *An Update on Connecting Rural America: The 2018 Microsoft Airband Initiative*, https://blogs.microsoft.com/uploads/prod/sites/5/2018/12/MSFT-Airband_InteractivePDF_Final_12.3.18.pdf.

6. FCCの手法には別の問題もある。「アメリカ国勢調査局が使用する詳細地域の区割りに基づいている（ただし、一部はとてつもなく大きく、最大はアラスカで、２万2000平方キロ以上もある）。インターネットサービスプロバイダ（ISP）が国勢調査区割りの住民１人と契約できれば、FCCは当該地区にサービス提供されているとカウントする」。前掲。
7. “Internet/Broadband Fact Sheet,” Pew Research Center, February 5, 2018, https://www.pewinternet.org/fact-sheet/internet-broadband/.
8. Industry Analysis and Technology Division, Wireline Competition Bureau, *Internet Access Services: Status as of June 30, 2017* (Washington, DC: Federal Communications Commission, 2018), https://docs.fcc.gov/public/attachments/DOC-355166A1.pdf.
9. 2018年、当社の主要社会問題への取り組みを支援する専任のデータサイエンスチームを創設した。責任者には、マイクロソフトでも屈指の経験を誇るデータサイエンティストのジョン・カハンを起用した。かつては、データ分析を駆使して当社の販売や製品利用状況を追跡・分析する大きな組織を率いていたこともあり、実際、筆者は毎週の幹部ミーティングで業績の改善状況を直接目にしてきた。また、カハンは、乳幼児突然死症候群（SIDS）についてデータサイエンスを駆使して原因を突き止めるなど、関心分野が広い。実はカハン夫妻は10年以上前にSIDSで息子を亡くしている。
Dina Bass, “Bereaved Father, Microsoft Data Scientists Crunch Numbers to Combat Infant Deaths,” Seattle Times, June 11, 2017, https://www.seattletimes.com/business/bereaved-father-microsoft-data-scientists-crunch-numbers-to-combat-infant-deaths/.
　この新チームに最初に委ねた仕事は、FCCの全国ブロードバンド普及データマップについての疑問点を掘り下げることだった。数カ月のうちに、FCCやピュー研究所のデータのほか、マイクロソフトがソフトウエアやサービスの性能・セキュリティの改良作業の一環として収集して匿名化したデータなど、複数のデータセットを駆使して全米のブロードバンド格差を分析した。2018年12月に最初の調査結果を公表した。Microsoft, “An Update on Connecting Rural America: The 2018 Microsoft Airband Initiative,” 9.
　ジョン率いるチームは、この調査結果をFCCや行政にも提供し、議会では各州のデータの食い違いにスポットライトを当てたデモンストレーションを実施した。
　2019年も調査を継続し、FCCや連邦議会議員にこの問題への取り組みを強化するよう働きかけた。４月にはFCCのデータの精度向上を目的に具体的な提言をまとめた。John Kahan, “It's Time for a New Approach for Mapping Broadband Data to Better Serve Americans,” *Microsoft on the Issues* (blog), Microsoft, April 8, 2019, https://blogs.microsoft.com/on-the-issues/2019/04/08/its-time-for-a-new-approach-for-mapping-broadband-data-to-better-serve-americans/.
　同月、上院商業・科学・運輸委員会は公聴会でこの問題に集中した。ロジャー・ウィッカー委員長は現行のデータ不足を指摘したうえで、「デジタルデバイドを解消するには、正確なブロードバンド地図を作成してブロードバンドが使えるエリアはどこか、一定の速度で利用できないエリアはどこかを把握しなければならない」と述べた。
Mitchell Schmidt, “FCC Broadband Maps Challenged as Overstating Access,” *The Gazette,* April 14, 2019, https://www.thegazette.com/subject/news/government/fcc-broadband-maps-challenged-as-overstating-access-rural-iowans-20190414. 米国電気通信協会会長のジョナサン・スパルターは公聴会で「国勢調査の区割りでデータを収集している現行の基準では不十分。事業者がブロック内で1カ所でもサービスを提供できれば、あらゆる場所で提供されていると捉えられることになるからだ」と指摘した。前掲。
10. Schmidt, “FCC Broadband Map.”
11. “November 8, 2016 General Election Results,” Washington Office of the Secretary of State, November 30, 2016, https://results.vote.wa.gov/results/20161108/President-Vice-President_ByCounty.html.
12. “About the Center for Rural Affairs,” Center for Rural Affairs, last updated 2019, https://www.cfra.org/about.
13. Johnathan Hladik, *Map to Prosperity* (Lyons, NE: Center for Rural Affairs, 2018), https://

www.cfra.org/sites/www.cfra.org/files/publications/Map%20to%20Prosperity.pdf, 2, citing Arthur D. Little, “Socioeconomic Effects of Broadband Speed,” Ericsson ConsumerLab and Chalmers University of Technology, September 2013, http://nova.ilsole24ore.com/wordpress/wp-content/uploads/2014/02/Ericsson.pdf.

14. 前掲。
15. Jennifer Levitz and Valerie Bauerlein, “Rural America Is Stranded in the Dial-Up Age.”
16. 前掲。
17. FCCのユニバーサルサービス方式の下、コネクトアメリカ基金や従来の助成制度を通じて、約40億ドルが固定通信キャリアに拠出されている。一方、無線通信キャリアには、モビリティ基金や従来の助成制度を通じて約5億ドルしか提供されていない。
18. Sean Buckley, “Lawmakers Introduce New Bill to Accelerate Rural Broadband Deployments on Highway Rights of Way,” Fiercetelecom, March 13, 2017, http://www.fiercetelecom.com/telecom/lawmakers-introduce-new-bill-to-accelerate-rural-broadband-deployments-highway-rights-way.
19. Microsoft Corporation, “United States Broadband Availability and Usage Analysis: Power BI Map,” *Stories* (blog), Microsoft, December 2018, https://news.microsoft.com/rural-broadband/.
20. “Voice Voyages by the National Geographic Society,” *The National Geographic Magazine,* vol. 29, March 1916, 312.
21. 前掲、314。
22. Connie Holland, “Now You're Cooking with Electricity!” *O Say Can You See?* (blog), Smithsonian National Museum of American History, August 24, 2017, http://americanhistory.si.edu/blog/cooking-electricity.
23. 前掲。
24. “Rural Electrification Administration,” Roosevelt Institute, February 25, 2011, http://rooseveltinstitute.org/rural-electrification-administration/.
25. Chris Dobbs, “Rural Electrification Act,” *New Georgia Encyclopedia,* August 22, 2018, http://www.georgiaencyclopedia.org/articles/business-economy/rural-electrification-act.
26. “REA Energy Cooperative Beginnings,” REA Energy Cooperative, accessed January 25, 2019, http://www.reaenergy.com/rea-energy-cooperative-beginnings.
27. “Rural Electrification Administration,” Roosevelt Institute.
28. 前掲。
29. Rural Cooperatives, “Bringing Light to Rural America,” March-April 1998, vol.65, issue 2, 33.
30. “Rural Electrification Administration,” Roosevelt Institute.
31. “REA Energy Cooperative Beginnings.” REA Energy Cooperative.
32. 前掲。
33. Gina M. Troppa, “The REA Lady: A Shining Example, How One Woman Taught Rural Americans How to Use Electricity,” *Illinois Currents,* https://www.lib.niu.edu/2002/ic020506.html.

❖第10章

1. Jon Gertner, *The Idea Factory: Bell Labs and the Great Age of American Innovation* (New York: Penguin Press, 2012).
2. Brad Smith and Carol Ann Browne, “High-S killed Immigration Has Long Been Controversial, but Its Benefits Are Clear,” *Today in Technology* (blog), LinkedIn, December 7, 2017, https://www.linkedin.com/pulse/dec-7-forces-divide-us-bring-together-brad-smith/.
3. Brad Smith and Carol Ann Browne, “The Beep Heard Around the World,” *Today in Technology* (blog), LinkedIn, October 4, 2017, https://www.linkedin.com/pulse/today-technology-beep-heard-around-world-brad-smith/.

4. 入国禁止の大統領令に対し、ワシントン州検事総長ボブ・ファーガソンが異議申し立てに動くや、ザボルスキーは即座にアマゾンのリソースを動員してファーガソン支持を打ち出した。Stephanie Miot, "Amazon, Expedia Back Suit Over Trump Immigration Ban," PCMag .com, January 31, 2017, https://www.pcmag.com/news/351453/amazon-expedia-back-suit-over-trump-immigration-ban. Monica Nickelsburg, "Washington AG Explains How Amazon, Expedia, and Microsoft Influenced Crucial Victory Over Trump," *Geekwire,* February 3, 2017, https://www.geekwire.com/2017/washington-ag-explains-amazon-expedia-microsoft-influenced-crucial-victory-trump/.
5. Jeff John Roberts, "Microsoft: Feds Must 'Go Through Us' to Deport Dreamers," *Fortune,* September 5, 2017, http://fortune.com/2017/09/05/daca-microsoft/.
6. Office of Communications, "Princeton, a Student and Microsoft File Federal Lawsuit to Preserve DACA," Princeton University, November 3, 2017, https://www.princeton.edu/news/2017/11/03/princeton-student-and-microsoft-file-federal-lawsuit-preserve-daca.
7. Microsoft Corporation, *A National Talent Strategy,* December 2012, https://news.microsoft.com/download/presskits/citizenship/MSNTS.pdf.
8. Jeff Meisner, "Microsoft Applauds New Bipartisan Immigration and Education Bill," *Microsoft on the Issues* (blog), Microsoft, January 29, 2013, https://blogs.microsoft.com/on-the-issues/2013/01/29/microsoft-applauds-new-bipartisan-immigration-and-education-bill/.
9. Mark Muro, Sifan Liu, Jacob Whiton, and Siddharth Kulkarni, *Digitalization and the American Workforce* (Washington, DC: Brookings Metropolitan Policy Program, 2017), https://www.brookings.edu/wp-content/uploads/2017/11/mpp_2017nov15_digitalization_full_report.pdf.
10. 前掲。
11. Nat Levy, "Q&A : Geek of the Year Ed Lazowska Talks UW's Future in Computer Science and Impact on the Seattle Tech Scene," *Geekwire,* May 5, 2017, https://www.geekwire.com/2017/qa-2017-geek-of-the-year-ed-lazowska-talks-uws-future-in-computer-science-and-impact-on-the-seattle-tech-scene/.
　ラゾウスカは、高等教育を含めコンピュータサイエンスの普及促進に全力で取り組んでいる。ワシントン大学教授に就任当時はコンピュータサイエンス担当教授はわずか12人で、マイクロソフトは小規模ベンチャー企業だった。ビル・ゲイツとスティーブ・バルマーがマイクロソフトをグローバルなIT大手に育てたころ、ラゾウスカはワシントン大学で世界屈指のコンピュータサイエンス教育プログラムを整備していた。そこで両者で提携を結んで、産学連携による共存共栄の関係を築いた。
Taylor Soper, "Univ. of Washington Opens New Computer Science Building, Doubling Capacity to Train Future Tech Workers," Geekwire, February 28, 2019, https://www.geekwire.com/2019/photos-univ-washington-opens-new-computer-science-building-doubling-capacity-train-future-tech-workers/.
12. "AP Program Participation and Performance Data 2018," College Board, https://research.collegeboard.org/programs/ap/data/participation/ap-2018.
13. 前掲。
14. David Gelles, "Hadi Partovi Was Raised in a Revolution. Today He Teaches Kids to Code," *New York Times,* January 17, 2019, https://www.nytimes.com/2019/01/17/business/hadi-partovi-code-org-corner-office.html.
15. "Blurbs and Useful Stats," Hour of Code, accessed January 25, 2019, https://hourofcode.com/us/promote/stats.
16. Megan Smith, "Computer Science for All," https://obamawhitehouse.archives.gov/blog/2016/01/30/computer-science-all.
17. "The Economic Graph," LinkedIn, accessed February 27, 2019, https://economicgraph.linkedin.com/.
18. マークル財団のスキルフルイニシアティブは、リンクトインと連携し、スキル重視の採用、トレーニング、教育体制づくりに画期的な手法を打ち出している。 Steve Lohr, "A New

Kind of Tech Job Emphasizes Skills, Not a College Degree," *New York Times,* June 29, 2017, https://www.nytimes.com/2017/06/28/technology/tech-jobs-skills-college-degree.html. コロラド州での試験・検証を経て、スキルフルの活動範囲をインディアナ州にも拡大している。同様に、マイクロソフトのオーストラリア子会社はリンクトインのオーストラリア支社や現地政府と連携してリンクトインのデータを使い、デジタル技術の普及に伴って必要となるスキルを見極めようとしている。

Microsoft Australia, *Building Australia's Future-Ready Workforce,* February 2018, https://msenterprise.global.ssl.fastly.net/wordpress/2018/02/Building-Australias-Future-Ready-Workforce.pdf. 世界銀行はグローバル規模でリンクトインと提携し、100カ国以上でのスキル、業界ごとの雇用、人材の移行について指標を策定し、検証している。

Tingting Juni Zhu, Alan Fritzler, and Jan Orlowski, *Data Insights: Jobs, Skills and Migration Trends Methodology & Validation Results,* November 2018, http://documents.worldbank.org/curated/en/827991542143093021/World-Bank-Group-LinkedIn-Data-Insights-Jobs-Skills-and-Migration-Trends-Methodology-and-Validation-Results.

19. Paul Petrone, "The Skills New Grads Are Learning the Most," *The Learning Blog* (LinkedIn), May 9, 2019, https://learning.linkedin.com/blog/top-skills/the-skills-new-grads-are-learning-the-most.
20. ワシントン州オポチュニティ・スカラシップ制度の創設以来、筆者は理事長を務めている。最初に任命してくれたのはグレゴワール知事で、続いてインスリー知事の下でも再度任命された。
21. Katherine Long, "Washington's Most Generous Scholarship for STEM Students Has Helped Thousands. Could You Be Next?" *Seattle Times,* December 28, 2018, https://www.seattletimes.com/education-lab/the-states-most-generous-scholarship-for-stem-students-has-helped-thousands-could-you-be-next/; Washington State Opportunity Scholarship, *2018 Legislative Report,* December 2018, https://www.waopportunityscholarship.org/wp-content/uploads/2018/11/WSOS-2018-Legislative-Report.pdf.
22. Alan Greenspan and Adrian Wooldridge, *Capitalism in America: A History* (New York: Penguin Press, 2018), 393, citing Raj Chetty et al., "The Fading American Dream: Trends in Absolute Income Mobility Since 1940," NBER Working Paper No. 22910, National Bureau of Economic Research, March 2017.
23. Brad Smith, Ana Mari Cauce, and Wayne Martin, "Here's How Microsoft and UW Leaders Want to Better Fund Higher Education," *Seattle Times,* March 20, 2019, https://www.seattletimes.com/opinion/how-the-business-community-can-support-higher-education-funding/.
24. 前掲。
25. Hanna Scott, "Amazon, Microsoft on Opposite Ends of Tax Debate in Olympia," *MyNorthwest,* April 5, 2019, https://mynorthwest.com/1335071/microsoft-amazon-hb-2242-tax/.
26. Emily S. Rueb, "Washington State Moves Toward Free and Reduced College Tuition, With Businesses Footing the Bill," *New York Times,* May 8, 2019, https://www.nytimes.com/2019/05/08/education/free-college-tuition-washington-state.html.
27. Katherine Long, "110,000 Washington Students a Year Will Get Money for College, Many a Free Ride," *Seattle Times,* May 5, 2019, https://www.seattletimes.com/education-lab/110000-washington-students-a-year-will-get-money-for-college-many-a-free-ride/.
28. College Board, "AP Program Participation and Performance Data 2018," https://www.collegeboard.org/membership/all-access/counseling-admissions-financial-aid-academic/number-girls-and-underrepresented.
29. "Back to School by Statistics," *NCES Fast Facts,* National Institute of Education Sciences, August 20, 2018, https://nces.ed.gov/fastfacts/display.asp?id=372.
30. Maria Alcon-Heraux, "Number of Girls and Underrepresented Students Taking AP Computer Courses Spikes Again," College Board, August 27, 2018, https://www.collegeboard.org/

membership/all-access/counseling-admissions-financial-aid-academic/number-girls-and-underrepresented).

31. 1888年8月5日朝、ベルタ・ベンツが2人の息子を連れ立って、特許取得済みの“馬なし馬車”、つまりガソリンエンジン車に乗り込み、ドイツ・マンハイムから出発した。これは夫のカールが発明した3輪自動車で、カールに内緒で生まれ故郷のプフォルツハイムを目指したのだった。約97キロの道のりは後に、史上初の自動車ドライブコースとして知られるようになった。ドライブは容易ではなかった。ぬかるみの坂道では、親子3人で車を押し、薬局を見つけるたびに燃料のベンジンを購入しては補給を繰り返したという。夜には実家にたどり着き、カールにドライブ成功を知らせる電報を送った。このドライブ旅行は新聞の紙面を飾り、自動車移動の新時代の幕開けとなった。
Brad Smith and Carol Ann Browne, “The Woman Who Showed the World How to Drive,” *Today in Technology* (blog), LinkedIn, August 5, 2017, https://www.linkedin.com/pulse/august-5-automobiles-first-road-trip-great-inventions-brad-smith/.

32. “Ensuring a Healthy Community: The Need for Affordable Housing, Chart 2,” *Stories* (blog), Microsoft, https://3er1viui9wo30pkxh1v2nh4w-wpengine.netdna-ssl.com/wp-content/uploads/prod/sites/552/2019/01/Chart-2-Home-Price-vs.-MHI-1000x479.jpg.

33. Daniel Beekman, “Seattle City Council Releases Plan to Tax Businesses, Fund Homelessness Help,” *Seattle Times*, April 20, 2018, https://www.seattletimes.com/seattle-news/politics/seattle-city-council-releases-plan-to-tax-businesses-fund-homelessness-help/.

34. Matt Day and Daniel Beekman, “Amazon Issues Threat Over Seattle Head- Tax Plan, Halts Tower Construction Planning,” *Seattle Times*, May 2, 2018, https://www.seattletimes.com/business/amazon/amazon-pauses-plans-for-seattle-office-towers-while-city-council-considers-business-tax/.

35. Daniel Beekman, “A bout-Face: Seattle City Council Repeals Head Tax Amid Pressure From Businesses, Referendum Threat,” *Seattle Times*, June 12, 2018, https://www.seattletimes.com/seattle-news/politics/about-face-seattle-city-council-repeals-head-tax-amid-pressure-from-big-businesses/.

36. “Ensuring a Healthy Community: The Need for Affordable Housing,” *Stories* (blog), Microsoft, https://news.microsoft.com/affordable-housing/.

37. 「2015年、シアトル地域で約5万7000人が1時間半の通勤時間に我慢している。2010年と比べると、1時間半通勤組は2万4000人も増えている。5年で72%増ということになる」
Gene Balk, “Seattle’s Mega-Commuters: We Spend More Time Than Ever Traveling to Work,” *Seattle Times*, June 16, 2017, https://www.seattletimes.com/seattle-news/data/seattles-mega-commuters-we-are-spending-more-time-than-ever-traveling-to-work/.

38. Brad Smith and Amy Hood, “Ensuring a Healthy Community: The Need for Affordable Housing,” *Microsoft on the Issues* (blog), Microsoft, January 16, 2019, https://blogs.microsoft.com/on-the-issues/2019/01/16/ensuring-a-healthy-community-the-need-for-affordable-housing/.

39. Paige Cornwell and Vernal Coleman, “Eastside Mayors View Microsoft’s $500 Million Housing Pledge with Enthusiasm, Caution,” *Seattle Times*, January 23, 2019, https://www.seattletimes.com/seattle-news/homeless/for-eastside-mayors-microsofts-500-million-pledge-for-affordable-housing-is-tool-to-address-dire-need/.

40. シアトル地域で低所得者〜中所得者向け住宅の供給を拡充するには、長期的な取り組みが必要になるうえ、政治面、経済面の課題はいくらでも発生する。住宅供給の問題は長年かけて悪化しており、ここから抜け出すには、やはり何年もかかる。問題の複雑さを考えれば、マイクロソフト社内でこの問題に関わろうと決定した際、何日間かは、それなりの物議をかもす可能性があると覚悟した。だが、事態の悪化をただ傍観しているよりも、直接関わることが大切だと感じていたのだ。
当社が関与を決めた理由の1つは、前ワシントン州知事クリスティー・グレゴワールのリーダーシップだ。州検事総長を3期、知事を2期務めた後、2013年に次は何をしようかと考える時間があった。そこでわれわれはグレゴワールにチャレンジシアトルの創設支援

とCEO就任を要請し、地域の大手企業を取りまとめて市民としての貢献を強化したいと働きかけた。住宅問題への彼女の取り組み姿勢、地域や政界での信用のおかげで、われわれはこの問題の解決に取り組む自信を深めることになった。チャンレンジシアトルの詳細はhttps://www.challengeseattle.com/を参照。

❖第11章

1．Accenture, "Could AI Be Society's Secret Weapon for Growth? - WEF 2017 Panel Discussion," World Economic Forum, Davos, Switzerland, YouTube video, 32:03, March 15, 2017, https://www.youtube.com/watch?v=6i_4y4lSC5M.
2．アシモフはロボット工学３原則を提唱した。第１条「ロボットは人間に危害を加えてはならない。また、その危険を看過することによって、人間に危害を及ぼしてはならない」。第２条「ロボットは人間にあたえられた命令に服従しなければならない。ただし、あたえられた命令が、第一条に反する場合は、この限りでない」。第３条「ロボットは、前掲第一条および第二条に反するおそれのないかぎり、自己をまもらなければならない」。Isaac Asimov, "Runaround," in I, Robot (New York: Doubleday, 1950).
3．1984〜1987年、「エキスパートシステム」の進歩と、医学、工学、科学への応用に重点が置かれた。AI専用のコンピュータまで開発された。だが、それから1990年代半ばまでの何年間か「AI冬の時代」が訪れる。
4．W. Xiong, J. Droppo, X. Huang, F. Seide, M. Seltzer, A. Stolcke, D. Yu, and G. Zweing, *Achieving Human Parity in Conversational Speech Recognition: Microsoft Research Technical Report MSR-TR-2016-71,* February 2017, https://arxiv.org/pdf/1610.05256.pdf.
5．Terrence J. Sejnowski, *The Deep Learning Revolution* (Cambridge, MA: MIT Press, 2018), 31; 1986年、エリック・ホルヴィッツはエキスパートシステムに拡張性がないとする論文を共著している。
D.E. Heckerman and E.J. Horvitz, "The Myth of Modularity in Rule-Based Systems for Reasoning with Uncertainty," *Conference on Uncertainty in Artificial Intelligence,* Philadelphia, July 1986; https://dl.acm.org/citation.cfm?id=3023728.
6．前掲。
7．Charu C. Aggarwal, *Neural Networks and Deep Learning: A Textbook* (Cham, Switzerland: Springer, 2018), 1. ここ数十年の発展を受けて知的分野の融合が進んでいる。S.J. Gershman, E.J. Horvitz, and J.B. Tenenbaum, *Science* 349, 273-78 (2015).
8．Aggarwal, *Neural Networks and Deep Learning,* 1.
9．前掲、17-30。
10．過去20年間のニューラルネットワークの進化につながる発展の歴史はセジュノスキーを参照。
11．Dom Galeon, "Microsoft's Speech Recognition Tech Is Officially as Accurate as Humans," Fu-turism, October 20, 2016, https://futurism.com/microsofts-speech-recognition-tech-is-officially-as-accurate-as-humans/; Xuedong Huang, "Microsoft Researchers Achieve New Conversational Speech Recognition Milestone," *Microsoft Research Blog,* Microsoft, August 20, 2017, https://www.microsoft.com/en-us/research/blog/microsoft-researchers-achieve-new-conversational-speech-recognition-milestone/.
12．スーパーインテリジェンスの台頭について最初に語ったのは、第二次世界大戦期にイギリス政府暗号学校で暗号研究に携わったことのあるイギリスの数学者Ｉ・Ｊ・グッドである。同僚のアラン・チューリングの研究成果を基に、「超インテリジェントマシン」を可能にする「インテリジェンスの爆発」が発生し、こうしたマシン自体がもっとインテリジェントなマシンを設計すると予測した。
I.J. Good, "Speculations Concerning the First Ultraintelligent Machine," *Advances in Computers* 6, 31-88 (January 1965). スタンレー・キューブリックの『2001年宇宙の旅』に登場するHALも典型的な暴走コンピュータである。

AIシステム自体がさらにインテリジェントなマシンを設計したり、自らの思考プロセスに基づいて人間の制御から逃れたりすることについては、マイクロソフトリサーチを含め、コンピュータサイエンス分野の関係者は懐疑的である。トーマス・ディータリッヒとエリック・ホロヴィッツは「現在、われわれは、コンピュータ処理の複雑さゆえに、学習・推論のアルゴリズムに限界があると理解しており、そのような（AIがさらに高度なマシンを設計する）プロセスは、われわれの現時点での理解とは相容れない。しかし、自己設計・最適化のプロセスがあれば、さらに大きな飛躍につながる」と述べている。

T.G. Dietterich and E.J. Horvitz, "Rise of Concerns about AI: Reflections and Directions," *Communications of the ACM,* vol. 58, no. 10, 38-40 (October 2015), http://erichorvitz.com/CACM_Oct_2015-VP.pdf.

オックスフォード大学教授のニック・ボストロムは著書でこの問題を幅広く掘り下げている。

Nick Bostrom, *Superintelligence: Paths, Dangers, Strategies* (Oxford: Oxford University Press, 2014).

コンピュータサイエンスの世界では、「シンギュラリティ」という言葉が別の意味で使われることがあり、コンピューティング能力があまりに急速に向上するために未来を予測できない状況を指す。

13. Julia Angwin, Jeff Larson, Surya Mattu, and Lauren Kirchner, "Machine Bias," *ProPublica,* May 23, 2016, https://www.propublica.org/article/machine-bias-risk-assessments-in-criminal-sentencing.
14. 同記事がきっかけで、AIのアルゴリズムにある偏りと、それに起因するリスクの評価方法について、活発な議論に発展している。
    Matthias Spielkamp, "Inspecting Algorithms for Bias," *MIT Technology Review,* June 12, 2017, https://www.technologyreview.com/s/607955/inspecting-algorithms-for-bias/.
15. Joy Buolamwini, "Gender Shades," Civic Media, MIT Media Lab, accessed November 15, 2018, https://www.media.mit.edu/projects/ender-sghades/overview/.
16. Thomas G. Dietterich and Eric J. Horvitz, "Rise of Concerns About AI: Reflection and Directions," *Communications of the ACM* 58, no.10 (2015), http://erichorvitz.com/ CACM_Oct _2015-VP.pdf.
17. Satya Nadella, "The Partnership of the Future," Slate, June 28, 2016, http://www.slate.com/articles/technology/future_tense/2016/06/microsoft_ceo_satya_nadella_humans_and_a_i_can_work_together_to_solve_society.html.
18. Microsoft, *The Future Computed: Artificial Intelligence and Its Role in Society* (Redmond, WA: Microsoft Corporation, 2018), 53-76.
19. Paul Scharre, *Army of None: Autonomous Weapons and the Future of War* (New York: W. W. Norton, 2018).
20. 前掲、163-69。
21. Drew Harrell, "Google to Drop Pentagon AI Contract After Employee Objections to the 'Business of War,'" *Washington Post,* June 1, 2018, https://www.washingtonpost.com/news/the-switch/wp/2018/06/01/google-to-drop-pentagon-ai-contract-after-employees-called-it-the-business-of-war/?utm_term=.86860b0f5a33.
22. Brad Smith, "Technology and the US Military," *Microsoft on the Issues* (blog), Microsoft, October 26, 2018, https://blogs.microsoft.com/on-the-issues/2018/10/26/technology-and-the-US-military/.
23. https://en.m.wikipedia.org/wiki/Just_war_theory; https://en.m.wikipedia.org/wiki/Mahabharata.
24. 筆者らは「この市場から撤退すれば、新技術を責任ある形で最適に利用する方法について国民的な議論が生まれても、そこに関与する機会を失うことになる。だからわれわれは未来から撤退しない。最も建設的なのは、直接関与して未来の方向性を創り出していくことだ」と訴えた。 Smith, "Technology and the US Military."

25. 前掲。
26. Adam Satariano, "Will There Be a Ban on Killer Robots?" *New York Times,* October 19, 2018, https://www.nytimes.com/2018/10/19/technology/artificial-intelligence-weapons.html.
27. SwissInfo, "Killer Robots: 'Do Something' or 'Do Nothing'?" *EurAsia Review,* March 31, 2019, http://www.eurasiareview.com/31032019-killer-robots-do-something-or-do-nothing/.
28. Mary Wareham, "Statement to the Convention on Conventional Weapons Group of Governmental Experts on Lethal Autonomous Weapons Systems, Geneva," Human Rights Watch, March 29, 2019, https://www.hrw.org/news/2019/03/27/statement-convention-conventional-weapons-group-governmental-experts-lethal.
29. 元海兵隊司令官で現ブルッキングス研究所所長のジョン・アレンは、重大な倫理上の課題を挙げている。「太古の時代から人間は、力を行使するときに　基本的な本能を律して抑え込もうとしてきた。たとえば破壊にブレーキをかけ、特に罪なき人々に対する冷酷非道さを制限しようとした。歴史のなかでこうした制限が体系化され、武力や暴力の使用を誘導・制限する目的で国際法や軍人の行動規範が成立した。だが、戦時に暴力や破壊行為で敵と戦うにもかかわらず、その際には、暴力や破壊が必要なことを認める節度を持って臨まねばならないというのは、ある種、逆説的でもある。実際、戦争当事者間を区別する手段になっているうえ、釣り合いを考えよと言っていることになる」。
John Allen, foreword to *Military Ethics: What Everyone Needs to Know* (Oxford: Oxford University Press, 2016), xvi. Deane-Peter Baker, ed., *Key Concepts in Military Ethics* (Sydney: University of New South Wales, 2015). も参照のこと。
30. Brad Smith and Harry Shum, foreword to *The Future Computed,* 8.
31. Oren Etzioni, "A Hippocratic Oath for Artificial Intelligence Practitioners," Tech Crunch, March 14, 2018, https://techcrunch.com/2018/03/14/a-hippocratic-oath-for-artificial-intelligence-practitioners/.
32. Cameron Addis, "Cold War, 1945-53," History Hub, accessed February 27, 2019, http://sites.austincc.edu/caddis/cold-war-1945-53/.

❖第12章

1. Minority Report, directed by Steven Spielberg (Universal City, CA: DreamWorks, 2002).
2. Microsoft Corporation, "NAB and Microsoft leverage AI technology to build card-less ATM concept," October 23, 2018, https://news.microsoft.com/en-au/2018/10/23/nab-and-microsoft-leverage-ai-technology-to-build-card-less-atm-concept/.
3. Jeannine Mjoseth, "Facial recognition software helps diagnose rare genetic disease," National Human Genome Research Institute, March 23, 2017, https://www.genome.gov/27568319/facial-recognition-software-helps-diagnose-rare-genetic-disease/.
4. Taotetek (@taotetek), "It looks like Microsoft is making quite a bit of money from their cozy relationship with ICE and DHS," Twitter, June 17, 2018, 9:20 a.m., https://twitter.com/taotetek/status/1008383982533259269.
5. Tom Keane, "Federal Agencies Continue to Advance Capabilities with Azure Government," *Microsoft Azure Government* (blog), Microsoft, January 24, 2018, https://blogs.msdn.microsoft.com/azuregov/2018/01/24/federal-agencies-continue-to-advance-capabilities-with-azure-government/.
6. Elizabeth Weise, "Amazon Should Stop Selling Facial Recognition Software to Police, ACLU and Other Rights Groups Say," *USA Today,* May 22, 2018, https://www.usatoday.com/story/tech/2018/05/22/aclu-wants-amazon-stop-selling-facial-recognition-police/633094002/.
7. 2018年６月にマイクロソフト従業員が問題を提起したのを受けて、同月にアマゾン従業員も同様の行動を取ったが、アマゾンは11月の社内会議まで従業員に直接反応を示さなかった。
Bryan Menegus, "Amazon Breaks Silence on Aiding Law Enforcement Following Employee

Backlash," *Gizmodo,* November 8, 2018, https://gizmodo.com/amazon-breaks-silence-on-aiding-law-enforcement-followi-1830321057.

8. Drew Harwell, "Google to Drop Pentagon AI Contract After Employee Objections to the 'Busi-ness of War,'" *Washington Post,* June 1, 2018, https://www.washingtonpost.com/news/the-switch/wp/2018/06/01/google-to-drop-pentagon-ai-contract-after-employees-called-it-the-business-of-war/?noredirect=on&utm_term=.efa7f2973007.

9. Edelman, *2018 Edelman Trust Barometer Global Report,* https://www.edelman.com/sites/g/files/aatuss191/files/2018-10/2018_Edelman_Trust_Barometer_Global_Report_FEB.pdf.

10. 前掲、30。

11. 2008年、保護者のいない難民・移民の児童を弁護士らが無償奉仕で支援するKIND（Kids in Need of Defense）が創設された。https://supportkind.org/ten-years/. 創設以来、４万2000人以上のボランティアを育て、600を超える法律事務所、企業、ロースクール、弁護士会と連携している。現在、全米最大級の無償奉仕の法律団体になり、イギリスでも活動を展開している。

12. Annie Correal and Caitlin Dickerson, "'Divided,' Part 2: The Chaos of Reunification," August 24, 2018, *in The Daily,* produced by Lynsea Garrison and Rachel Quester, podcast, 31:03, https://www.nytimes.com/2018/08/24/podcasts/the-daily/divided-migrant-family-reunification.html.

13. Kate Kaye, "This Little-Known Facial-Recognition Accuracy Test Has Big Influence," International Association of Privacy Professionals, January 7, 2019, https://iapp.org/news/a/this-little-known-facial-recognition-accuracy-test-has-big-influence/.

14. Brad Smith, "Facial Recognition Technology: The Need for Public Regulation and Corporate Responsibility," *Microsoft on the Issues* (blog), Microsoft, July 13, 2018, https://blogs.microsoft.com/on-the-issues/2018/07/13/facial-recognition-technology-the-need-for-public-regulation-and-corporate-responsibility/.

15. Nitasha Tiku, "Microsoft Wants to Stop AI's 'Race to the Bottom,'" *Wired,* December 6, 2018, https://www.wired.com/story/microsoft-wants-stop-ai-facial-recognition-bottom/.

16. Eric Ries, *The Startup Way: How Modern Companies Use Entrepreneurial Management to Transform Culture and Drive Long-Term Growth* (New York: Currency, 2017), 96.

17. Brookings Institution, Facial recognition: Coming to a Street Corner Near You, December 6, 2018, https://www.brookings.edu/events/facial-recognition-coming-to-a-street-corner-near-you/.

18. Brad Smith, "Facial Recognition: It's Time for Action," *Microsoft on the Issues* (blog), December 6, 2018, https://blogs.microsoft.com/on-the-issues/2018/12/06/facial-recognition-its-time-for-action/.

19. われわれは、２つの措置を組み合わせる方式が効果的だと提案した。第１に「テクノロジー企業が顔認識サービスを提供する場合、当該技術にできることとできないことを顧客・消費者が容易に理解可能な言葉で明示した文書も提示することを法律で義務付ける」ことである。第２に、「新法では、商用顔認識サービス提供業者が顔認識の精度と不公平な偏見の有無について、第三者試験機関による合理的な試験を受けることを義務付けるべきである。また、テクノロジー企業は顔認識サービスにインターネット経由でのアクセスに対応させ、さらにAPIなどの機能も用意する」ことである。 Smith, "Facial Recognition."

20. 新法では「顔認識機能を提供する企業は、顔認識結果を基に、同法で消費者に結果的に影響を与える『間接的適用領域』について、最終決定を下す前に、人間による有効なチェックを実施する」ことが義務付けられている。「こうした領域には、決定によって消費者に身体的または精神的危害が及ぶリスクがある場合や人権・基本的権利への影響がありうる場合、消費者の個人の自由やプライバシーが侵害されるおそれがある場合が含まれる」。 Smith, "Facial Recognition."

21. 一例として、空港の保安検査場など特定の場所で、テロ容疑者の特定などに顔認識機能を利用するカメラが挙げられる。だが、このようなケースであっても、拘束などの決定を下す前

に、訓練を受けた人間による有効なチェックを義務付けることが必要である。

22. *Carpenter v. United States,* No. 16-402, 585 U.S. (2017), https://www.supremecourt.gov/opinions/17pdf/16-402_h315.pdf.
23. Brad Smith, "Facial Recognition: It's Time for Action," *Microsoft on the Issues* (blog), December 6, 2018, https://blogs.microsoft.com/on-the-issues/2018/12/06/facial-recognition-its-time-for-action/.
24. われわれが指摘したように「アメリカのプライバシー保護運動はカメラ技術の改良によって誕生した。1890年、後に最高裁判事となるルイス・ブランダイスは、『ハーバード・ロー・レビュー』にサミュエル・ウォーレンとの共著記事で『そっとしておいてもらう権利』という表現で初めてプライバシー保護を擁護する法理を示した。インスタント写真の登場を受け、撮影した写真がすぐさま新聞に掲載されて新聞社の利益を生み出すようになったことから、プライバシーの権利によって人々を保護する必要があると２人は主張した」。
    Smith, "Facial Recognition," quoting Samuel Warren and Louis Brandeis, "The Right to Privacy," *Harvard Law Review,* IV:5 (1890), http://groups.csail.mit.edu/mac/classes/6.805/articles/privacy/Privacy_brand_warr2.html.
    　われわれが指摘したとおり、顔認識は「インスタント写真」に新たな意味を与えることになった。これは、ブランダイスやウォーレンが想像していなかったことだ。前掲。
25. Smith, "Facial Recognition."
26. このアイデアに興味を示した議員が、ワシントン州選出でシアトル在住のルーベン・カーライル上院議員だった。テクノロジー企業勤務を経て2009年に議員に転じた人物である。https://en.wikipedia.org/wiki/Reuven_Carlyle　広範なプライバシー法の制定に向け支持を表明し、顔認識の規則も含めることを主張した。カーライルは数カ月かけて法案を作成し、他の上院議員と意見を交換して細部を詰めた。尽力の末、顔認識の新規則を含む同法案は、超党派の支持を集めて2019年3月初めに成立した。 Joseph O'Sullivan, "Washington Senate Approves Consumer-Privacy Bill to Place Restrictions on Facial Recognition," *Seattle Times,* March 6, 2019, https://www.seattletimes.com/seattle-news/politics/senate-passes-bill-to-create-a-european-style-consumer-data-privacy-law-in-washington/.
27. Rich Sauer, "Six Principles to Guide Microsoft's Facial Recognition Work," *Microsoft on the Issues* (blog), December 17, 2018, https://blogs.microsoft.com/on-the-issues/2018/12/17/six-principles-to-guide-microsofts-facial-recognition-work/.

❖第13章

1. "Last of Boro's Fire Horses Retire; 205 Engine Motorized," *Brooklyn Daily Eagle,* December 20, 1922, Newspapers.com, https://www.newspapers.com/image/60029538.
2. "1922: Waterboy, Danny Beg, and the Last Horse-Driven Engine of the New York Fire Department," *The Hatching Cat,* January 24, 2015, http://hatchingcatnyc.com/2015/01/24/last-horse-driven-engine-of-new-york-fire-department/.
3. "Goodbye, Old Fire Horse; Goodbye!" *Brooklyn Daily Eagle,* December 20, 1922.
4. Augustine E. Costello, Our Firemen: *A History of the New York Fire Departments, Volunteer and Paid, from 1609 to 1887* (New York: Knickerbocker Press, 1997), 94.
5. 前掲, 424.
6. "Heyday of the Horse," American Museum of Natural History, https://www.amnh.org/exhibitions/horse/how-we-shaped-horses-how-horses-shaped-us/work/heyday-of-the-horse.
7. "Microsoft TechSpark: A New Civic Program to Foster Economic Opportunity for all Americans," *Stories* (blog), accessed February 23, 2019, https://news.microsoft.com/techspark/.
8. テック・スパークのインスピレーションの１つとして、2016年大統領選で明らかになった政治的な分断があった。投票の翌日、マイクロソフトでは、従業員からの質問や要求に応え

る形でかつてない取り組みがあった。大統領選の結果に対する反応をブログに記したのである。
Brad Smith, "Moving Forward Together: Our Thoughts on the US Election," *Microsoft on the Issues* (blog), Microsoft, November 6, 2016, https://blogs.microsoft.com/on-the-issues/2016/11/09/moving-forward-together-thoughts-us-election/.
そのなかで、政治の分断は経済の分断を反映したものとしたうえで「変化の激しい時代には誰もが参加できる経済成長を促進するイノベーションが必要だ」と指摘した。
マイクロソフトのケイト・ベンケンとマイク・イーガンを責任者にテック・スパークを開始し、6つの地域を対象に5つの戦略を掲げた。Brad Smith, "Microsoft TechSpark: A New Civic Program to Foster Economic Opportunity for all Americans," LinkedIn, October 5, 2017, https://www.linkedin.com/pulse/microsoft-techspark-new-civic-program-foster-economic-brad-smith/. テック・スパークは、高校でのコンピュータサイエンス教育の拡充、新たなキャリア開発を望む人々への進路づくり、ブロードバンド普及促進、非営利組織のデジタル化支援、地元経済のデジタルトランスフォーメーション支援への投資を柱としている。https://news.microsoft.com/techspark/.
テック・スパーク担当チームは、投資対象6地域での活動を統括する地元地域担当マネジャーを採用した。この6地域は、バージニア南部、ウィスコンシン北東部、テキサス州エルパソ周辺、メキシコ国境周辺、ノースダコタ州ファーゴ、ワイオミング州シャイアン、ワシントン州中央部である。
Richard Ryman, "Packers, Microsoft Bring Touch of Silicon Valley to Titletown District," *Green Bay Press Gazette,* October 20, 2017, https://www.greenbaypressgazette.com/story/news/2017/10/19/packers-microsoft-bring-touch-silicon-valley-titletown-district/763041001/; Opinion, "TitletownTech: Packers, Microsoft Partnership a 'Game Changer' for Greater Green Bay," *Green Bay Press Gazette,* October 21, 2017, https://www.greenbaypressgazette.com/story/opinion/editorials/2017/10/21/titletowntech-packers-microsoft-partnership-game-changer-greater-green-bay/786094001/.

9. Lauren Silverman, "Scanning the Future, Radiologists See Their Jobs at Risk," NPR, September 4, 2017, https://www.npr.org/sections/alltechconsidered/2017/09/04/547882005/scanning-the-future-radiologists-see-their-jobs-at-risk; "The First Annual Doximity Physician Compensation Report," *Doximity* (blog), April 2017, https://blog.doximity.com/articles/the-first-annual-doximity-physician-compensation-report.
10. Silverman, "Scanning the Future."
11. Asma Khalid, "From Post-it Notes to Algorithms: How Automation Is Changing Legal Work," NPR, November 7, 2017, https://www.npr.org/sections/alltechconsidered/2017/11/07/561631927/from-post-it-notes-to-algorithms-how-automation-is-changing-legal-work.
12. Radicati Group, "Email Statistics Report, 2015-2019," Executive Summary, March 2015, https://radicati.com/wp/wp-content/uploads/2015/02/Email-Statistics-Report-2015-2019-Executive-Summary.pdf.
13. Radicati Group, "Email Statistics Report, 2018-2022," March 2018, https://www.radicati.com/wp/wp-content/uploads/2017/12/Email-Statistics-Report-2018-2022-Executive-Summary.pdf.
14. Kenneth Burke, "How Many Texts Do People Send Every Day (2018)?" *How Many Texts People Send Per Day* (blog), Text Request, last modified November 2018, https://www.textrequest.com/blog/how-many-texts-people-send-per-day/.
15. Bill Gates, "Bill Gates New Rules," *Time,* April 19, 1999, http://content.time.com/time/world/article/0,8599,2053895,00.html.
16. Smith and Browne, "The Woman Who Showed the World How to Drive."
17. McKinsey Global Institute, Jobs Lost, *Jobs Gained: Workforce Transitions in a Time of Automation* (New York: McKinsey & Company, 2017), https://www.mckinsey.com/~/media/McKinsey/Featured%20Insights/Future%20of%20Organizations/What%20the%20future%20

of%20work%20will%20mean%20for%20jobs%20skills%20and%20wages/MGI-Jobs-Lost-Jobs-Gained-Report-December-6-2017.ashx.
18. 前掲、43。
19. Anne Norton Greene, *Horses at Work: Harnessing Power in Industrial America* (Cambridge, MA: Harvard University Press, 2008), 273.
20. "Pettet, Zellmer R. 1880-1962," WorldCat Identities, Online Computer Library Center, accessed November 16, 2018, http://worldcat.org/identities/lccn-no00042135/.
21. "Zellmer R. Pettet," *Arizona Republic,* August 22, 1962, Newspapers.com, https://www.newspapers.com/clip/10532517/pettet_zellmer_r_22_aug_1962/.
22. Robert J. Gordon, *The Rise and Fall of American Growth: The U.S. Standard of Living Since the Civil War* (Princeton, NJ: Princeton University Press, 2016), 60.
23. 前掲。
24. "Calorie Requirements for Horses," Dayville Hay & Grain, http://www.dayvillesupply.com/hay-and-horse-feed/calorie-needs.html.
25. Z.R. Pettet, "The Farm Horse," in U.S. Bureau of the Census, *Fifteenth Census, Census of Agriculture* (Washington, DC: Government Printing Office, 1933), 8.
26. 前掲、71-77。
27. 前掲、79。
28. 前掲、80。
29. Linda Levine, *The Labor Market During the Great Depression and the Current Recession* (Washington, DC: Congressional Research Service, 2009), 6.
30. Ann Norton Greene, *Horses at Work: Harnessing Power in Industrial America* (Cambridge, MA: Harvard University Press, 2008).
31. Lendol Calder, *Financing the American Dream: A Cultural History of Consumer Credit* (Princeton, NJ: Princeton University Press, 1999), 184.
32. John Steele Gordon, *An Empire of Wealth: The Epic History of American Economic Power* (New York: HarperCollins, 2004), 299-300.

❖第14章

1. Seattle Times Staff, "Live Updates from Xi Visit," *Seattle Times,* September 22, 2015, https://www.seattletimes.com/business/chinas-president-xi-arriving-this-morning/.
2. "Xi Jinping and the Chinese Dream," *The Economist,* May 4, 2013, https://www.economist.com/leaders/2013/05/04/xi-jinping-and-the-chinese-dream.
3. Reuters in Seattle, "China's President Xi Jinping Begins First US Visit in Seattle," *Guardian,* September 22, 2015, https://www.theguardian.com/world/2015/sep/22/china-president-xi-jinping-first-us-visit-seattle.
4. Julie Hirschfeld Davis, "Hacking of Government Computers Exposed 21.5 Million People," *New York Times,* July 9, 2019, https://www.nytimes.com/2015/07/10/us/office-of-personnel-management-hackers-got-data-of-millions.html.
5. Jane Perlez, "Xi Jinping's U.S. Visit," *New York Times,* September 22, 2015, https://www.nytimes.com/interactive/projects/cp/reporters-notebook/xi-jinping-visit/seattle-speech-china.
6. Evelyn Cheng, "Apple, Intel and These Other US Tech Companies Have the Most at Stake in China-US Trade Fight," *CNBC,* May 14, 2018, https://www.cnbc.com/2018/05/14/as-much-as-150-billion-annually-at-stake-us-tech-in-china-us-fight.html.
7. "Microsoft Research Lab-Asia," Microsoft, accessed January 25, 2019, https://www.microsoft.com/en-us/research/lab/microsoft-research-asia/.
8. Geoff Spencer, "Much More Than a Chatbot: China's XiaoIce Mixes AI with Emotions and Wins Over Millions of Fans," *Asia News Center* (blog), November 1, 2018, https://news.

microsoft.com/apac/features/much-more-than-a-chatbot-chinas-xiaoice-mixes-ai-with-emotions-and-wins-over-millions-of-fans/.

9. "Microsoft XiaoIce, China's Newest Fashion Designer, Unveils Her First Collection for 2019," *Asia News Center* (blog), Microsoft, November 12, 2018, https://news.microsoft.com/apac/2018/11/12/microsofts-xiaoice-chinas-newest-fashion-designer-unveils-her-first-collection-for-2019/.
10. James Vincent, "Twitter Taught Microsoft's AI Chatbot to Be a Racist Asshole in Less Than a Day," *The Verge,* March 24, 2016, https://www.theverge.com/2016/3/24/11297050/tay-microsoft-chatbot-racist.
11. Richard E. Nisbett, *The Geography of Thought: How Asians and Westerners Think Differently . . . and Why* (New York: Free Press, 2003).
12. Henry Kissinger, *On China* (New York: Penguin Press, 2011), 13.
13. 前掲、14-15。
14. Nisbett, *The Geography of Thought,* 2-3.
15. 前掲。
16. マイクロソフトは、主要NGOとの協議やパートナーシップ、会員としての加入などを通じて人権問題に関する外部の視点を取り入れている。テクノロジー業界で人権に対する幅広い視点や取り組みを促進するうえで大きな役割を担っているグループが、GNI（グローバル・ネットワーク・イニシアティブ）である。会員には、人権擁護団体のほか、テクノロジー企業も名を連ね、人権に関する共通原則への取り組みや遵守状況の定期監査などの活動を実施している。
    Global Network Initiative, "The GNI Principles," https://globalnetworkinitiative.org/gni-principles/. UNESCOのガイ・バーガーは、GNIがマルチステークホルダー方式の点で独自性があり、「内部に企業と市民社会の対話がある」と述べている。 Guy Berger, "Over-Estimating Technological Solutions and Underestimating the Political Moment?" *The GNI Blog* (Medium), December 5, 2018, https://medium.com/global-network-initiative-collection/over-estimating-technological-solutions-and-underestimating-the-political-moment-467912fa2d20. 前掲
    また、人権団体と経済界が協力している別の場として、ニューヨーク大学ビジネスと人権センターがある。人権派弁護士として世界的に著名なマイケル・ポスナーが責任者を務める同センターは、ビジネスと人権が重なる領域に特化している。 NYU Stern, "The NYU Stern Center for Business and Human Rights," https://www.stern.nyu.edu/experience-stern/about/departments-centers-initiatives/centers-of-research/business-and-human-rights.
17. He Huaihong, *Social Ethics in a Changing China: Moral Decay or Ethical Awakening?* (Washington, DC: Brookings Institution Press, 2015).
18. David E. Sanger, Julian E. Barnes, Raymond Zhong, and Marc Santora, "In 5G Race With China, U.S. Pushes Allies to Fight Huawei," *New York Times,* January 26, 2019, https://www.nytimes.com/2019/01/26/us/politics/huawei-china-us-5g-technology.html.
19. Sean Gallagher, "Photos of an NSA 'upgrade' factory shows Cisco router getting implant," ARS Technica, May 14, 2014, https://arstechnica.com/tech-policy/2014/05/photos-of-an-nsa-upgrade-factory-show-cisco-router-getting-implant/.
20. Reid Hoffman and Chris Yeh, *Blitzscaling: The Lightning-Fast Path to Building Massively Valuable Businesses* (New York: Currency, 2018).

❖第15章

1. Kai-Fu Lee, *AI Superpowers: China, Silicon Valley,* and the New World Order (Boston: Houghton Mifflin Harcourt, 2018), 21.
2. 前掲、169。

3．前掲、168-69。
4．"Automotive Electronics Cost as a Percentage of Total Car Cost Worldwide From 1950 to 2030," Statista, September 2013, https://www.statista.com/statistics/277931/automotive-electronics-cost-as-a-share-of-total-car-cost-worldwide/.
5．"Who Was Fred Hutchinson?," Fred Hutch, accessed January 25, 2019, https://www.fredhutch.org/en/about/history/fred.html.
6．"Mission & Facts," Fred Hutch, accessed January 25, 2019, https://www.fredhutch.org/en/about/mission.html.
7．Gary Gilliland, "Why We Are Counting on Data Science and Tech to Defeat Cancer," January 9, 2019, LinkedIn, https://www.linkedin.com/pulse/why-we-counting-data-science-tech-defeat-cancer-gilliland-md-phd/.
8．前掲。
9．Gordon I. Atwater, Joseph P. Riva, and Priscilla G. McLeroy, "Petroleum: World Distribution of Oil," *Encyclopedia Britannica,* October 15, 2018, https://www.britannica.com/science/petroleum/World-distribution-of-oil.
10. "China Population 2019," World Population Review, accessed February 28, 2019, http://worldpopulationreview.com/countries/china-population/.
11. "2019 World Population by Country (Live)," World Population Review, accessed February 27, 2019, http://worldpopulationreview.com/.
12. International Monetary Fund, "Projected GDP Ranking (2018-2023)," Statistics Times, accessed February 27, 2019, http://www.statisticstimes.com/economy/projected-world-gdp-ranking.php.
13. Matthew Trunnell, unpublished memorandum.
14. Zev Brodsky, "Git Much? The Top 10 Companies Contributing to Open Source," White Source, February 20, 2018, https://resources.whitesourcesoftware.com/blog-whitesource/git-much-the-top-10-companies-contributing-to-open-source.
15. United States Office of Management and Budget, "President's Management Agenda," White House, March 2018, https://www.whitehouse.gov/wp-content/uploads/2018/03/Presidents-Management-Agenda.pdf.
16. World Wide Web Foundation, *Open Data Barometer,* September 2018, https://opendatabarometer.org/doc/leadersEdition/ODB-leadersEdition-Report.pdf.
17. Trunnell, unpublished memo.
18. "Introduction to the CaDC," California Data Collaborative, accessed January 25, 2019, http://californiadatacollaborative.org/about.

❖第16章

1．アン・テイラーは、ケンタッキー盲学校に通っていたころ、コンピュータサイエンスを学ぼうと決心した。この科目は盲学校になかったため、地域の公立高校にわざわざ通うことになった。目の不自由な生徒がコンピュータサイエンスを学ぶのは初のケースだった。やがてウエスタン・ケンタッキー大学に進学し、コンピュータサイエンスを専攻した。全米盲人連盟で働くようになり、テクノロジー業界にアクセシビリティ向上を働きかける活動を展開。2015年、マイクロソフトのアクセシビリティ担当役員ジェニー・レイフラリーがアンに電話をかけ「マイクロソフトで働きませんか」と誘い、現在のポジションを獲得することになった。
2．プリンストン大学のゲニザ研究所には、ユダヤ教文書の最大の保管庫とされているカイロ旧市街のベン・エズラ・シナゴーグから発掘された膨大な文書が所蔵されている。19世紀後期から世界中の研究者がこの文書の研究に取り組んでいて、今も続いている。AIアルゴリズムとコンピュータビジョンを組み合わせ、世界各地に散らばって保管されている文書の断

片の電子化された画像を読み込むことにより、ラストウ教授らは断片同士をつなぎ合わせていった。そのようにして解読した結果、10世紀の中東でユダヤ教徒とイスラム教徒が共存していた全体像を描き出すことに成功した。

Robert Siegel, "Out of Cairo Trove, 'Genius Grant' Winner Mines Details of Ancient Life," NPR's *All Things Considered,* September 29, 2015, https://www.npr.org/2015/09/29/444527433/out-of-cairo-trove-genius-grant-winner-mines-details-of-ancient-life.

3. University of Southern California Center for Artificial Intelligence in Society, PAWS: Protection Assistant for Wildlife Security, accessed April 9, 2019, https://www.cais.usc.edu/projects/wildlife-security/.
4. Satya Nadella, "The Necessity of Tech Intensity in Today's Digital World," LinkedIn, January 18, 2019, https://www.linkedin.com/pulse/necessity-tech-intensity-todays-digital-world-satya-nadella/.
5. Einstein, "The 1932 Disarmament Conference."
6. Hoffman and Yeh, *Blitzscaling.*
7. 取締役会の適切なリーダーシップも必要になる。多くのテクノロジー企業でさらに多様な手法を取り入れる余地がある。強大な力を持つ創業者に取締役会が頼り切りになったために、厄介な問題が表面化しても、社内の状況を十分に把握しようとしなかったり、問題に目を向ける勇気を持てなかったりするリスクがある。一方、取締役会があまりに細かい部分まで首を突っ込むと、取締役会とCEOの役割分担に混乱が生まれるおそれもある。

   マイクロソフトでは、監査委員会のチャック・ノスキー委員長が財務統制にとどまらず、社内監査チームと連携して、厳格なプロセスの実施に力を入れている。皮肉なことだが、2002年にコリーン・コラーコテリー判事が当社の独禁法訴訟の和解を認める際、当社取締役会が独禁法コンプライアンス委員会を設置することを条件に挙げたのだが、これが結果的に当社には良い結果をもたらした。この義務は10年間の期限があったが、期限後も取締役会は引き続き規制・公共政策委員会を設置している。同委員会は、サイバーセキュリティなどの問題の際に、取締役会の監査委員会と連携して対応するだけでなく、年に1回、経営陣が過去1年の社会動向・政治動向を振り返り、後手に回らず対応できたかどうかを評価している。いわば木ではなく森を見る姿勢で反省することにより、次の1年に備えるのだ。

   取締役会は事業、組織、人、課題を深く理解しておかなければならない。マイクロソフトでは、取締役が定期的に幹部社員と小規模の会合を持ったり、各種会議に顔を出したり、年1回の幹部スタッフの戦略合宿に参加したりしている。筆者が取締役を務めるネットフリックスでは、CEOが大小さまざまなスタッフの会合に参加する機会を用意している。
8. Margaret O'Mara, *The Code: Silicon Valley and the Remaking of America* (New York: Penguin Press, 2019), 6.
9. 「テクノロジー業界の起業は一匹オオカミで成功するのではなく、多くの人々、ネットワーク、機関の努力があってこそだ。民主、共和両党の政治リーダーが激しく批判し合い、多くのテクノロジー業界リーダーが疑いの目を向けているような「大きな政府」のプログラムも同様だ。原爆から月面着陸、インターネットなど、公的支出を追い風に科学技術の発見は爆発的に増加し、スタートアップ企業の礎となっている」前掲、5。

   同じ現象は知財分野に携わる多くの役所関係者や弁護士も気付いている。規制に抵抗していながら、テクノロジー企業が著作権法や特許法、商標法の恩恵なしに優れた時価評価を享受できるかどうか疑わしい。こうした法律は、発明家や開発者が自ら生み出した知財を保有する機会をもたらしているからだ。
10. 737MAXの認証過程で、FAAが認証手続きの一部をボーイングに委託していたことについて、政府高官や国民から不安の声が上がった。すぐにFAAが航空機の安全性評価の外部審査を追加すべきだとの指摘が集中した。

    Steve Miletich and Heidi Groover, "Reacting to Crash Finding, Congressional Leaders Support Outside Review of Boeing 737 MAX Fixes," *Seattle Times,* April 4, 2019, https://www.seattletimes.com/business/boeing-aerospace/reacting-to-crash-finding-congressional-leaders-support-outside-review-of-boeing-737-max-fixes/.

11. Ballard C. Campbell, *The Growth of American Government: Governance from the Cleveland Era to the Present* (Bloomington: Indiana University Press, 2015), 29.
12. Ari Hoogenboom and Olive Hoogenboom, *A History of the ICC: From Panacea to Palliative* (New York: W. W. Norton, 1976); Richard White, *Railroaded: The Transcontinentals and the Making of Modern America* (New York: W. W. Norton, 2011); Gabriel Kolko, *Railroads and Regulation: 1877-1916* (Princeton, NJ: Princeton University Press, 1965), 12.
13. 前掲。
14. "Democracy Index 2018: Me Too? Political Participation, Protest Democracy," The Economist Intelligence Unit, https://www.eiu.com/public/topical_report.campaignid=Democracy2018.

❖日本語版あとがき

1. European Union External Action Service, "The Coronavirus Pandemic and the New World it is Creating." Blog by Joseph Borrell, EU High Representative and Vice President for Foreign Policy and Security Policy, March 23, 2020, https://eeas.europa.eu/headquarters/headquarters-homepage_en/76379/The%20Coronavirus%20pandemic%20and%20the%20new%20world%20it%20is%20creating.
2. 前掲。
3. Brad Smith, "Microsoft Launches Initiative to Help 25 Million People Worldwide Acquire the Digital Skills Needed in a COVID-19 Economy," *Microsoft on the Issues* (blog), June 30, 2020, https://blogs.microsoft.com/blog/2020/06/30/microsoft-launches-initiative-to-help-25-million-people-worldwide-acquire-the-digital-skills-needed-in-a-covid-19-economy/.
4. Carl Weinschenk, "OpenVault: Pandemic Drives Almost a Year's Worth of Broadband Traffic Growth in the Span of a Couple of Weeks," *Telecompetitor,* May 4, 2020, https://www.telecompetitor.com/openvault-pandemic-drives-almost-a-years-worth-of-broadband-traffic-growth-in-the-span-of-a-couple-of-weeks/.
5. Mary Jo Foley, "Microsoft's Healthcare Bot Service Helps Power CDC's COVID-19 Assessment Bot," *ZDNet,* March 22, 2020, https://www.zdnet.com/article/microsofts-healthcare-bot-service-helps-power-cdcs-covid-19-assessment-bot/.
6. Christina Farr, "Microsoft is Launching a 'Plasmabot' to Encourage People Who Recovered From the Virus to Donate Their Plasma as a Possible Treatment," CNBC, April 18, 2020, https://www.cnbc.com/2020/04/18/microsoft-plasmabot-encourages-covid-19-survivors-to-donate-plasma.html.
7. Brad Smith, "Microsoft Launches Initiative to Help 25 Million People Worldwide Acquire the Digital Skills Needed in a COVID-19 Economy," *Microsoft on the Issues* (blog), June 30, 2020, https://blogs.microsoft.com/blog/2020/06/30/microsoft-launches-initiative-to-help-25-million-people-worldwide-acquire-the-digital-skills-needed-in-a-covid-19-economy/.
8. Tom Burt, "Protecting Healthcare and Human Rights Organizations From Cyberattacks," *Microsoft on the Issues* (blog), April 14, 2020, https://blogs.microsoft.com/on-the-issues/2020/04/14/accountguard-cyberattacks-healthcare-covid-19/ .
9. 前掲。
10. 前掲。
11. Christopher Bing, "Red Cross Urges Halt to Cyberattacks on Healthcare Sector Amid COVID-19," *Reuters,* May 26, 2020, https://www.msn.com/en-ca/news/world/red-cross-urges-halt-to-cyberattacks-on-healthcare-sector-amid-covid-19/ar-BB14zPTB.
12. "Planes Will Be More Popular Than Autos After the War Ends, Youths Are Told Here," *New York Times,* January 31, 1943, 30.
13. "War Seen Creating New Marvels For Our Homes After the War," *New York Times,* January 22, 1943, 23.